P9-DEB-070

Et rien d'autre

Du même auteur

L'Homme des hautes solitudes
Denoël, 1981
Éditions des Deux-Terres, 2003
« Petite Bibliothèque de l'Olivier », 2004

American Express
Prix Faulkner 1988
Éditions de l'Olivier, 1995
« Petite Bibliothèque américaine », 1997
Points, n° P2450

Un sport et un passe-temps
Éditions de l'Olivier, 1995
« Petite Bibliothèque américaine », 1997
Points Signatures, n° P1924

Une vie à brûler
Éditions de l'Olivier, 1999
« Petite Bibliothèque américaine », 2001
Points, n° P2629

Cassada
Éditions de l'Olivier, 2001
« Petite Bibliothèque de l'Olivier », 2003

Bangkok
Éditions des Deux-Terres, 2003
« Petite Bibliothèque de l'Olivier », 2004

JAMES SALTER

Et rien d'autre

traduit de l'anglais (États-Unis)
par Marc Amfreville

ÉDITIONS DE L'OLIVIER

L'édition originale de cet ouvrage
a paru chez Knopf en 2013
sous le titre : *All That Is*.

ISBN 978.2.8236.0290.6

Il arrive un moment
Où vous savez que tout n'est qu'un rêve
Que seules les choses qu'a su préserver l'écriture
Ont des chances d'être vraies.

1
Au point du jour

Toute la nuit, dans le noir, la mer avait défilé.

Sous le pont, dans leurs lits métalliques étagés les uns au-dessus des autres par rangées de six, des centaines d'hommes, silencieux, gisant pour la plupart sur le dos, n'avaient toujours pas trouvé le sommeil alors que le jour allait poindre. Les lampes étaient en veilleuse, les moteurs vrombissaient inlassablement, les ventilateurs brassaient l'air humide : quinze cents soldats, chacun avec des armes et un paquetage assez lourds pour le faire couler à pic, comme une enclume jetée dans l'océan, rien qu'une fraction de l'immense armée en route vers Okinawa, la grande île située à la pointe sud du Japon. En vérité, Okinawa, c'était déjà le Japon, l'archipel en faisait partie, une terre étrange et inconnue. La guerre, qui durait depuis trois ans et demi, était entrée dans sa phase terminale. D'ici une demi-heure, les premiers groupes de soldats formeraient la file d'attente du petit-déjeuner, ils mangeraient debout, épaule contre épaule, l'air grave, sans échanger un mot. Le navire fendait doucement les flots, avec un léger ronronnement. L'acier de la coque grinçait.

Dans le Pacifique, la guerre ne ressemblait pas à ce qu'il se passait ailleurs. Même les distances étaient énormes. Jour après jour, rien que la mer, immense et vide, et puis les noms insolites d'endroits éloignés de plus d'un millier de kilomètres les uns des autres. Cette guerre avait embrasé des îles innombrables, arrachées une à une au contrôle des Japonais. Guadalcanal, qui devint une sorte de mythe. Les îles Salomon, le détroit de Nouvelle-Géorgie, surnommé la Fente. Et l'atoll de Tarawa où les péniches de débarquement se heurtèrent à des récifs éloignés du rivage et où les hommes se firent massacrer par un feu ennemi nourri, aussi dense que des essaims d'abeilles; l'horreur des plages, les corps gorgés d'eau ballottés par les vagues, tous ces fils de la nation, certains beaux comme des dieux.

Au début les Japonais s'étaient emparés à une vitesse fulgurante de toute la région: les Indes néerlandaises, la Malaisie occidentale, les Philippines. De solides bastions, des forteresses considérées comme imprenables, furent assaillis et passèrent entre leurs mains en quelques jours. Seule contre-attaque notoire: la première bataille de porte-avions au beau milieu du Pacifique, près de Midway, au cours de laquelle quatre bâtiments japonais irremplaçables et leurs contingents de jets et de soldats aguerris furent coulés. Un coup de massue, mais l'ennemi restait implacablement combatif. L'étreinte de la main de fer qui s'était refermée sur le Pacifique allait devoir être desserrée, en brisant avec fracas un os après l'autre.

Les combats, dans la jungle inextricable et la fournaise, étaient sans fin et d'une violence inouïe. Près des rives, après les assauts, les palmiers se dressaient, dénudés tels de hauts poteaux de bois, toutes leurs feuilles emportées par les tirs. Les ennemis étaient de farouches soldats, on s'étonnait des chapiteaux en forme de pagode sur leurs navires de guerre, mais aussi de leur mystérieuse langue sifflante, de leurs corps trapus, et de leur férocité. Jamais ils ne se rendaient. Ils luttaient jusqu'à la mort. Ils exécutaient leurs prisonniers au fil des épées à deux mains qu'ils brandissaient bien haut, et ils ne montraient aucune pitié en cas de victoire, les bras levés dans d'exubérantes manifestations de triomphe.

Avec l'année 1944, on était entré dans la dernière phase du conflit. L'objectif était de mettre le Japon à portée de tir des plus lourds bombardiers. Saipan était la clé de la réussite: l'île était vaste et bien défendue. L'armée japonaise n'avait connu aucune défaite, mis à part dans ses avant-postes – en Nouvelle-Guinée, aux îles Gilbert, et autres lieux similaires –, depuis plus de trois cent cinquante ans. Vingt-cinq mille soldats étaient stationnés à Saipan avec pour mission de ne pas céder un pouce de terrain. Dans l'ordre des priorités de ce bas monde, la défense de cette île était considérée comme une question de vie ou de mort.

En juin, l'attaque fut lancée. Les Japonais disposaient de dangereuses forces navales dans la zone, de lourds croiseurs et cuirassés. Deux divisions de la marine réussirent à débarquer, et une de l'armée de terre leur emboîta le pas.

L'opération tourna pour les Japonais à ce qu'ils appelèrent « le désastre de Saipan ». Vingt jours plus tard, ils étaient presque tous morts. Le général japonais, ainsi que l'amiral Nagumo, aux commandes lors de la bataille de Midway, se suicidèrent, et des centaines de civils, hommes et femmes – dont des mères qui tenaient des bébés dans leurs bras –, terrifiés à l'idée d'être massacrés, se précipitèrent du haut des falaises sur les rochers acérés.

Le glas avait sonné. Le pilonnage de l'archipel du Japon était désormais possible, et durant l'attaque spectaculaire de Tokyo à la bombe incendiaire, leur raid le plus violent, plus de quatre-vingt mille personnes périrent dans les flammes en une seule nuit.

Puis ce fut la chute d'Iwo Jima. Les Japonais prêtèrent un ultime serment : la mort d'une centaine de millions d'âmes, la population entière, plutôt que la reddition.

Avant cela, il restait la dernière étape : Okinawa.

Le jour se levait. Une de ces aubes pâles du Pacifique où le sommet des nuages du petit matin captait la lumière et dissimulait la ligne d'horizon. Sur la mer, aucun bateau. Lentement, le soleil apparut, illuminant la surface de l'eau soudain toute blanche. Un sous-lieutenant du nom de Bowman était sorti sur le pont et, accoudé au bastingage, il scrutait l'océan. Son compagnon de cabine, Kimmel, le rejoignit sans dire un mot. Bowman ne devait jamais oublier ce jour. Aucun d'eux ne l'oublierait jamais.

« Tu vois quelque chose ?

– Non, rien.

– Il faut dire qu'on n'y voit pas bien clair », commenta Kimmel.

Il regarda vers l'avant, puis vers la poupe du navire.

« Tout ce calme ne me dit rien qui vaille. »

Bowman était chargé du quart, ainsi que de la vigie, comme il l'avait appris l'avant-veille.

« Mon commandant, ça consiste en quoi ?

– Voici le manuel d'instruction, avait répondu son supérieur. Je vous conseille de le lire. »

Il s'y était mis le soir même, cornant certaines pages au fur et à mesure.

« Qu'est-ce que tu fabriques ? demanda Kimmel.

– Pas le moment de me déranger.

– Tu étudies quoi ?

– Un manuel.

– Bon Dieu, on est en plein dans les eaux ennemies et toi, tu passes ton temps à potasser un manuel ? C'est pas vraiment le moment, tu sais ? Tu es censé être déjà au courant de ce qu'il faut faire. »

Bowman feignit de ne pas l'avoir entendu. Ils se connaissaient depuis l'école navale, où le commandant, un capitaine de la marine dont la carrière s'était brisée avec le naufrage de son destroyer, faisait déposer sur le lit de tous les aspirants un exemplaire du *Message à Garcia*, un texte inspiré qui relatait des faits d'armes de la guerre du Mexique. Si le capitaine McCreary n'avait plus aucun avenir, il demeurait fidèle aux principes du passé. Il se saoulait à mort toutes les nuits mais, au matin, rasé de frais, il était impeccable. Il connaissait le code du marin par cœur, et c'était de sa poche qu'il achetait les exemplaires du *Message à Garcia* pour ses hommes. Bowman l'avait lu attentivement ; des années plus tard, il en gardait encore des passages entiers en mémoire. *Garcia se trouvait quelque part à Cuba, dans l'immensité des montagnes – personne ne savait où...* Le message était clair : faites votre devoir sans faillir, sans vous poser de questions ni avancer d'excuses inutiles. Kimmel avait gloussé en le lisant.

« Oui, mon capitaine ! Engageons-nous dans la marine ! »

C'était un type maigre aux cheveux noirs qui marchait avec un air dégingandé le faisant paraître plus haut sur pattes qu'il ne l'était. On avait toujours l'impression qu'il avait dormi avec son uniforme, et ses cols de chemise bâillaient. Les matelots entre eux l'avaient surnommé Camel, « le chameau », mais il avait une assurance de jeune premier et il plaisait aux femmes. À San Diego, il était sorti avec une fille pleine d'entrain nommée Vicky dont le père possédait une concession automobile Palmetto Ford. Elle avait les cheveux blonds, qu'elle portait tirés en arrière, et un air espiègle. Kimmel lui plut immédiatement ; son charme désinvolte, sans doute. Dans la chambre d'hôtel qu'il avait louée avec deux autres officiers et où, expliqua-t-il, ils seraient plus tranquilles que dans le chahut du bar, ils avaient bu des whisky-Coca.

« Comment ça a pu arriver ? lui demanda-t-il.

– Quoi donc ?

– Que je rencontre une fille comme toi.

– Sûr que tu ne le méritais pas, en tout cas. »

Il éclata de rire.

« C'était le destin », reprit-il.

Elle sirotait son cocktail.

« Et ce destin, il prévoit aussi que je t'épouse ? lança-t-elle.

– Mon Dieu ! On en est déjà là ? Je suis beaucoup trop jeune pour me marier.

– Tu m'aurais déjà trompée dix fois avant la fin de la première année.

– Jamais je ne ferais une chose pareille.

– Paroles, paroles… »

Elle devinait exactement quel genre d'homme il était, mais elle saurait le changer. Elle aimait son rire. Il faudrait d'abord qu'il rencontre son père, lui expliqua-t-elle.

« Je serais ravi de faire sa connaissance, répondit Kimmel, apparemment sérieux. Tu lui as parlé de nous ?

– Certainement pas, je ne suis pas folle ! Il me tuerait.

– Comment ça ? Et pour quelle raison ?

– Si je lui avouais que j'étais enceinte, il me tuerait.

– Tu es enceinte ? demanda vivement Kimmel, saisi de panique.

– Qui sait ? »

Vicky Hollins, moulée dans sa robe de soie : toutes les têtes se tournaient sur son passage. Perchée sur des talons hauts, elle n'était pas si petite. Elle aimait se présenter sous son nom de famille. « C'est Hollins », avait-elle coutume de dire au téléphone.

Ils allaient lever l'ancre, ce qui rendrait tout cela bien réel ; enfin, d'une certaine façon.

« Qui sait si on reviendra un jour », dit-il l'air décontracté.

Les lettres de Vicky étaient arrivées dans les deux sacs postaux que Bowman avait rapportés de Leyte. Le second du navire l'y avait envoyé pour tenter de récupérer à la poste de la flotte le courrier qui leur était destiné – ils n'avaient rien reçu depuis dix jours –, et il était revenu triomphant avec son butin à bord d'un jet TBM. Kimmel lut des extraits de ces lettres au bénéfice, notamment, de Brownell, avec qui ils partageaient leur cabine. C'était un type obsédé par la pureté morale, les mâchoires souvent serrées et les pommettes grêlées de cicatrices d'acné. Kimmel adorait l'asticoter. Il renifla une page de sa lettre. Oui, c'était bien son parfum, il le reconnaîtrait, même à l'autre bout du monde.

« On sent peut-être quelque chose d'autre, ajouta-t-il, l'air méditatif. Je me demande... Vous croyez qu'elle aurait pu la frotter contre son... Tiens, respire un coup, proposa-t-il en la tendant à Brownell. Dis-moi ce que tu en penses.

– Oh ! je serais bien incapable de me prononcer », répondit Brownell, gêné. Ses mâchoires s'étaient crispées.

« Tu pourrais si tu voulais, un vieil amateur de minous comme toi !

– N'essaie pas de me pervertir !

– Rien de pervers là-dedans, elle m'écrit parce qu'on est tombés amoureux. Un lien noble et pur nous unit.

– Et tu t'y connais, n'est-ce pas ? »

Brownell était en train de lire *Le Prophète*.

« *Le Prophète* ? De quoi ça parle ? demanda Kimmel. Fais-moi voir. Qu'est-ce qui s'y passe ? Dis-nous comment ça se finit. »

Brownell ne répondit pas.

Les lettres étaient moins excitantes que l'on n'aurait pu l'attendre de pages couvertes d'une écriture féminine. Vicky était bavarde, et ses missives faisaient la chronique détaillée et quelque peu redondante de sa vie, qui consistait surtout à retourner dans les endroits où Kimmel et elle étaient allés. Elle s'y rendait la plupart du temps en compagnie de Susu, sa meilleure amie, ou avec d'autres officiers de la marine, mais elle ne cessait jamais de penser à lui. Le barman se souvenait d'eux, disait-elle, comme d'un couple merveilleux. Vicky terminait toujours ses lettres par une phrase tirée d'une chanson à la mode. *Je ne voulais pas te faire ça*, écrivait-elle cette fois.

Bowman n'avait pas de petite amie, fidèle ou volage. Il n'avait encore eu aucune expérience amoureuse, mais répugnait à l'avouer. Quand ses camarades parlaient de femmes, il se contentait de laisser passer le sujet ou se comportait comme s'il était plus ou moins en terrain connu quand Kimmel racontait sa liaison torride. Sa vie, c'était le bateau, et les tâches qui lui incombaient à bord. Il devait fidélité à son navire et à une tradition qu'il respectait, et il éprouvait une certaine fierté quand le capitaine ou son second s'écriaient : « Mr Bowman ! » Il aimait la confiance que ses supérieurs plaçaient en lui, aussi peu justifiée qu'elle puisse être.

Il faisait preuve de diligence. Les yeux bleus, les cheveux châtains, peignés en arrière. Au lycée déjà, c'était un élève appliqué. Un jour, Miss Crowley l'avait retenu après la classe et lui avait dit qu'il avait l'étoffe d'un grand latiniste, mais si elle avait pu le voir maintenant dans son uniforme décoré d'un insigne terni par les embruns, elle aurait été très impressionnée. Depuis que Kimmel et lui avaient embarqué à Ulithi, il avait le sentiment du devoir accompli

Il se demandait comment il se comporterait au combat, tandis que tous deux fixaient cet océan étranger et mystérieux, puis le ciel qui commençait déjà à s'éclaircir. Le courage, la peur et la façon dont on se conduirait dans le feu de l'action ne faisaient pas partie des choses dont on parlait aisément. On espérait que, le moment venu, on saurait se montrer à la hauteur. Il se faisait plutôt confiance à ce sujet, mais surtout il s'en remettait à ses chefs, ces hommes d'expérience qui commandaient la flotte. Un jour, il avait aperçu à quelques centaines de mètres le vaisseau amiral camouflé qui filait à vive allure au ras des flots, le *New Jersey*, avec Halsey à son bord. C'était un peu comme voir de loin l'empereur à Ratisbonne. Il avait ressenti une sorte de fierté, et même de plénitude. Cela lui suffisait.

Le véritable danger viendrait du ciel, des attaques suicides des kamikazes – un mot signifiant « le vent de Dieu », ces tempêtes envoyées par la Providence qui avaient sauvé le Japon menacé d'invasion par la flotte de Kubilai Khan, plusieurs siècles auparavant. Le principe était le même, mais mené cette fois par des avions chargés de bombes qui s'abattaient droit sur les navires ennemis en sacrifiant leur pilote.

La première de ces charges avait eu lieu dans les Philippines quelques mois plus tôt. Un avion japonais avait plongé sur un lourd croiseur, tuant le capitaine et de nombreux marins dans l'explosion. Depuis lors, ce type d'attaque s'était multiplié. Les appareils japonais apparaissaient soudain en formations irrégulières. Avec un mélange de peur et de fascination quasi hypnotique, les hommes les regardaient fondre sur leur bateau en dépit des feux nourris de leur batterie antiaérienne, ou bien foncer vers eux au ras de l'eau. Pour défendre Okinawa, les Japonais avaient planifié une attaque kamikaze sans précédent. Les pertes matérielles seraient si élevées que l'invasion serait repoussée et la flotte anéantie. Ce n'était pas seulement un rêve de victoire. L'issue des plus grandes batailles pouvait ainsi dépendre de la détermination des combattants.

Ce matin-là, cependant, il ne se passa rien. Les vagues enflaient et déferlaient, certaines dans des gerbes d'écume blanche, en gigantesques rouleaux qui se brisaient avant de se retirer. Sous un dais de nuages, le ciel paraissait lumineux.

L'approche d'avions ennemis fut signalée par un vigile depuis le pont, et Bowman était en train de courir à sa cabine pour y prendre son gilet de sauvetage quand retentit l'alarme du branle-bas de combat, noyant le tumulte général. Il croisa Kimmel, affublé d'un casque trop grand pour lui, qui gravissait à toute allure un escalier métallique en criant : « Cette fois, ça y est ; ça y est ! » On avait ouvert le feu, et l'artillerie du bateau et des bâtiments voisins se joignit au concert. Le vacarme était assourdissant. Les nuées de tirs antiaériens s'élevaient jusqu'au ciel dans des nuages de fumée noire. Sur le pont, le capitaine devait taper sur le bras du timonier pour attirer son attention au milieu du raffut. Les hommes couraient toujours pour rejoindre leurs postes. Tout semblait à deux vitesses : le tumulte et la précipitation désespérée des gestes à accomplir, mais aussi, infiniment plus lent, le tempo du destin, avec ces taches noires dans le ciel qui défiaient les canons. Elles étaient encore loin et rien ne paraissait pouvoir les atteindre, quand soudain, dans le vacarme, un avion sombre et solitaire entama sa descente. Tel un insecte aveugle, il vira vers eux sans hésiter, des cercles rouges étaient peints sur ses ailes et son capot noir scintillait. Toutes les pièces d'artillerie faisaient feu sans relâche et le temps s'accéléra un peu plus. Puis, dans une immense explosion et un véritable geyser, le bateau fit une embardée et le sol se déroba sous leurs pieds – l'avion avait dû les toucher ou s'écraser contre la coque. À cause des fumées et de la confusion ambiante, personne n'en savait rien.

« Un homme à la mer !

– Où ça ?

– À l'arrière, mon capitaine ! »

C'était Kimmel qui, croyant que le magasin de munitions au centre du navire avait été touché, s'était jeté à l'eau. Le bruit était toujours aussi assourdissant, les tirs restaient nourris. Dans le sillage du bateau, tentant de nager malgré les hautes vagues et les débris, Kimmel disparaissait peu à peu de leur vue. Impossible de s'arrêter ou de faire demi-tour. Il se serait sans doute noyé s'il n'avait été miraculeusement repêché par un destroyer, immédiatement coulé par une attaque kamikaze. Un autre bateau avait sauvé l'équipage, mais, à peine une heure plus tard, il avait sombré à son tour. Kimmel se retrouva dans un hôpital de la marine. Il devint là-bas une sorte de légende vivante. Il avait sauté de son navire par erreur et, en vingt-quatre heures, assisté à plus de combats que le reste d'entre eux n'en verrait d'ici l'armistice. Ensuite, Bowman le perdit de vue. Il tenta plusieurs fois au cours des années suivantes de retrouver sa trace à Chicago, sans succès. Plus de trente navires partirent par le fond ce jour-là. Ce fut la pire défaite jamais essuyée par la flotte durant la guerre.

Non loin de là, quelques jours plus tard, sonna le glas de la marine impériale. Durant plus de quarante ans, depuis leur époustouflante victoire contre les Russes à Tsushima, les Japonais avaient peu à peu accru leurs forces. Un empire insulaire nécessitait une flotte puissante, et les navires japonais étaient conçus pour être en tous points supérieurs à ceux de leurs ennemis. Parce que leurs équipages se composaient d'hommes de plus petite taille, il y avait moins besoin de hauteur entre les ponts et d'espace en général : ce qui permettait un blindage plus lourd, de plus gros canons et une vitesse accrue. Le plus spectaculaire de ces cuirassés, réputé invincible, construit dans un acier plus épais que n'importe quel autre navire existant et sur des plans résolument plus sophistiqués, portait l'ancien nom poétique du pays lui-même, le *Yamato*. Avec pour mission d'attaquer la vaste flotte ennemie au large d'Okinawa, il prit la mer escorté de neuf navires, depuis un port de la mer Intérieure où on le gardait à l'ancre.

Le départ sembla chargé de mauvais présages, comme l'étrange silence qui annonce la tempête. Fendant les eaux vertes du port, en fin d'après-midi, précédé par sa vague d'étrave, d'abord avec lenteur puis gagnant rapidement de la vitesse, entre les immenses grues des docks qui s'estompaient, le rivage dissimulé dans la brume du soir, laissant dans son sillage des tourbillons d'écume blanche, presque silencieux, le long, sombre et puissant *Yamato* se dirigea vers la haute mer. Les bruits ambiants parurent soudain s'assourdir, comme pour des adieux. Le capitaine s'adressa à l'équipage rassemblé sur le pont. Ils partaient chargés de munitions, les soutes pleines d'obus de la taille de cercueils, mais sans assez de carburant, leur expliqua-t-il, pour rentrer. Trois mille hommes et un vice-amiral se trouvaient à bord. Ils avaient adressé des lettres d'adieu à leurs proches et ils voguaient vers la mort. *Trouve le bonheur auprès d'un autre*, écrivaient-ils. *Sois fière de ton fils*. La vie leur était précieuse. Ils étaient mélancoliques et effrayés. Beaucoup priaient. Tous savaient que le navire devait être sacrifié comme un symbole de l'inextinguible volonté qu'avait le pays de ne pas se rendre.

À la tombée de la nuit, ils dépassèrent la côte de Kyûshû, l'île située le plus au sud de l'archipel japonais, où on avait autrefois dessiné sur la plage les contours d'un cuirassé américain pour faciliter l'entraînement des pilotes qui allaient bombarder Pearl Harbor. Les vagues se fracassaient contre la coque avant de poursuivre leur ressac. Il régnait au sein de l'équipage un étrange esprit, une sorte d'allégresse. Au clair de lune, ils se mirent à chanter et à crier *banzaï!*. Nombre d'entre eux remarquèrent que la mer scintillait d'un éclat insolite.

Ils furent repérés à l'aube alors qu'ils étaient encore loin de tout navire américain. Un avion de patrouille lança instantanément un message en clair par radio : *Expédition flotte ennemie en route vers le sud. Au moins un cuirassé, plusieurs destroyers... Vitesse vingt-cinq nœuds*. Le vent s'était levé au petit matin. La mer était grosse, le ciel couvert de nuages bas, avec des averses occasionnelles. De hautes vagues montaient à l'assaut de la coque. Puis, comme prévu, les premiers avions apparurent sur le radar. Non pas une seule escadrille, mais plusieurs, un essaim entier de deux cent cinquante avions de combat qui envahit le ciel.

Bombardiers et torpilleurs jaillirent des nuages, par vagues de cent. Le *Yamato* avait été construit pour résister à n'importe quelle attaque aérienne. Tous ses canons faisaient déjà feu quand les premières bombes furent lâchées. Un des escorteurs chavira, touché à mort ; montrant son ventre rouge sombre, il coula sur-le-champ. Au ras de l'eau, d'innombrables torpilles filaient vers le *Yamato*, laissant un sillage blanc comme du chanvre. Le pont réputé inattaquable avait été éventré, malgré l'épaisseur considérable de l'acier ; les hommes, déchiquetés ou coupés en deux. « Haut les cœurs ! » s'époumonait le capitaine. Les officiers s'étaient ligotés à leurs postes sur la passerelle, tandis que les bombes continuaient à pleuvoir. D'autres manquaient de peu leur cible, soulevant des colonnes d'eau, des murs liquides qui s'abattaient sur le pont, aussi compacts que de la pierre. Ce n'était plus une bataille, mais un rituel de sacrifice, la mise à mort d'une immense bête qui tombait sous les coups répétés.

Une heure s'était écoulée mais les avions continuaient d'affluer, une quatrième vague, une cinquième, une sixième. Les dégâts étaient inimaginables. Le gouvernail avait été touché, le bateau tournait inlassablement sur lui-même. Il commençait à donner de la bande, la mer léchait déjà le pont. *Toute ma vie, je la dois à ton amour*, avaient-ils écrit à leurs mères. Les livres-codes avaient des couvertures en plomb pour qu'ils coulent avec le navire, et ils étaient rédigés à l'aide d'une encre qui se dissoudrait dans la mer. Au bout de la deuxième heure, alors qu'il gîtait de près de quatre-vingts degrés, qu'on comptait des centaines de morts et plus encore de soldats blessés, aveugles et mutilés, le gigantesque bateau commença à couler. Les vagues l'envahirent et des hommes qui s'accrochaient au pont furent emportés par la mer dans toutes les directions. Tandis qu'il s'enfonçait lentement, un énorme tourbillon se forma autour, et dans ses remous puissants ceux qui tombaient ne pouvaient pas survivre, happés vers l'abîme comme par un trou d'air. Puis un désastre supplémentaire se produisit. Les stocks de munitions, ces tonnes et ces tonnes d'énormes obus, furent précipités hors de leurs logements et allèrent s'écraser contre les tourelles. Du fond de la mer montèrent une terrible explosion et des éclairs de lumière si intenses qu'on les vit depuis Kyûshû au moment où les magasins entiers volaient en éclats. Une colonne de feu – de feu et de nuées, comme dit la Bible – de plus de quinze cents mètres de haut s'éleva dans les airs, et du ciel s'abattit un véritable déluge de fragments d'acier incandescents. En écho à la première, une seconde explosion apocalyptique se produisit dans les abysses de la mer, et une épaisse fumée jaillit de sa surface.

Les marins qui n'avaient pas été aspirés par le tourbillon nageaient encore. Noirs de fuel, ils suffoquaient entre les vagues. Certains chantaient.

C'étaient les seuls survivants. Ni le capitaine ni l'amiral ne se trouvaient parmi eux. Le reste des trois mille hommes était prisonnier de l'immense carcasse qui gisait désormais par plusieurs milliers de pieds de fond.

La nouvelle de la destruction du *Yamato* se répandit rapidement. Elle marqua la fin des opérations militaires en mer.

Le bateau de Bowman se trouvait parmi ceux qui étaient à l'ancre dans la baie de Tokyo quand la guerre s'acheva. Il fit ensuite route vers Okinawa pour rejoindre des troupes qu'on rapatriait, mais le sous-lieutenant eut la chance de descendre à terre lors de l'escale de Yokohama, et il put traverser une partie des décombres de la ville. Il arpenta une rue après l'autre où il ne subsistait plus rien que des fondations. Des relents de débris calcinés, aigres et chargés de mort, flottaient dans l'air. Parmi les seules choses qui n'étaient pas détruites, de massifs coffres-forts en acier trempé, alors même que les établissements financiers qui les abritaient autrefois avaient disparu. Dans les caniveaux traînaient quelques morceaux de papier brûlés : des billets de banque, seuls vestiges du rêve de gloire impériale.

2

La grande ville

« Voilà le héros ! » s'écria son oncle Frank, en tendant les bras pour l'étreindre.

On avait fêté son retour au restaurant.

« Pas vraiment un héros, dit Bowman.

– Mais bien sûr que si. On a lu toute ton histoire.

– Mon histoire ? Mais où ça ?

– Dans tes lettres, bien sûr !

– Frank, viens que je t'embrasse », s'impatienta sa tante.

Ils sortaient du Fiori, le restaurant dont ils étaient propriétaires près de Fort Lee. Les murs étaient tapissés de fine feutrine rouge, et on y passait des airs de *Rigoletto* et du *Trouvère* jusqu'à ce que les derniers couples d'amoureux partent en murmurant, tandis que d'autres, mélancoliques, et quelques hommes solitaires s'attardaient encore au bar. Son oncle Frank habitait tous ses souvenirs d'enfance. Le teint mat, un nez rond et des cheveux qui se clairsemaient. Doté d'une nature vigoureuse et d'un caractère bon enfant, il avait abandonné ses études de droit à Jersey City dans l'intention de devenir chef cuisinier. Au restaurant, d'ailleurs, quand le cœur lui en disait, il retournait aux fourneaux. Mais sa véritable passion était la musique. Il avait appris le piano tout seul et il passait des heures d'extase, penché sur son clavier, ses gros doigts velus courant avec agilité sur les touches.

La soirée avait été chaleureuse, les conversations, à bâtons rompus. Sa mère, Beatrice, son oncle et sa tante écoutaient le récit du périple de Bowman – mais où se trouvait donc San Pedro ?

Avait-il goûté la cuisine japonaise ? – et ils burent du champagne que Frank gardait depuis la fin des années trente.

« Tu ne peux pas savoir quel mouron nous nous sommes fait quand tu étais là-bas, dit sa tante Dorothy, qu'ils appelaient Dot. On a pensé à toi tous les jours.

– Vraiment ?

– On priait pour toi. »

Frank et elle n'ayant pas d'enfants, ils le considéraient comme leur propre fils. Maintenant, on pouvait oublier la peur, le monde était à nouveau tel qu'il devait être et, aux yeux de Bowman au moins, tel qu'il avait été autrefois, d'une familiarité coutumière. Les mêmes maisons, les mêmes magasins, les mêmes rues qu'il connaissait depuis l'enfance : rien d'extraordinaire mais il y était chez lui. À quelques fenêtres, on avait accroché des étoiles d'or pour les fils et les maris qui n'étaient pas revenus. Avec les nombreux drapeaux, c'était presque la seule trace de tout ce qui s'était passé. Même l'air ambiant, inaltérable et inchangé, lui était familier, ainsi que les sobres façades du collège et du lycée. Il sentait d'une certaine façon qu'il avait dépassé tout cela, mais qu'il restait néanmoins pour toujours redevable.

Son uniforme était pendu dans le placard, sa casquette posée sur l'étagère juste au-dessus. Il les portait quand on le connaissait sous le nom de Mr Bowman, il n'était certes que sous-lieutenant mais il était respecté et même admiré. Bien après que son uniforme aurait perdu son actualité et son prestige, la casquette, elle, conserverait étrangement son pouvoir de fascination.

Pendant longtemps, des rêves fréquents allaient le ramener là-bas. En mer et sous le feu ennemi. Le bateau avait été touché, il chavirait, ployant sous son propre poids comme un cheval à l'agonie. Les coursives étaient inondées, il tentait de s'y frayer un chemin jusqu'au pont où s'amassaient des centaines de soldats. Le navire était presque couché sur le flanc, et il se trouvait près des chaudières qui menaçaient d'exploser d'une minute à l'autre, il lui fallait se mettre hors d'atteinte. Il se tenait près du bastingage, il allait devoir sauter à l'eau pour remonter à bord plus loin vers l'arrière. Dans son rêve, il s'élançait effectivement, mais le bateau allait trop vite. Au milieu des vagues il nageait, puis se laissait distancer, la poupe du navire s'éloignant dans un bruit de tonnerre, l'abandonnant dans son sillage, loin derrière.

« Douglas, dit sa mère, parlant d'un garçon un peu plus âgé que Bowman avec lequel il était allé à l'école, a demandé de tes nouvelles.

– Comment va-t-il ?

– Il va faire son droit.

– Son père était avocat.

– Le tien l'est aussi, rétorqua sa mère.

– Tu ne serais pas en train de t'inquiéter pour mon avenir, dis-moi ? Je compte reprendre mes études. J'envoie ma candidature à Harvard.

– Ah, formidable ! s'écria son oncle.

– Mais pourquoi si loin ? demanda sa mère.

– Maman, quand j'étais au fin fond du Pacifique, tu ne t'es jamais plainte de la distance.

– Tu crois ça ?

– En tout cas, je suis heureux d'être rentré. »

Son oncle lui passa un bras autour des épaules.

« Et nous donc, petit ! »

Il ne fut pas accepté à Harvard. C'était son premier choix, mais son dossier fut rejeté. Ils n'acceptaient pas les étudiants venant d'autres universités, expliquait la lettre qu'il reçut. Il écrivit une réponse soigneusement rédigée, où il mentionnait par leurs noms les illustres professeurs dont il souhaitait suivre les cours, des enseignants au savoir et à l'autorité inégalables, tout en se présentant comme un jeune homme qu'on ne devrait pas pénaliser pour être allé à la guerre. Aussi éhontée qu'elle puisse paraître, la manœuvre réussit et sa lettre fut couronnée de succès.

À l'automne 1946, sur les bancs de Harvard, il se sentait un peu à l'écart, plus âgé d'un an ou deux que ses pairs. Mais on admirait sa force de caractère – il avait fait la guerre, avait vraiment vécu. Il était respecté et il avait de la chance, par exemple celle d'avoir rencontré son camarade de chambre, avec lequel il se lia immédiatement d'amitié. Malcolm Pearson venait d'une famille aisée. Grand, intelligent, il avait tendance à marmonner dans sa barbe, et Bowman ne saisissait que rarement ce qu'il disait. Peu à peu cependant, il le comprit parfaitement. Pearson traitait ses vêtements chic avec un dédain princier et il prenait rarement ses repas au réfectoire. Il préparait une licence d'histoire, plus ou moins dans l'idée de devenir professeur, prêt à tout pour déplaire à son père et prendre ses distances avec son entreprise de matériaux de construction.

Le hasard voulut que, effectivement, après avoir obtenu son diplôme, il enseigne pendant un certain temps dans un lycée de garçons du Connecticut. Puis il passa sa maîtrise et épousa une certaine Anthea Epick. Au mariage, célébré chez les parents de la jeune femme près de New London, ni le pasteur, ni Bowman, garçon d'honneur pour l'occasion, ni personne d'ailleurs, ne réussit à le comprendre quand il prononça ses vœux. Également grande, Anthea avait d'épais sourcils noirs et les genoux un peu cagneux, dissimulés ce jour-là par sa longue robe blanche, mais il s'en était aperçu quand ils avaient tous nagé ensemble la veille dans la piscine. Elle avait une drôle de façon de marcher, un peu incertaine, cependant elle partageait les goûts de Malcolm et ils s'entendaient très bien.

Après le mariage, Malcolm ne fit plus grand-chose. Vêtu comme un bohème des années vingt, flottant dans un ample manteau, affublé d'une écharpe, d'un pantalon large et d'un vieux chapeau mou, un bâton épineux à la main, il passait le plus clair de son temps à promener son colley dans sa propriété près de Rhinebeck et donnait libre cours à sa passion limitée à l'histoire du Moyen Âge. Anthea et lui eurent une fille, Alix, dont Bowman devint le parrain. Elle aussi était profondément excentrique. Après avoir été une enfant quasiment mutique, elle se mit à parler avec une espèce d'accent britannique. Elle vivait chez ses parents, ce qu'ils acceptaient comme s'il devait en être ainsi de tout temps, et elle ne se maria jamais. On ne lui connaissait pas même le moindre flirt, se plaignait son père.

Les années de Harvard eurent autant d'impact sur Bowman que celles qu'il avait passées à la guerre. Il restait des heures durant sur le perron de la Widener, les yeux au niveau des arbres, rivés sur les prestigieux bâtiments de brique rouge et les chênes du célèbre Yard, l'esplanade centrale. En fin de journée, les cloches se mettaient à sonner, solennelles et grandioses, pendant de longues minutes et apparemment sans raison, puis leur écho s'estompait peu à peu, lent et serein, aussi doux qu'une cascade de caresses.

Il avait commencé par vouloir étudier la biologie, mais au cours du second semestre il découvrit soudain, en une révélation jaillie de nulle part, l'illustre époque élisabéthaine : Londres, la ville de Shakespeare encore peuplée d'arbres, avec son théâtre, le légendaire Globe, le bel anglais de la noblesse, cette langue superbe, ces vêtements fastueux, la Tamise que bordaient au sud les quartiers de débauche appartenant à l'évêque de Winchester, où l'on trouvait de jeunes femmes accortes qu'on appelait les « oies de Winchester », la fin d'un siècle tumultueux et le début d'un autre – autant de choses qui le fascinèrent immédiatement.

Lors d'un cours sur le théâtre jacobéen, un professeur renommé, en fait un acteur qui répétait son numéro depuis des dizaines d'années, commença son brillant exposé d'une voix solennelle : « Kyd fut à la scène anglaise ce que le Greco fut à la peinture espagnole. »

Bowman se souvenait encore de chaque mot.

« Sur fond de ciels nuageux zébrés d'éclairs soudains, nous pouvons distinguer ces étranges silhouettes anguleuses, si somptueusement vêtues, et agitées par les tourments de sombres passions. »

Zébrés d'éclairs soudains… somptueusement vêtues. Ces aristocrates savaient aussi écrire : le comte d'Oxford, la comtesse de Pembroke, ainsi que les courtisans, Raleigh et Sidney. De nombreux dramaturges incomparables, Kyd, arrêté et torturé pour croyances déviantes, Webster, Dekker, l'inégalable Ben Jonson, Marlowe dont on joua le *Tamerlan* alors qu'il n'avait que vingt-trois ans, et cet acteur inconnu, dont le père était gantier et la mère illettrée, le sublime Shakespeare. C'était un âge d'éloquence grandiose et de prose puissante. La reine Elizabeth savait le latin, adorait la musique et jouait de la lyre. Une grande souveraine. Une grande ville.

Bowman lui aussi était né dans une ville superbe, à l'hôpital français de Manhattan, dans la fournaise du mois d'août, et très tôt le matin, comme tous les génies de ce monde, lui avait un jour dit Pearson. L'air était soudain devenu complètement immobile, et aux approches de l'aube, le tonnerre avait grondé dans le lointain. Le bruit s'était peu à peu rapproché, puis des bouffées d'un air plus frais avaient précédé un terrible orage accompagné d'éclairs et de pluies battantes, et ensuite un gigantesque soleil d'été s'était levé. Accrochée à la couverture repliée au pied du lit, une sauterelle à une patte s'était réfugiée dans la chambre. L'infirmière tendit la main pour la retirer, mais sa mère, encore étourdie par l'accouchement, lui avait demandé de ne pas le faire, elle y voyait un signe du destin. C'était en 1925.

Deux ans plus tard, son père les quittait. Avocat au cabinet Vernon & Wells, il avait été envoyé pour travailler sur un dossier à Baltimore, où il rencontra une femme de la haute société, Alicia Scott. Il tomba amoureux, et quitta épouse et enfant. Plus tard, ils se marièrent et eurent une fille. Il se maria à deux reprises par la suite, chaque fois avec des femmes plus riches qu'il rencontrait dans des country-clubs. Elles étaient techniquement les belles-mères de Bowman mais il ne fit jamais leur connaissance, ni celle de sa demi-sœur d'ailleurs.

S'il ne revit pas son père, il eut la chance d'avoir à ses côtés un oncle aimant, Frank, compréhensif et spirituel, qui aimait écrire des chansons et reluquer des magazines sur le naturisme. Le Fiori marchait bien, et Bowman y dînait souvent avec sa mère et Frank quand il était petit. Parfois il allait au casino avec son oncle, un joueur doué qui connaissait de nombreux tours de cartes, entre autres choses faire sortir du paquet un carré de rois, juste après un carré de dames.

Durant toutes ces années, Beatrice Bowman se comporta comme si son mari était seulement en déplacement, comme s'il allait leur revenir un jour, même après leur divorce et son remariage avec la femme de Baltimore, qui continuaient de lui paraître un peu irréels. Désireuse toutefois de savoir à quoi ressemblait celle qui lui avait volé son mari, elle avait fini par dénicher une photo dans un journal de Baltimore. Elle se montra moins curieuse des deux épouses qui suivirent, voyant dans ces unions quelque chose de plutôt pitoyable. C'était un peu comme s'il avait lentement dérivé de plus en plus loin, et qu'elle ait résolu de ne pas le regarder se noyer. De son côté, elle avait eu plusieurs soupirants, mais rien de sérieux n'était advenu ; sans doute devinaient-ils ce qu'il y avait d'indécis en elle. Les hommes les plus importants de sa vie, son père et son mari, l'avaient tous deux abandonnée. Il lui restait son fils, et son travail d'institutrice. Ils n'étaient pas riches, mais ils étaient propriétaires de leur maison. Ils étaient heureux.

Finalement, Bowman se décida pour le journalisme. Il y avait les légendes vivantes de reporters comme Edward Murrow et Quentin Reynolds, penchés jusqu'à l'aube sur leurs machines à écrire pour finir leurs papiers, les lumières de la ville alentour, les théâtres qui se vidaient peu à peu, le bar Costello's bondé et bruyant. Les femmes n'auraient plus de secrets pour lui. Il ne s'était pas montré trop timide à Harvard, mais ce n'était tout simplement pas arrivé, cette chose qui devait compléter sa vie. Il savait ce qu'étaient les *ignudi* de Michel-Ange mais n'avait jamais vu de vrai nu. Il demeurait innocent et brûlait de désirs inassouvis. Il y avait bien eu Susan Hallet, cette fille de Boston qu'il avait fréquentée un temps : élancée, le visage frais, avec des seins lourds qu'il associait à une opulence financière. Il lui avait proposé de l'accompagner un week-end à Gloucester, où ils entendraient les cornes de brume et respireraient les embruns.

« Gloucester ?

– Là ou ailleurs », dit-il.

Comment aurait-elle pu, protesta-t-elle. Comment aurait-elle réussi à expliquer son absence ?

« Tu pourrais dire que tu dois rendre une petite visite amicale.

– Mais ce serait un mensonge.

– Bien sûr que non. C'est exactement ce dont il est question. »

Elle baissait les yeux, les bras croisés comme si elle voulait s'enlacer toute seule. Elle allait devoir refuser, mais elle ne détestait pas le voir insister. Pour lui, la situation était presque intolérable, sa présence et ce refus glacial. Elle aurait pu accepter, se dit-elle, s'ils trouvaient le moyen de le faire, de s'éclipser… et de… Elle n'était que vaguement capable d'imaginer la suite. Elle l'avait senti durcir à son contact plusieurs fois en dansant tout contre lui, et savait plus ou moins de quoi il retournait.

« Je ne saurais jamais garder le secret, dit-elle.

– Moi je le garderai, promit-il. Toi, bien sûr, tu serais dans la confidence. »

Elle esquissa un petit sourire.

« Je suis sérieux. Tu connais mes sentiments. »

Il ne pouvait s'empêcher de songer à Kimmel et à la facilité avec laquelle les autres arrivaient à leurs fins.

« Moi aussi, je suis sérieuse. L'enjeu est plus important pour moi.

– L'enjeu est important de part et d'autre.

– Beaucoup moins pour le garçon. »

Il comprenait mais cela ne signifiait rien pour lui. Son père, qui avait toujours eu du succès auprès des femmes, aurait pu lui donner quelques précieux conseils en la matière, rien n'avait cependant jamais été transmis du père au fils.

« J'aimerais qu'on puisse le faire, reprit-elle simplement. Jusqu'au bout, je veux dire. Tu sais combien je tiens à toi.

– C'est ça, c'est ça.
– Vous êtes bien tous les mêmes.
– Et toi tu n'es pas très originale. »

Dans l'euphorie qui suivit la fin de la guerre, il fallait tout de même essayer de se faire une place au soleil. Il posa sa candidature au *Times*, mais il n'y avait aucun emploi disponible, et les autres journaux lui firent la même réponse. Heureusement, il avait un contact, le père d'un camarade de Harvard qui travaillait dans les relations publiques et en avait d'ailleurs pratiquement inventé le concept. Il pouvait placer n'importe quel article ou annonce dans les journaux et les magazines. Pour dix mille dollars, racontait-on, il était capable de faire publier votre photo en couverture de *Time Magazine*. Il n'avait qu'à décrocher son téléphone, les secrétaires lui passaient immédiatement le responsable qu'il demandait.

Bowman devait aller le voir chez lui ce matin-là. L'homme prenait toujours son petit-déjeuner à neuf heures.

« Et il saura que je dois passer ?

– Mais oui. Il t'attend. »

Ayant à peine fermé l'œil de la nuit, Bowman arriva devant chez lui à huit heures et demie. C'était un doux matin d'automne. La maison se trouvait dans une des premières rues qui croisent Central Park West, tout près du parc. La façade était imposante, percée de hautes fenêtres, et presque entièrement recouverte d'une épaisse toison de lierre. À neuf heures moins le quart, il sonnait à la porte de verre que protégeait un lourd treillis métallique.

On le conduisit jusqu'à une pièce inondée de soleil donnant sur le jardin. Contre l'un des murs trônait un long buffet de style victorien, sur lequel étaient posés deux plateaux en argent, un pichet de jus d'orange en cristal, et une grosse cafetière, en argent elle aussi, couverte d'un carré de tissu, ainsi que des corbeilles de petits pains accompagnés de beurre et de confiture. Le majordome lui demanda comment il préférait ses œufs. Bowman déclina l'offre poliment. Il prit une tasse de café et attendit avec fébrilité. Il savait par avance à quoi ressemblerait Mr Kindrigen : costume de bonne coupe, visage énergique et cheveux poivre et sel.

La maison était silencieuse, mis à part quelques paroles assourdies qui lui parvenaient de temps à autre de la cuisine. Il vida sa tasse et s'en servit une autre. Les fenêtres donnant sur le jardin se noyaient dans la lumière.

À neuf heures et quart, Kindrigen fit son entrée. Bowman le salua. Son hôte ne répondit pas et ne sembla même pas remarquer sa présence. Il ne portait pas de veste, rien qu'une élégante chemise à poignets mousquetaires. Le majordome lui apporta du café et une assiette de toasts. Kindrigen remua sa cuiller dans sa tasse, déplia son journal et se mit à lire, assis de biais devant la table. Bowman avait vu des bandits s'asseoir comme cela dans les westerns. Il attendit sans dire un mot. Finalement, Kindrigen lui demanda :

« Et vous êtes…

– Philip Bowman. Kevin a dû vous parler de moi.

– Vous êtes un ami de Kevin ?

– Oui, on était à l'université ensemble. »

Kindrigen n'avait toujours pas levé les yeux.

« Vous venez de…

– Du New Jersey. Je vis à Summit.

– Qu'est-ce que vous voulez ?

– Je voudrais travailler au *New York Times* », répondit Bowman, désireux de se montrer aussi direct que son interlocuteur.

Kindrigen lui jeta un rapide coup d'œil.

« Rentrez chez vous. »

Une petite entreprise qui publiait un magazine de théâtre l'embaucha pour vendre des espaces publicitaires. Rien de sorcier, mais il s'ennuyait à mourir. Le monde du spectacle était alors en pleine effervescence. Des dizaines de théâtres avaient ouvert l'un après l'autre entre la 40e et la 50e Rue Ouest, et les gens flânaient dans le quartier pour choisir quel spectacle ils iraient voir. Plutôt une comédie musicale ou la dernière pièce de Noël Coward ?

Il entendit vite parler d'un autre emploi : il s'agissait de lire des manuscrits chez un éditeur. Il s'aperçut qu'il gagnerait moins qu'à son poste actuel, mais l'édition était tout autre chose, une occupation de gentleman, le berceau du silence et du raffinement des librairies, de l'odeur piquante des livres neufs, même si cela était tout sauf évident quand on voyait les bureaux de la maison, non loin de la Cinquième Avenue, perchés à l'arrière d'un immeuble dans les étages supérieurs. Il s'agissait d'un vieil édifice, doté d'un ascenseur poussif dont la porte grillagée laissait apercevoir des halls dallés de carrelages blancs que les années avaient peu à peu usés et descellés. Au bureau ce jour-là, on sablait le champagne : un des éditeurs venait d'avoir un fils. Robert Baum, le patron, copropriétaire de l'entreprise avec un partenaire financier, était en manches de chemise. C'était un homme d'une trentaine d'années, de taille moyenne, au visage avenant, mobile et plutôt ordinaire, avec un début de poches sous les yeux. Il s'entretint aimablement avec Bowman pendant deux ou trois minutes, puis, jugeant qu'il en savait assez, l'engagea sur-le-champ.

« Le salaire n'est pas très élevé, expliqua-t-il. Vous êtes marié ?

– Non. C'est combien exactement ?

– Cent soixante dollars par mois, répondit Baum. Qu'en dites-vous ?

– Eh bien, c'est moins que ce qu'il me faudrait, mais plus que ce que j'attendais.

– Plus que ce que vous attendiez ? Je vois que j'ai fait une erreur. »

Baum avait de l'assurance et un charme naturel. Les salaires dans l'édition étaient traditionnellement bas, et celui qu'il proposait n'était que légèrement inférieur à la moyenne. Il était essentiel de ne pas avoir de frais généraux trop élevés dans un secteur par nature imprévisible, et où il devait de surcroît affronter la concurrence de grandes maisons d'édition ayant pignon sur rue. Ils éditaient de grands livres, aimait à répéter Baum, mais seulement par nécessité. Pas question de refuser un best-seller par principe. L'idée, disait-il, était de payer peu et de vendre par brassées. Au mur de son bureau était accrochée une lettre encadrée d'un collègue et ami, éditeur expérimenté, à qui on avait demandé de lire un manuscrit. Elle était rédigée sur une feuille de papier marquée de deux plis et lui semblait extrêmement pertinente : *C'est un roman terriblement banal aux personnages superficiels décrits dans un style qui vous fait grincer des dents. L'histoire d'amour est sordide et sans aucun intérêt, en fait elle aurait plutôt tendance à vous dégoûter. Rien ne nous est épargné, sauf peut-être le plus obscène. Ce livre ne vaut rien.*

« On en a vendu deux cent mille exemplaires, se vanta Baum, et il est en cours d'adaptation au cinéma. Le plus gros succès qu'on ait jamais eu. J'ai fait encadrer cette lettre pour ne pas oublier la leçon. »

Il ne précisa pas que lui-même avait détesté le bouquin et qu'il s'était laissé convaincre de le publier par sa femme, laquelle avait flairé ce qu'il y avait de touchant dans cette histoire. L'avis de Diana Baum comptait beaucoup pour son mari, même si elle ne venait que très rarement au bureau. Elle se consacrait à leur enfant, le petit Julian, et à la critique littéraire : elle tenait une rubrique dans une feuille de chou progressiste, beaucoup plus influente que son tirage n'aurait pu le laisser croire, et elle était en conséquence une sorte de célébrité.

Baum avait de l'argent, mais personne ne savait exactement combien. Son père, un banquier immigré en Amérique, avait très bien réussi. La famille était juive allemande et entretenait un certain sentiment de supériorité. La ville comptait beaucoup de Juifs, dont certains, dans le Lower East Side et les faubourgs, étaient franchement pauvres mais, où qu'ils aient élu domicile, ils vivaient dans un monde à part, plus ou moins tenus à l'écart. Baum savait ce que c'était qu'être considéré comme un étranger, et pire encore – à l'internat, malgré son caractère facile, il s'était fait peu d'amis. Quand la guerre avait éclaté, plutôt que d'être nommé officier, il avait servi comme simple soldat. Le hasard voulut que ce soit dans les services de renseignements, mais tout de même au combat. Une fois, il avait frôlé la mort. Son unité traversait les plaines de Hollande. Une nuit où ils dormaient dans un bâtiment dont le toit avait été emporté, un homme passa entre les soldats endormis, une torche électrique à la main. Il en réveilla un en lui tapant sur le bras.

« Vous êtes sergent ? » l'entendit murmurer Baum.

L'homme se racla la gorge.

« Exact.

– Levez-vous, on s'en va.

– Je suis sergent suppléant, juste en remplacement.

– Je sais. Il faut que vous meniez vingt-trois hommes au combat.

– Pourquoi vingt-trois ?

– Allez, dépêchez-vous. Pas de temps à perdre. »

Il les conduisit le long d'une route dans la nuit noire. L'angoisse les taraudait, à cause des tirs qui crépitaient au-dessus de leurs têtes et du lourd martèlement de l'artillerie. Au bas d'un léger dénivelé, un officier donnait ses ordres.

« Qui êtes-vous ? demanda le capitaine.

– J'arrive avec vingt-trois hommes », répondit le sergent.

En fait, ils n'étaient que vingt et un, deux s'étaient enfuis ou perdus dans les ténèbres. Des coups de feu claquaient non loin de là.

« Vous vous êtes déjà battu, sergent ?

– Jamais, mon capitaine.

– Alors c'est pour ce soir. »

Ils devaient traverser la rivière dans des canots pneumatiques. Pratiquement à quatre pattes, ils les tirèrent jusqu'à la berge. Tous chuchotaient, mais Baum trouvait tout de même qu'ils faisaient trop de bruit.

Il monta dans la première embarcation. Il ne tremblait pas de peur, l'effroi le paralysait presque. Il brandissait le fusil qu'il n'avait jamais utilisé à deux mains devant lui tel un bouclier. Ils étaient en train de commettre une faute qui leur serait fatale. Il savait qu'il allait se faire tuer. Il entendait le clapotis des pagaies qui serait bientôt noyé dans l'explosion soudaine des mitrailleuses, à cause des murmures que l'ennemi, il en était sûr, entendait.

« Souquez avec vos mains », ordonna quelqu'un. Les Allemands attendaient qu'ils soient au milieu de l'eau pour faire feu. Mais, pour quelque étrange raison, rien ne se produisit. Ce fut la vague suivante de soldats qui fut prise à mi-chemin. Baum avait déjà touché terre quand la rive au-dessus de sa tête et même plus loin se mit à crépiter. Les hommes criaient en tombant à l'eau. Aucun canot n'en réchappa.

Impossible d'avancer pendant trois jours. Plus tard, il découvrit au bas du dénivelé le cadavre du capitaine qui leur avait donné ses ordres : un corps dépenaillé, torse nu, avec des mamelons de femme, sombres et gorgés d'eau. Baum se fit un serment, pas sur l'instant, mais à la fin de la guerre. Il se promit de n'avoir plus jamais peur de rien.

Baum n'avait pas l'air d'un homme qui a traversé des épreuves pareilles et vu des choses de ce genre. Il était simple et courtois, travaillait le samedi, et par respect pour ses parents il faisait une apparition à la synagogue lors des fêtes les plus sacrées de l'année – par respect également pour ceux, un peu moins proches, qui avaient disparu dans des villages rayés de la carte ou qu'on avait jetés par milliers dans des charniers ; toutefois, il se distinguait nettement de cette communauté juive ancestrale, de ces hommes en chapeau noir, tout en souffrance. La guerre, se disait-il, dont il était sorti sain et sauf, lui avait donné une certaine légitimité. Il ne se différenciait en rien de ses concitoyens, excepté pour la sagesse que donne l'expérience. Il menait ses affaires à l'anglaise. Dans son antre modestement meublé, il n'y avait qu'un bureau, un vieux divan, une table et quelques chaises. Il lisait lui-même les manuscrits et, après avoir consulté sa femme, il prenait seul toutes les décisions. Il déjeunait en général avec des agents littéraires qui pendant longtemps l'avaient regardé de haut, organisait des dîners, et tenait beaucoup à s'entretenir quelques minutes avec chacun de ses employés tous les jours. Il s'asseyait sur un coin de leurs bureaux et bavardait de façon décontractée, leur demandant ce qu'ils pensaient d'un sujet ou d'un autre, ce qu'ils avaient lu ou entendu. Il avait des manières franches et était d'un abord facile. Il faisait parfois davantage penser à un préposé au courrier qu'à un éditeur, et il rapportait même des cancans, des histoires qu'il avait entendues, prenant un air faussement horrifié pour parler des à-valoir exorbitants que réclamaient les écrivains : comment pouvait-on espérer publier de bons livres, si on se retrouvait sur la paille en les achetant ? Il ne semblait jamais pressé, même s'il ne restait pas longtemps avec chaque interlocuteur. Il répétait volontiers les blagues qu'on lui avait racontées et appelait chacun par son prénom, même Raymont, le liftier.

Bowman ne resta pas longtemps simple lecteur. Un éditeur qui venait d'avoir un fils se fit embaucher chez Scribner's, et le jeune homme, après s'être dûment informé du salaire proposé, prit sa place. Il aimait son nouvel emploi. Le bureau était un véritable microcosme, avec son temps propre. Il arrivait à Bowman de rester jusqu'à vingt et une ou vingt-deux heures, et d'autres jours de prendre un apéritif à dix-huit heures. Il adorait lire les manuscrits et parler aux écrivains, être responsable de la création d'un livre d'un bout à l'autre : les discussions, les corrections, les placards, puis les épreuves, la couverture. Il n'avait aucune idée de tout cela avant de s'y mettre, mais il trouva l'expérience très épanouissante.

C'était un plaisir de rentrer chez lui le week-end, de dîner avec sa mère – « Si on prenait un petit cocktail pour commencer ? » proposait-elle toujours –, et de lui raconter ce qu'il faisait. Elle avait alors cinquante-deux ans et paraissait toujours jeune, mais elle semblait avoir renoncé à l'idée de se remarier un jour. Son amour et son attention allaient entièrement à sa famille. Pendant la semaine, Bowman vivait dans une chambre sans salle de bains près de Central Park West, un dénuement qui contrastait avec le luxe relatif de la maison familiale.

Sa mère aimait tellement bavarder avec lui, elle aurait pu lui parler tous les jours. Elle avait bien du mal à refréner l'envie de le serrer dans ses bras et de le couvrir de baisers. Elle s'était occupée de lui depuis le jour de sa naissance, et aujourd'hui, alors qu'il était plus beau que jamais, elle avait à peine le droit de lui lisser les cheveux. Même un geste aussi simple pouvait être embarrassant. L'amour qu'elle lui avait donné se reporterait désormais sur quelqu'un d'autre. En même temps, il était d'une certaine façon toujours l'enfant merveilleux qu'il avait été durant les années où ils n'étaient que tous les deux, où ils allaient parfois rendre visite à Dot et à Frank et dînaient tous ensemble au restaurant. Elle n'oublierait jamais cette dame si élégante qui, en voyant son petit garçon tenir entre ses doigts une fourchette trop grande et tenter d'attraper des spaghettis, s'était exclamée :

« C'est le plus bel enfant que j'aie jamais vu ! »

Lui fabriquer de petits livres d'images à partir de papiers pliés cousus ensemble, l'aider à écrire ses premiers mots, toutes ces nuits qui semblaient à présent n'en avoir été qu'une, le mettre au lit et l'entendre demander d'une voix suppliante : « Laisse la porte ouverte. »

Tous ces jours, tout ce temps passé.

Elle se rappelait le moment où le duvet était apparu sur ses joues, si discret et si doux qu'elle fit mine de ne pas l'avoir remarqué, et puis il s'était mis à se raser, ses cheveux avaient foncé, tandis que ses traits ressemblaient désormais davantage à ceux de son père. Quand elle y repensait, elle pouvait se souvenir de chaque instant, la plupart du temps avec joie, en fait uniquement avec de la joie. Mère et fils avaient toujours été si proches, ils le resteraient éternellement.

Beatrice, la cadette de deux filles, était née à Rochester, le dernier mois et la dernière année du siècle, en décembre 1899. Leur père, instituteur, était mort de cette épidémie qu'on avait appelée « grippe espagnole » parce qu'elle était apparue en Espagne avant de ravager les États-Unis à l'automne 1918, au lendemain de la guerre. Plus d'un demi-million de personnes moururent dans des scènes qui n'étaient pas sans rappeler la peste. Son père l'avait attrapée alors qu'il se promenait le long de Clifford Avenue par un après-midi ensoleillé ; deux jours plus tard, le visage blême, brûlant de fièvre et incapable de respirer, il rendait l'âme. Sa mère, sa sœur et elle étaient ensuite allées vivre chez ses grands-parents, qui tenaient un hôtel dans la baie d'Irondequoit, un petit édifice en bois avec un bar, une grande cuisine blanche et, durant l'hiver, de nombreuses chambres vides. À vingt ans, elle partit pour New York. Elle y avait des cousins éloignés du côté maternel, les Gradow, qui ne manquaient pas d'argent et l'invitèrent souvent chez eux.

Une des images perdues de l'enfance de Bowman était leur grande demeure – on l'y avait amené à cinq ou six ans –, une noble bâtisse de granit gris, aux façades magnifiquement ouvragées et, à en croire sa mémoire, dotée d'une douve et de fenêtres treillissées, quelque part près du parc, mais introuvable, comme les rues de cette ville familière que chacun revoit régulièrement dans ses rêves. Il ne prit jamais la peine de demander à sa mère si elle avait été démolie, mais il y avait des maisons sur la Cinquième Avenue à l'endroit où elle aurait pu se trouver.

Beatrice, peut-être à cause du décès de son père, dont elle se souvenait très nettement, redoutait l'arrivée de l'automne. Il y avait un moment, en général vers la fin août, où l'été enveloppait d'une lumière éblouissante les arbres encore couverts de feuilles, puis soudain, un beau jour, tout s'immobilisait, comme aux aguets, conscient qu'un événement allait se produire. Ils le savaient. Tous le savaient : les cafards, les grenouilles, les corneilles qui traversaient majestueusement la pelouse. Le soleil était à son zénith et embrassait le monde, mais c'était la fin, tout ce qu'on aimait était soudain en danger.

Neil Eddins, l'autre éditeur, était un homme du Sud, aux traits lisses et aux manières parfaites, qui portait des chemises à rayures et se liait facilement d'amitié.

« Tu étais dans la marine ? demanda-t-il.

– Oui. Toi aussi ?

– Non, ils n'ont pas voulu de moi. Je n'ai pas pu passer l'examen d'entrée. J'étais dans la marine marchande.

– Où ça ?

– À New York, sur l'East River, pour l'essentiel. L'équipage était italien. Impossible de les convaincre de lever l'ancre.

– Il n'y avait pourtant pas beaucoup de risques d'être coulé.

– En tout cas pas sous le feu ennemi. Votre bateau a été torpillé ?

– Certains ont pensé que oui.

– Que veux-tu dire par là ?

– Ce serait trop long à raconter. »

Gretchen, la secrétaire, passa entre leurs bureaux tandis qu'ils devisaient. Elle avait une belle silhouette et un joli visage, déparé par trois ou quatre plaques rouges sur les joues et le front, une innommable maladie de peau qui l'accablait, bien qu'elle n'en ait jamais parlé. Eddins lâcha un petit gémissement quand elle eut disparu.

« Gretchen, c'est ça ? »

Tout le monde savait qu'elle avait un petit ami.

« Oh, mon Dieu ! s'exclama Eddins. Oublie un peu cette acné ou autre problème de peau, je suis sûr qu'on peut l'en débarrasser. En fait, je dois dire que j'aime assez les femmes qui ressemblent un peu à des boxeurs, avec de hautes pommettes et des lèvres charnues. Quel rêve j'ai fait l'autre nuit ! Je couchais avec trois jolies filles, l'une après l'autre. Ça se passait dans une petite pièce, une sorte de box, et je commençais à m'occuper de la quatrième quand quelqu'un a essayé d'entrer. Je criais : “Non, non, pas maintenant, bon sang !” J'avais le cul de cette fille juste sous le nez pendant qu'elle se penchait en avant pour retirer ses chaussures. Est-ce que tu me trouves obscène ?

– Non, pas vraiment.

– Tu fais des rêves de ce genre, toi ?

– En général, je rêve plutôt d'une seule à la fois.

– Une en particulier ? demanda Eddins. Ce qui me botte surtout, c'est une belle voix. Une belle voix grave. Quand je me marierai, c'est la première chose que je demanderai à ma femme : de parler avec une belle voix grave. »

Gretchen repassa en sens inverse. Elle leur adressa un rapide sourire.

« Bon Dieu, reprit Eddins, elles savent y faire, pas vrai ? Elles adorent ça ! »

Après le travail, ils allaient parfois prendre un verre chez Clarke's. La Troisième Avenue était fréquentée par des gens qui aimaient lever le coude et regorgeait de bars de quartier, plongés dans l'ombre du métro aérien, dont les rames filaient bruyamment au-dessus des têtes en tanguant le long des immeubles, la lumière du jour filtrant entre les rails de ses voies après leur passage.

Ils parlaient de livres et d'écriture. Eddins n'avait étudié qu'un an à l'université mais il avait tout lu. Il était membre de la Société Joyce, et l'auteur irlandais était son héros.

« Mais, en général, je n'aime pas qu'un écrivain me livre trop les pensées et les sentiments des personnages, dit-il. J'aime les voir, entendre ce qu'ils disent, et décider par moi-même. La surface des choses. J'aime les dialogues. Ils parlent et on comprend tout. Tu aimes John O'Hara ?

– Assez, répondit Bowman. J'aime certaines choses qu'il a écrites.

– Qu'est-ce que tu lui reproches ?

– Je le trouve parfois trop sarcastique.

– C'est le genre de personnages qu'il imagine qui veut ça. *Rendez-vous à Samarra* est un superbe bouquin. L'histoire m'a complètement emporté. Il avait vingt-huit ans quand il l'a écrit.

– Tolstoï était encore plus jeune. Il avait vingt-trois ans.

– Quand il a écrit quoi ?

– *Enfance, adolescence, jeunesse.* »

Eddins ne l'avait pas lu. Il reconnut même n'en avoir jamais entendu parler.

« Ce livre l'a rendu célèbre du jour au lendemain, expliqua Bowman. D'ailleurs c'est la même chose pour tous, c'est bien ça le plus intéressant : Fitzgerald, Maupassant, Faulkner, enfin je veux dire après avoir publié *Sanctuaire*. Tu devrais lire *Enfance*. Il y a un chapitre magnifique et très bref, où Tolstoï décrit son père, grand et chauve, avec seulement deux passions dans la vie. On s'attend à ce que ce soit sa famille et ses terres, alors qu'en fait il s'agit des cartes et des femmes. Un chapitre tout à fait étonnant.

– Tu sais ce qu'elle m'a dit aujourd'hui ?

– Qui ?

– Gretchen. Elle m'a dit que le Bolchoï était de passage à New York.

– Je ne savais pas qu'elle s'intéressait au ballet.

– Elle m'a aussi expliqué ce que veut dire Bolchoï. Ça signifie grand, superbe.

– Alors ? »

Eddins fit le geste d'emprisonner quelque chose de rond dans chacune de ses paumes.

« Pourquoi est-ce qu'elle me fait ça ? gémit-il. Je lui ai composé un petit poème, comme celui que Byron avait écrit pour Caroline Lamb, une des nombreuses femmes qu'il a sautées – si tu me pardonnes l'expression –, parmi lesquelles des comtesses.

– Il devait subir l'influence du flux dionysiaque.

– Flux ? Qu'est-ce que c'est que ce mot ? Du chinois ? En tout cas, voici mon poème : “Bolchoï, Oy oy oy !”

– Mais tu parles de quoi ?

– Tu plaisantes, elle nous les flanque sous le nez à chaque instant !

– Et le poème de Byron, c'était quoi ? Je ne le connais pas, dit Bowman.

– On dit que c'est le poème le plus court de la langue anglaise, mais le mien est encore plus court, en vérité. “Caro Lamb, Goddam !”

– C'est elle qu'il a fini par épouser ?

– Non, elle était déjà mariée. Et comtesse avec ça. Si je connaissais une comtesse ou deux, je serais sûrement un homme meilleur. Surtout si elle n'était pas trop moche, la comtesse, je veux dire. En fait, elle n'aurait même pas besoin d'être comtesse. C'est un mot qui invite à la promiscuité, tu ne trouves pas ? Au lycée, j'avais une petite amie – bien sûr, il ne s'est jamais rien passé de sérieux entre nous – qui s'appelait Ava. Joli prénom, pas vrai ? Elle avait un de ces corps. Je me demande où elle peut bien être, maintenant que nous sommes adultes. Il faudrait que je me débrouille pour dénicher son adresse, à moins qu'elle ne se soit mariée. Quelle affreuse pensée ! Mais au fond, pas si affreuse que ça, quand on y réfléchit…

– Où es-tu allé au lycée ?

– La dernière année, j'étais dans un pensionnat près de Charlottesville. On prenait nos repas tous ensemble au réfectoire. Le proviseur avait coutume de brûler des billets pour nous montrer avec quel mépris il fallait traiter l'argent. Il mangeait un œuf dur tous les matins, coquille comprise. Je n'ai jamais réussi à l'imiter, et pourtant j'avais tout le temps un petit creux. En fait, je mourais de faim ! On m'avait sans doute envoyé là à cause d'Ava. Mes parents devaient avoir peur de ce qui pourrait arriver, ils ne croyaient pas vraiment que vivre sa sexualité soit une très bonne idée.

– Tu connais des parents qui le croient ? »

Ils étaient attablés dans un bar bondé. Les portes donnant sur la rue étaient ouvertes, et le passage des métros, dans un lourd fracas pareil à celui d'une vague, noyait régulièrement leur conversation.

« Tu connais l'histoire du comte hongrois ? demanda Eddins. Bref, il était une fois un comte à qui sa femme dit un jour que leur fils grandissait et qu'il était temps de lui expliquer d'où viennent les bébés. “D'accord”, fit le comte, et il emmena son fils faire un tour. Ils longèrent une rivière et s'arrêtèrent sur un pont sous lequel des paysannes étaient en train de laver leur linge. Le comte dit : “Ta mère veut que je t'explique d'où viennent les bébés, comment on les fait. – Oui, père, répondit le fils. – Eh bien tu vois ces filles là-bas ? – Oui, père. – Tu te rappelles quand nous sommes venus leur rendre visite il y a quelques jours, et comment nous avons joué avec elles ? – Oui, père. – Eh bien, c'est comme ça qu'on fait les bébés.” »

Il était élégant ce jour-là, Eddins, dans son costume d'été de couleur claire, légèrement froissé, peut-être un peu léger pour la saison. En même temps, il s'arrangeait pour afficher un air désinvolte, les poches de sa veste étaient bourrées d'on ne sait quoi, ses cheveux lui tombaient sur le col. Il dépensait pour ses vêtements plus qu'il n'aurait dû se le permettre, British American House était sa marque préférée.

« Tu sais, dans notre quartier, quand j'étais gamin, il y avait un beau brin de fille, un peu attardée mentale…

– Attardée mentale ?

– Je ne sais pas ce qui ne tournait pas rond. Un peu ralentie, tu vois ?

– Tu ne vas quand même pas me raconter un truc infâme, maintenant !

– Quel gentleman tu es ! s'exclama Eddins. Un type comme on n'en fait plus.

– Et on en faisait où des comme moi, à ton avis ?

– Mais partout. Mon père t'aurait trouvé très sympathique. Avec une gueule comme la tienne…

– Eh bien ?

– Je ferais des ravages dans cette ville. »

Bowman commençait à ressentir lui aussi l'effet de l'alcool. Entre les bouteilles brillantes, il apercevait son reflet dans la glace derrière le comptoir, veste et cravate, soirée typiquement new-yorkaise, tous ces gens autour de lui, ces visages… Il avait l'air propre sur lui, calme et posé, gardant quelque chose de l'officier de marine qu'il avait été. Il se rappelait parfaitement ces années, même si elles n'étaient déjà plus que des ombres dans sa vie. Les jours passés en mer. « Mr Bowman ! – Oui, mon capitaine ! » La fierté qu'il en tirerait toujours.

Sur le seuil du bar apparut alors une fille qui ressemblait au portrait qu'avait essayé de brosser Eddins : un visage de boxeur, avec les joues creuses et un nez un peu épaté. Il ne voyait que la partie supérieure de son corps dans le miroir tandis qu'en compagnie de son petit ami ou de son mari elle fendait la foule, vêtue d'une robe à fleurs orange. On ne pouvait pas la manquer, et pourtant Eddins ne l'avait pas vue, trop occupé à parler à quelqu'un d'autre. Aucune importance, New York regorgeait de filles de ce genre, enfin pas tant que ça, mais la nuit, on en croisait souvent.

Eddins s'était retourné et l'avait repérée.

« Bon Dieu ! dit-il. Je le savais. C'est exactement la fille avec qui je voudrais coucher.

– Tu ne la connais même pas !

– Je ne veux pas la connaître, je veux me la faire.

– Quel grand romantique tu es ! »

Au bureau pourtant, Eddins était un vrai enfant de chœur, et il paraissait même – ou tentait de paraître – indifférent à la présence de Gretchen. D'un air dégagé, il tendit à Bowman une feuille de papier pliée, puis détourna le regard. C'était un nouveau poème, dactylographié au milieu de la page.

> Et à l'hôtel Plaza, à sa grande tristesse,
> Belle Caro Gretchen, son unique déesse,
> S'étonnant sans vergogne du feu à sa braguette
> Remit au lendemain leur petite amourette

« Est-ce que ce ne devrait pas être *cara* ?

– Comment ça ?

– *Cara*, le féminin de *caro*.

– Laisse tomber, dit Eddins. Rends-le-moi, je ne voudrais pas que ce poème tombe entre de mauvaises mains. »

3

Vivian

Le jour de la Saint-Patrick était ensoleillé, il faisait exceptionnellement doux, les hommes étaient en bras de chemise et apparemment on allait arrêter le travail à midi. Quittant le soleil pour pénétrer dans un bar, bondé comme tous les autres, Bowman, aveuglé, ne parvenait qu'à peine à distinguer les visages des clients au comptoir, mais il trouva une place près du fond de la salle où tous s'interpellaient à grands cris. Le garçon vint le servir et, sa bière en main, il regarda alentour. Des hommes et des femmes buvaient un verre, des jeunes femmes surtout. Deux d'entre elles – il ne devait jamais oublier ce moment – se tenaient à sa droite, une brune aux sourcils noirs avec, quand il la vit de plus près, un léger duvet sur les joues, et une blonde au front dégagé et rayonnant, et aux yeux écartés qu'il jugea immédiatement fascinants bien qu'un peu communs. Son visage le frappa avec une telle intensité qu'il avait du mal à la regarder, tant elle paraissait originale. Pourtant, impossible de s'en empêcher. Il avait presque peur de poser les yeux sur elle.

Il leva son verre à leur santé.

« Joyeuse Saint-Patrick ! réussit-il à articuler.

– On ne vous entend pas », dit l'une d'elles.

Il tenta de se présenter. Il y avait décidément trop de bruit, comme s'ils s'étaient trouvés au beau milieu d'une surprise-partie endiablée.

« Comment vous appelez-vous ? demanda-t-il.

– Vivian », répondit la blonde.

Il se rapprocha. La brune se nommait Louise. Elle paraissait destinée à jouer un rôle secondaire, mais Bowman, pour ne pas se montrer trop direct, l'inclut dans la conversation.

« Vous habitez dans le coin ? »

Ce fut Louise qui répondit. Elle logeait dans la 53ᵉ Rue. Vivian vivait en Virginie.

« En Virginie ? s'étonna Bowman, assez bêtement, à son avis, comme si elle avait parlé de la Chine.

– Oui, à Washington », précisa Vivian.

Il ne pouvait détacher les yeux de la jeune femme. On aurait dit que son visage n'était pas complètement terminé, avec des traits franchement sensuels et une bouche qui souriait difficilement : un visage fascinant que Dieu semblait avoir marqué de son sceau. De profil, elle paraissait encore plus belle.

Quand elles lui demandèrent ce qu'il faisait dans la vie – le tapage s'était un peu apaisé –, il répondit qu'il travaillait dans l'édition.

« Vous publiez, c'est ça ?

– Quoi donc, des magazines ?

– Des livres, dit-il. Je travaille chez Braden & Baum. »

Elles n'en avaient jamais entendu parler.

« Je pensais aller faire un tour chez Clarke's, reprit-il, mais j'ai entendu le raffut, et je suis entré pour voir ce qui se passait. Il va falloir que je retourne au bureau maintenant. Qu'est-ce que… Qu'est-ce que vous comptez faire après ? »

Elles allaient au cinéma.

« Vous voulez venir avec nous ? » proposa Louise.

Il décida sur-le-champ qu'il l'aimait bien, qu'il l'adorait même.

« Impossible. Je peux vous retrouver plus tard ? Ici par exemple.

– À quelle heure ?

– Quand vous voulez. »

Ils se donnèrent rendez-vous à dix-huit heures.

Tout l'après-midi, il sentit la tête lui tourner et il eut bien du mal à se concentrer. Les heures passaient avec une lenteur invraisemblable, mais à dix-sept heures quarante-cinq, il reprit le chemin du bar… au pas de course. Il était en avance de quelques minutes, elles n'étaient pas encore arrivées. Il attendit avec impatience jusqu'à dix-huit heures quinze, puis dix-huit heures trente. Elles ne se présentèrent pas. Au comble du désespoir, il se rendit compte qu'il ne leur avait demandé ni numéro de téléphone ni adresse. Il ne savait rien d'autre que 53e Rue, et il ne les reverrait jamais. Surtout il ne *la* reverrait jamais. Pestant contre son inefficacité, il resta là près d'une heure, au bout de laquelle il entama une conversation avec son voisin immédiat pour avoir l'air moins emprunté et soumis si elles finissaient par arriver.

Il se demanda ce qui avait bien pu jouer en sa défaveur et les décider à ne pas revenir. Quelqu'un d'autre les avait-il abordées après son départ ? Malheureux, il ressentait le vide terrible des hommes qui connaissent la ruine et voient leur monde s'effondrer en un seul jour.

Il retourna travailler le lendemain l'angoisse au ventre. Impossible d'en parler à Eddins. Il avait l'impression qu'on lui avait enfoncé une longue aiguille dans la poitrine et il éprouvait un sentiment d'échec. Gretchen était à son bureau. Eddins empestait le talc ou l'eau de toilette ; enfin, une odeur un peu louche. Bowman lisait quand Baum fit son entrée.

« Comment allez-vous ce matin ? » demanda le patron d'un ton décontracté, sa façon ordinaire de débuter une conversation quand il ne souhaitait aborder aucun sujet en particulier.

Ils bavardaient depuis quelques minutes quand Gretchen s'approcha.

« Quelqu'un pour vous au téléphone. »

Bowman décrocha et dit d'un ton plutôt sec :

« Allô ? »

C'était elle. Il connut un moment de folle exaltation. Elle s'excusait. Elles étaient revenues la veille à dix-huit heures mais n'avaient pas réussi à retrouver le bar, étant incapables de se rappeler le nom de la rue.

« Je comprends, dit Bowman. C'est regrettable, mais ça n'est pas grave.

– On est même passées chez Clarke's, dit-elle. Je me suis souvenue que vous aviez prononcé ce nom.

– Votre appel me fait tellement plaisir.

– Je voulais seulement que vous sachiez qu'on avait essayé de vous retrouver.

– Ne vous en faites pas, il n'y a pas de souci. Écoutez, donnez-moi seulement votre adresse.

– Où ça ? À Washington ?

– Oui, n'importe où. »

Elle la lui donna, et celle de Louise en prime. Elle rentrait à Washington l'après-midi même, expliqua-t-elle.

« Est-ce que… À quelle heure est votre train ? Vous avez le temps de déjeuner ? »

Pas vraiment. Le train partait à treize heures.

« Comme c'est dommage ! Une autre fois peut-être, dit-il sans réfléchir.

– Eh bien, au revoir, répondit-elle au bout de quelques secondes.

– Oui, au revoir », répéta-t-il sans conviction.

Mais il avait son adresse. Il la relut après avoir raccroché. C'était un renseignement précieux au-delà de tout. Il ne connaissait même pas son nom de famille.

Sous l'immense dôme de Penn Station, où la lumière qui filtrait à travers la verrière tombait par vastes carrés sur la foule de tous ceux qui attendaient, Bowman se fraya un chemin. Il était nerveux, mais il réussit à la trouver alors qu'elle ne l'avait pas vu venir.

« Vivian ! »

Elle regarda alentour et l'aperçut.

« Oh, c'est vous, quelle surprise ! Qu'est-ce que vous faites là ?

– Je voulais vous dire au revoir. » Et il ajouta : « Je vous ai apporté un livre que vous aimerez, j'espère. »

Enfant, Vivian avait partagé des livres avec sa sœur. Il leur arrivait même de se battre pour eux. Elle avait lu Nancy Drew et quelques autres, mais, pour être honnête, expliqua-t-elle, elle ne lisait plus beaucoup. *Ambre.* Son teint était rayonnant.

« Eh bien, je vous remercie.

– C'est un des livres que nous publions », dit-il.

Elle lut le titre. C'était tellement gentil de sa part. Une attention que les garçons qu'elle connaissait, ou même des hommes plus âgés, ne lui auraient pas témoignée. Elle avait vingt ans, mais n'était pas encore prête à se considérer comme une femme, sans doute parce qu'elle restait largement dépendante de son père financièrement, et parce qu'elle l'adorait. Elle avait étudié deux ans à l'université avant de dénicher un emploi. Les femmes de son entourage étaient célèbres pour leur élégance, leur talent d'écuyère, et leurs maris. Pour leur courage aussi. Lorsqu'une de ses tantes s'était fait attaquer par deux Noirs armés, elle avait lâché froidement : « Nous avons été trop bons avec vous, messieurs. »

La Virginie de Vivian Amussen était peuplée d'Anglo-Saxons privilégiés issus de la même souche. Ses collines et ses vallons étaient couverts de forêts, c'était une belle et riche terre où serpentaient des murets de pierres sèches et des routes étroites qui l'avaient préservée. Les vieilles bâtisses étaient également en pierre, avec souvent une pièce unique sur toute la largeur, si bien qu'on pouvait ouvrir les fenêtres de part et d'autre pour laisser circuler la brise durant les étés brûlants. À l'origine, la terre avait été octroyée par concessions royales, de très grosses propriétés, jusqu'à la guerre d'Indépendance ; on y avait pratiqué l'agriculture, d'abord le tabac, puis l'élevage. Dans les années vingt ou trente, Paul Mellon, qui aimait la chasse, vint acheter un immense domaine. Il fut immédiatement imité par ses amis. Ce devint un pays de chasse à courre, les meutes de chiens donnant de la voix et poursuivant leurs proies, tandis qu'à leur suite, de derrière les rideaux d'arbres, jaillissaient des chevaux et leurs cavaliers, bondissant par-dessus les murets de pierre et les fossés, escaladant ou dévalant les collines, marquant parfois un temps d'arrêt avant de repartir au galop.

C'était un lieu d'ordre et d'élégance, surnommé le Royaume, de Middleburg à Upperville, un endroit à l'écart du monde, dont une grande part était splendide, avec ses vastes champs, tendres sous la pluie ou bien doux et lumineux sous le soleil. Au printemps venait la saison des courses, la Gold Cup au mois de mai, sur les collines où on organisait le steeple-chase, la foule des spectateurs distraits contemplant le spectacle depuis leurs voitures, sur le toit desquelles s'improvisait le pique-nique. À l'automne commençait la saison de la chasse qui se prolongeait jusqu'en février, quand la terre était dure et les cours d'eau gelés. Tout le monde possédait des chiens. Si vous aviez donné un nom à un chien, on vous le déposait à domicile devant votre porte, dès qu'il ne pouvait plus chasser avec la meute.

Les belles demeures appartenaient aux riches et aux médecins, et les domaines – qu'on appelait « fermes » – conservaient leurs noms ancestraux. Les gens se connaissaient, et les nouveaux venus étaient considérés avec méfiance. Ils étaient blancs, protestants, et toléraient sans s'en vanter quelques rares catholiques. Dans les maisons, le mobilier était anglais, souvent ancien, on en héritait une génération après l'autre. On passait son temps à cheval ou sur le green : c'est au sport qu'on se faisait ses meilleurs amis.

En empruntant la route goudronnée à deux voies, il fallait moins d'une heure pour rejoindre Washington, et le centre-ville où travaillait Vivian. Elle officiait d'ailleurs pratiquement pour la gloire, comme hôtesse d'accueil chez un notaire, rentrant le week-end à la maison retrouver les courses, les ventes de pur-sang et les parties de chasse organisées dans les environs. Les sociétés de chasse étaient comme des clubs ; pour appartenir à la meilleure, celle dont son père et elle étaient membres, il fallait posséder au moins six hectares. Le président de cette société était un juge, John Stump, une figure tout droit sortie d'un roman de Dickens, corpulent et colérique. Il possédait un goût immodéré pour les femmes, ce qui l'avait amené au bord du suicide quand celle qu'il aimait l'avait rejeté. La passion aidant, il s'était jeté par la fenêtre mais avait atterri dans les buissons. Il s'était marié à trois reprises, et chaque fois, avait-on observé, la nouvelle élue avait une poitrine plus avantageuse que la précédente. Les divorces étaient dus à son alcoolisme, qui complétait à merveille son image de gentleman-farmer. En matière de chasse, il était toutefois sans faille et exigeait un comportement irréprochable. Un jour, il n'avait pas hésité à passer un savon à certains participants qui s'étaient visiblement mal comportés. L'un d'eux avait pris la parole pour protester :

« Écoutez, je ne me suis pas levé à six heures du matin pour entendre un sermon.

– Pied à terre ! avait beuglé Stump. Mettez pied à terre immédiatement et rentrez à l'écurie ! »

Plus tard, il s'était excusé.

Le juge Stump était un ami du père de Vivian, George Amussen, un homme aux manières irréprochables, toujours courtois, mais qui ne se liait pas facilement. Stump était aussi son avocat, et Anna Wayne, sa première femme, qui avait une petite poitrine mais montait à la perfection, avait été avant de l'épouser la maîtresse d'Amussen. On racontait généralement qu'elle avait accepté cette union seulement quand il avait été clair que ce dernier ne demanderait jamais sa main.

Le juge Stump courait les filles, George Amussen non : c'étaient elles qui le poursuivaient. Il était élégant, réservé, et également admiré pour avoir réussi dans l'immobilier à Washington et dans la campagne avoisinante. Équanime et patient, il avait compris avant beaucoup d'autres que Washington était en train de changer et, au fil des ans, il avait acheté, parfois en partenariat, des immeubles d'habitation dans les quartiers nord-ouest de la ville et un immeuble de bureaux sur Wisconsin Avenue. Il se montrait discret sur ce qu'il possédait, s'interdisant même d'en parler. Il roulait dans une voiture ordinaire et s'habillait de façon décontractée, sans ostentation, portant la plupart du temps une veste sport sur un pantalon bien coupé, un costume seulement quand les circonstances l'exigeaient.

Il avait des cheveux blonds dans lesquels le gris se fondait, et une démarche souple qui semblait témoigner d'une certaine force et d'une tradition dont il était le digne représentant. Gentleman jusqu'au bout des ongles et figure importante de divers country-clubs, il connaissait tous les serveurs noirs par leurs prénoms et ils savaient qui il était. À Noël chaque année, il leur donnait un double pourboire.

Washington était une ville du Sud, léthargique et moins grande qu'il n'y paraissait. Le temps y était atroce, humide et froid en hiver et d'une chaleur brûlante en été, comme dans tout le Delta. Elle possédait ses propres institutions, en marge du gouvernement, de vénérables hôtels très courus, comme le Wardman, qu'on appelait familièrement « le club des étalons », parce que de nombreux nantis y entretenaient leurs maîtresses ; le siège de la Riggs Bank, le plus chic des établissements financiers ; les célèbres grands magasins du centre-ville. Howard Breen, propriétaire de la compagnie d'assurances où George Amussen était en principe employé, hériterait un jour des nombreuses propriétés que son père avait acquises, y compris l'immeuble d'habitation le plus élégant de la ville, où le vieil homme, assis dans le hall d'entrée, un feutre mou sur la tête et un crachoir aux pieds, fixait les gens qui passaient de ses yeux de lézard. Seuls des candidats triés sur le volet étaient choisis comme locataires, et même ces derniers étaient traités avec indifférence. Si, comme cela se produisait rarement, il adressait un léger signe de tête quand ils entraient ou sortaient, c'était considéré comme une marque insigne de cordialité. Néanmoins, les appartements étaient vastes, avec de superbes cheminées et de hauts plafonds, et les employés, prenant exemple sur le propriétaire, étaient muets jusqu'à l'insolence.

La guerre avait tout changé. Les hordes de personnel militaire et naval, fonctionnaires d'État, jeunes femmes attirées par les offres d'emploi de secrétaires – en deux ou trois ans, la ville de province léthargique s'était réveillée. À certains égards, elle s'accrochait à ses habitudes, mais le passé s'effaçait peu à peu. Vivian avait atteint sa majorité durant cette période. Même si elle se rendait au club avec des shorts qui, de l'avis de son père, étaient un peu trop courts et si elle avait porté des talons hauts trop tôt, sa façon de penser devait tout au monde dans lequel elle avait grandi.

Bowman lui écrivit et, à sa surprise, elle répondit. Ses lettres étaient chaleureuses et ouvertes. Elle vint à New York plusieurs fois ce printemps et au début de l'été : elle séjournait chez Louise et partageait même son lit, piquant avec elle des fous rires comme deux collégiennes en pyjama. Elle n'avait pas encore parlé à son père de son petit ami. Ceux qu'elle avait eus à Washington travaillaient au Département d'État ou au bureau des placements de la Riggs, et ressemblaient trait pour trait à leurs parents. Elle ne se considérait pas comme une réplique des siens. En fait elle faisait même preuve d'une certaine audace, à prendre le train pour aller rejoindre un homme croisé dans un bar, dont elle ignorait tout mais qui lui semblait doté d'originalité et d'une profondeur réelle. Un soir, ils se rendirent chez Luchow's où le serveur les salua d'un *Guten Abend*. Bowman conversa avec lui dans sa langue.

« Je ne savais pas que tu parlais allemand.

– En fait, jusqu'à récemment, ça n'avait rien d'exceptionnel », répondit-il.

Il avait étudié l'allemand à Harvard, expliqua-t-il, parce que c'était la langue de la science.

« À l'époque, je pensais vouloir devenir un scientifique. J'ai beaucoup hésité entre plusieurs voies. Je me disais que j'allais peut-être faire carrière dans l'enseignement. Je continue d'ailleurs parfois d'en avoir envie. Ensuite, je me suis décidé pour le journalisme, mais je n'ai jamais déniché d'emploi dans ce domaine. À ce moment-là, j'ai entendu parler d'un boulot de lecteur. Un coup de chance, ou le destin peut-être. Est-ce que tu crois au destin, toi ?

– Je n'y ai jamais réfléchi », répondit-elle avec désinvolture.

Il aimait bavarder avec elle, et voir de temps à autre ce sourire éclatant qui faisait resplendir son front. Elle portait une robe à bretelles, et ses délicates épaules rondes rayonnaient. Elle mangeait son pain avec le petit doigt en l'air. Les gestes, les expressions du visage, la façon de s'habiller : tout cela était révélateur. Il songeait à des endroits où ils pourraient aller ensemble. Personne ne les connaîtrait et il l'aurait pour lui seul des jours durant, bien qu'il ne sache pas vraiment comment cela serait possible.

« New York est une ville extraordinaire, tu ne trouves pas ?

– Oui, j'adore venir ici.

– Où as-tu rencontré Louise ?

– On était dans la même classe au pensionnat. La première fois qu'elle m'a adressé la parole, elle m'a raconté une histoire salace ; enfin, pas exactement salace, mais tu vois ce que je veux dire. »

Il lui parla du soir où les lettres ES de l'enseigne lumineuse en haut de Essex House s'étaient éteintes. Tous les passants pouvaient voir ce qu'il restait, au quarantième étage, brillant dans la nuit. Il n'alla pas plus loin de crainte de lui paraître vulgaire.

À la fin de la soirée, il s'apprêtait à prendre congé devant l'immeuble, mais elle se comporta comme s'il n'était pas là, ouvrant la porte sans dire un mot. Louise était partie pour le week-end chez ses parents. Vivian était mal à l'aise, tout en s'appliquant à le cacher. Il monta avec elle.

« Tu voudrais un café ?

– Oui, ce serait… Non, pas vraiment », répondit-il.

Ils restèrent quelques instants silencieux, puis elle se pencha vers lui et l'embrassa. Un baiser léger mais ardent.

« Tu en as envie ? » demanda-t-elle.

Elle ne se déshabilla pas entièrement : elle ôta ses chaussures, ses bas et sa robe, ce fut tout. Elle ne semblait pas prête à davantage. Ils se contentèrent de s'embrasser et de chuchoter. Quand elle retira sa culotte d'un blanc qui lui parut sacré, il eut le souffle coupé. Sa fragilité, sa toison blonde. Il ne pouvait croire à ce qu'il était en train de se passer.

« Je n'ai… pas… ce qu'il faut », murmura-t-il.

Pas de réponse.

Il n'avait aucune expérience, mais ce fut naturel et absolument renversant. Trop rapide aussi, il ne put rien y faire. Il se sentait un peu honteux. Elle avait le visage tout près du sien.

« Je suis désolé. Je n'ai pas pu me retenir. »

Elle ne dit rien, elle n'avait presque aucun moyen de juger.

Elle disparut dans la salle de bains, laissant Bowman abasourdi de ce qui venait de se produire, émerveillé par un monde qui s'ouvrait au plus grand des plaisirs, un plaisir au-delà des mots. Il devinait toute la joie qui l'attendait.

Vivian songeait à des choses plus pragmatiques. Il y avait une possibilité qu'elle se retrouve enceinte, mais en vérité elle ne se faisait pas une idée très précise de cette probabilité. À la fac, malgré les longues conversations avec ses camarades, les choses étaient demeurées floues. Il circulait tout de même des histoires de filles à qui c'était arrivé la première fois. Ce serait bien ma veine, se disait-elle. Bien sûr, ce n'était pas exactement sa première fois.

« Tu me fais penser à un poney, lui dit-il avec tendresse.

– Un poney ? Et pourquoi ?

– Parce que tu es belle. Et libre.

– Je ne vois pas le rapport. En plus, les poneys, ça mord. Le mien en tout cas mordait. »

Elle se blottit contre lui et il essaya de penser comme elle. Quoi qu'il arrive, ils l'avaient fait. Il ne ressentait que de l'exaltation.

Ils passèrent la nuit ensemble quand il vint à Washington ce mois-là, et ils se rendirent le lendemain en voiture à la campagne pour déjeuner chez le père de Vivian. Il possédait un domaine, baptisé Gallops, de plus de cent cinquante hectares dont la plupart étaient composés de pâturages. La maison de maître, bâtie sur une petite colline, était en pierre naturelle. Vivian lui fit faire le tour de la bâtisse, du jardin et du rez-de-chaussée, comme pour la lui présenter, et d'une certaine façon se présenter elle-même. Il y avait peu de meubles, tous choisis sans considération de style. Derrière un canapé du salon, comme dans ces palais du XVIIe siècle, il découvrit quelques crottes de chien.

Le déjeuner fut servi par une domestique noire envers laquelle Amussen se comportait de façon chaleureuse et familière. Elle s'appelait Mattie, et elle apporta le plat principal sur un plateau d'argent.

« Vivian m'explique que vous travaillez dans l'édition, dit Amussen.

– Oui, monsieur. Je suis éditeur.

– Je vois.

– C'est une petite maison, poursuivit Bowman, mais avec une excellente réputation littéraire. »

Amussen, qui se curait distraitement une incisive du bout de l'auriculaire, demanda :

« Qu'entendez-vous par littéraire ?

– Eh bien, nous publions essentiellement des livres de qualité. Des livres qui pourraient marquer leur temps. Bien sûr, ça, c'est le haut de gamme. Nous en publions aussi d'autres, pour gagner de l'argent ou tenter d'en gagner.

– Voulez-vous nous servir le café, Mattie ? demanda Amussen à la domestique. Une tasse vous ferait plaisir, Mr Bowman ?

– Oui, merci.

– Et toi, Viv ?

– Oui, papa. »

Ce bref échange sur le monde de l'édition n'avait pas eu de suite. C'était aussi peu intéressant que s'ils avaient parlé du temps. Bowman avait remarqué qu'il n'y avait que des titres connus dans la bibliothèque du salon, des livres de clubs aux jaquettes intactes. Il y en avait bien quelques autres, reliés de cuir sombre, ceux dont on hérite et que personne ne lit, dans une vitrine en acajou.

Pendant qu'ils prenaient le café, Bowman essaya une dernière fois de présenter son travail sous un jour favorable, mais Amussen changea immédiatement de sujet : Bowman avait servi dans la marine, n'est-ce pas ? Royce Cromwell, un de leurs voisins du bout de la route, était allé à Annapolis dans la même classe que Charlie McVay, le capitaine de l'*Indianapolis*. Bowman ne l'aurait-il pas croisé par hasard ?

« Non, je ne crois pas. Je n'étais qu'officier subalterne. Est-ce qu'il a combattu dans le Pacifique ?

– Je l'ignore.

– Il y avait aussi une grosse flotte dans l'Atlantique pour les convois, le débarquement, et tout le reste. Des centaines de bateaux.

– Aucune idée. Il faudrait que vous lui posiez la question. »

Presque sans effort, il s'était arrangé pour donner au jeune homme l'impression qu'il était trop curieux. Le déjeuner avait été un de ces repas où le tintement d'un couteau, d'une fourchette sur une assiette ou contre un verre ne fait que ponctuer le silence.

À l'extérieur, alors qu'ils se dirigeaient vers la voiture, Bowman aperçut une forme qui ondulait lentement pour aller se cacher sous le lierre bordant l'allée.

« Il y a un serpent, je crois.

– Où ça ?

– Juste là, il vient de se glisser sous le lierre.

– Bon sang ! dit Vivian, exactement à l'endroit où les chiens aiment se coucher. Il était gros ? »

Ce n'était certes pas un petit serpent, il avait le diamètre d'un tuyau d'arrosage.

« D'assez belle taille, oui. »

Vivian se mit en quête d'un outil, et dénicha un râteau dont elle entreprit d'enfoncer avec frénésie le manche dans le lierre. Mais le serpent avait disparu.

« C'était quoi ? Un crotale ?

– Je ne sais pas. Il était énorme. Il y a des crotales par ici ?

– Pas qu'un peu !

– Tu ferais mieux de sortir de là dans ce cas. »

Intrépide, elle abattit le manche entre les feuilles sombres et luisantes une dernière fois.

« Sale bête ! » s'exclama-t-elle.

Elle partit prévenir son père. Bowman resta à observer l'épais feuillage du lierre, guettant le moindre mouvement. Elle n'avait pas hésité une seconde à s'y avancer.

Sur le chemin du retour ce jour-là, Bowman songeait qu'ils quittaient un monde où on ne parlait pas son langage. Il s'apprêtait à aborder le sujet, mais Vivian prit les devants :

« Ne t'inquiète pas pour papa. Il est comme ça quelquefois. Ça n'a rien à voir avec toi.

– Je ne pense pas lui avoir fait très bonne impression.

– Oh ! tu devrais le voir avec Bryan, le mari de ma sœur. Papa l'appelle Whyan. Il demande sans arrêt où elle est allée le chercher, et se plaint qu'il ne sache même pas monter à cheval.

– On ne peut pas dire que tu me rassures. Je fais de la voile. Est-ce que ton père en fait ?

– Il est allé en voilier jusqu'aux Bahamas. »

Elle semblait prête à défendre son père, et Bowman jugea préférable de ne pas insister. Elle détourna la tête pour regarder le paysage par la vitre, quelque peu distante, mais avec sa jupe en cuir, ses cheveux tirés en arrière, ses pommettes saillantes et sa fine chaîne en or autour du cou, elle était l'image même de la femme désirable. Elle se retourna vers lui :

« C'est comme ça. Il faut d'abord passer par le vestibule pour se décrotter les pieds.

– Ta mère est du même genre ?

– Ma mère ? Non.

– À quoi ressemble-t-elle ?

– Elle est alcoolique. C'est pour ça qu'ils ont divorcé.

– Elle habite aussi à Middleburg ?

– Non, elle a un appartement à Washington près de Dupont Circle. Tu feras sa connaissance. »

Sa mère avait été très belle, mais on ne l'aurait jamais cru aujourd'hui, ajouta Vivian. Elle commençait ses journées à la vodka et ne s'habillait pas avant l'après-midi.

« Papa nous a élevées tout seul. Nous sommes ses deux filles chéries. Il a fallu qu'il nous protège. »

Ils roulèrent pendant un certain temps en silence ; quelque part aux abords de Centerville, il jeta un coup d'œil dans sa direction, et s'aperçut qu'elle dormait. Sa tête avait doucement roulé sur le côté, ses lèvres s'étaient légèrement entrouvertes. Des pensées sensuelles lui vinrent à l'esprit. Ses jambes gainées de soie… pour une raison obscure, il les imaginait l'une après l'autre… effilées, gracieuses… Il se rendit compte combien il était amoureux d'elle. Si elle le souhaitait, elle pourrait lui offrir des trésors de bonheur.

Quand ils se dirent au revoir à la gare, il eut l'impression que quelque chose de définitif s'était passé entre eux. Malgré ses doutes, il était habité par une certitude de fond, une certitude qui ne le quitterait jamais.

4

Union

Alors qu'ils se détendaient, se promenaient ou mangeaient ensemble, il partageait librement avec elle ses idées sur la vie, l'histoire et l'art. Il lui disait tout ce qui lui passait par la tête. Il savait qu'elle ne pensait pas d'ordinaire à ces choses, mais elle comprenait et pouvait élargir son horizon. Il ne l'aimait pas seulement pour ce qu'elle était mais pour ce qu'elle deviendrait, l'idée qu'elle pourrait être différente ne lui venait même pas à l'esprit ou n'avait aucune importance. Pourquoi y aurait-il seulement songé ? Quand on aime, on voit l'avenir suivant ses propres rêves.

À Summit, où il voulait que sa mère rencontre Vivian, passe du temps avec elle et lui donne sa bénédiction, il commença par l'amener dans un petit restaurant à côté de la mairie qui existait depuis plusieurs années. C'était à l'origine un wagon de chemin de fer avec des vitres donnant sur l'avenue. À l'intérieur, le sol était carrelé et les boiseries claires du plafond descendaient en s'incurvant le long des murs. Un comptoir devant lequel prenaient place les clients – il y en avait toujours au moins un ou deux – courait sur toute la longueur. La foule s'y pressait le matin : la gare, avec la Morris and Essex Line qui menait en ville, se trouvait à proximité. Les voies étant basses, ils ne pouvaient pas les voir. Le soir, les lumières du restaurant étaient les seules à briller dans la rue. On entrait par une porte face au comptoir ; une autre se situait à l'une des extrémités.

C'était là que Hemingway avait situé sa nouvelle intitulée « Les Tueurs », expliqua Bowman.

« Juste là, dans ce restaurant. Le comptoir, et tout et tout. Tu la connais, cette nouvelle ? Elle est merveilleuse. Fabuleusement écrite. Même sans avoir jamais lu une autre ligne de lui, tu vois immédiatement que c'est un immense écrivain. Ça se passe le soir, la salle est vide, pas un chat. Soudain, deux hommes vêtus de pardessus noirs ajustés entrent et s'asseyent au comptoir. Ils consultent le menu, ils commandent, et l'un d'eux dit au barman : "Tu parles d'une ville ! Comment s'appelle ce bled ?" Le barman, évidemment effrayé, répond : "Summit". Le nom apparaît dans la nouvelle. Quand on leur sert à dîner, ils mangent sans retirer leurs gants. Ils sont venus tuer un certain Suédois, expliquent-ils au barman. Ils savent que le type en question y a ses habitudes. C'est un ancien boxeur nommé Ole Andreson qui a trahi la mafia, on n'en sait pas plus. L'un d'eux sort une carabine à canon scié de sous son manteau et va se cacher dans la cuisine pour attendre sa proie.

– C'est une histoire vraie ?

– Non, non. Hemingway l'a écrite en Espagne.

– Il l'a inventée, en somme.

– Quand on la lit, on n'en a pas l'impression, je t'assure. C'est ce qui la rend absolument extraordinaire, on y croit d'un bout à l'autre.

– Et ils le tuent.

– C'est encore mieux. Ils ne le tuent pas, parce qu'il ne vient pas, mais il sait qu'ils sont à sa recherche, et qu'ils reviendront. Il est grand, c'était un boxeur. Mais, quoi qu'il ait bien pu faire, ils vont réussir à l'abattre. Alors il se contente de les attendre, allongé sur son lit dans une chambre qu'il a louée, et il fixe le mur. »

Ils commencèrent à étudier le menu.

« Que vas-tu manger ? demanda Vivian.

– Je pense que je vais prendre des œufs et du jambon de Taylor.

– C'est quoi, le jambon de Taylor ?

– Une sorte de jambon qu'on fait par ici. Je n'ai jamais vraiment posé la question.

– Entendu, je vais en prendre aussi. »

Il aimait sa compagnie. Il aimait l'avoir auprès de lui. Il n'y avait que peu d'autres clients dans le restaurant, et ils paraissaient sans intérêt comparés à elle. Tous avaient conscience de sa présence. Impossible de faire autrement.

« J'aimerais tellement rencontrer Hemingway, dit-il. Je voudrais aller à Cuba pour faire sa connaissance. Nous pourrions y aller ensemble.

– Je ne sais pas, répondit-elle. Peut-être.

– Il faut que tu le lises », insista-t-il.

Beatrice brûlait depuis un certain temps de la rencontrer, et elle fut aussi frappée par sa beauté, bien que d'une façon différente de son fils. Elle fut sensible à sa fraîcheur, cette façon de s'affirmer, sans fard, presque animale. Combien on sent de choses lors d'un premier contact ! Elle avait acheté des fleurs et mis le couvert dans la salle à manger où ils prenaient rarement leurs repas, préférant d'ordinaire la table de la cuisine, collée contre un mur. La cuisine, avec ses étagères et son absence de placards, était le véritable cœur de la maison, une importance qu'elle partageait avec le séjour dans lequel ils s'asseyaient souvent devant un feu de bois pour bavarder et prendre un verre. Et voilà qu'arrivait cette jeune femme aux manières un peu guindées. Elle venait de Virginie. Beatrice demanda de quel coin. Middleburg ?

« Nous vivons en fait plus près d'Upperville », répondit Vivian.

Upperville, un nom qui sentait la bourgade rurale. De fait, c'était une toute petite ville, il y avait bien un restaurant mais pas l'eau courante ni d'égouts. Rien n'y avait changé depuis un siècle, et les gens l'aimaient telle qu'elle était, qu'ils habitent une vieille maison sans chauffage central ou une propriété de cinq cents hectares. Upperville, dans tout le comté et même au-delà, était un nom respecté, l'emblème d'une classe sociale fière et élitiste dont Vivian faisait partie. Il n'y avait aucun hôtel, il fallait y avoir sa maison.

« C'est une région magnifique », dit Bowman.

Beatrice répondit :

« J'aimerais beaucoup la découvrir. Qu'y fait votre famille ?

– Ils ont des terres, expliqua Vivian. Mon père fait un peu de culture, mais il a surtout des pâturages réservés à l'élevage.

– Ça doit être très grand.

– Ce n'est pas immense. Un peu plus de cent cinquante hectares.

– Comme c'est intéressant. Et à part l'agriculture, qu'y a-t-il à y faire ?

– Papa dit toujours qu'il y a énormément de choses pour se distraire. En fait, il parle de l'élevage des chevaux.

– Des chevaux.

– Oui. »

Elle était d'un abord relativement facile, mais on sentait qu'elle avait ses limites. Vivian avait commencé des études supérieures, sans doute sur la suggestion de son père qui craignait qu'elle tourne mal. Elle possédait une certaine assurance, n'abordant que les sujets dont elle pouvait parler sans risque d'erreur, ce qui lui semblait suffisant. Comme toutes les mères cependant, Beatrice avait espéré que son fils rencontre un jour une femme qui lui ressemblerait, avec qui elle pourrait parler à cœur ouvert et partagerait une certaine vision de l'existence. Parmi toutes ses élèves au fil des ans, les noms de plusieurs jeunes filles lui venaient à l'esprit, des lycéennes studieuses au charme naturel qu'on admirait, mais il y en avait eu d'autres impénétrables dont personne ne savait ce qu'elles étaient devenues.

« Est-ce que Liz Bohannon ne venait pas de Middleburg ? demanda Beatrice en faisant référence à une figure de la haute société et du monde des courses hippiques dans les années trente, toujours photographiée avec son mari à bord d'un paquebot voguant vers l'Europe ou dans leur loge à l'hippodrome de Saratoga.

– Oui, elle y possède un très vaste domaine. C'est une amie de mon père.

– Elle est toujours vivante ?

– Oh, et comment ! »

Il courait sur elle de nombreuses rumeurs, expliqua Vivian. Quand ils avaient acheté leur domaine, qui s'appelait alors Longtree, elle avait coutume en revenant de la chasse de laisser ses chiens entrer dans la maison. Ils sautaient sur la table et dévoraient tout ce qu'ils voulaient. Après son divorce, elle s'était un peu calmée.

« Mais alors, vous devez la connaître.

– Oui, bien sûr. »

Vivian mangeait avec une certaine lenteur, pas comme une jeune fille dotée d'un solide appétit. Les fleurs, que Beatrice avait poussées vers le bout de la table, constituaient une toile de fond luxuriante pour la beauté de la nouvelle venue, cette jeune déesse païenne qui avait ensorcelé son fils. Bien qu'il ne s'agisse pas à proprement parler d'un sortilège, Beatrice n'avait aucun moyen de mesurer son besoin d'amour et de comprendre la forme qu'il prenait – son fils paraissait néanmoins certain d'une chose : jamais plus il ne rencontrerait une femme pareille. Il s'imaginait déjà en train de rouler avec elle dans les draps du lit nuptial, enivré par les parfums de la vie conjugale, il voyait les repas et les chambres qu'ils partageraient, les vacances qu'ils prendraient, il l'apercevait à demi nue, sa blondeur, la toison d'or pâle à l'endroit où ses jambes se rejoignaient, les trésors sexuels toujours renouvelés qu'il y trouverait.

Quand il confia à sa mère qu'il espérait l'épouser, Beatrice, bien que craignant qu'il ne tienne aucun compte de son avis, objecta qu'ils étaient terriblement différents, qu'ils avaient trop peu en commun. Au contraire, affirma Bowman d'un ton empreint de défi. Ce qu'ils avaient en commun était plus vital que des intérêts partagés : une compréhension et un accord qui se passaient de mots.

Ce que Beatrice ne dit pas, mais qui ne faisait aucun doute pour elle, c'était que Vivian n'avait pas d'âme. S'en ouvrir à son fils aurait été impardonnable. Elle garda le silence. Après quelques minutes, elle déclara :

« J'espère que tu ne vas rien précipiter. »

Elle devinait les choses auxquelles la jeunesse rend aveugle et espérait que, avec le temps, cette passion fondrait comme neige au soleil. Elle pouvait seulement presser la tête de son fils contre la sienne pour lui témoigner amour et bienveillance.

« Je veux juste que tu sois heureux, vraiment heureux.

– Ça me rendrait très heureux.

– Je veux dire, au plus profond de ton cœur.

– Oui, au plus profond. »

C'était l'amour, cette fournaise dans laquelle tout se consume.

Ils étaient attablés dans la salle du fond aux murs noircis d'El Faro, un restaurant new-yorkais dont les prix étaient plus que raisonnables. Vivian dit :

« Louise adorerait cet endroit. Elle est folle de tout ce qui vient d'Espagne.

– Elle y est déjà allée ?

– Non. Même pas au Mexique. Elle a passé le week-end dernier à Boston avec son petit ami.

– Qui est-ce ?

– Il s'appelle Fred. Ils se sont trouvé une chambre dans un petit hôtel et ils n'en sont pas sortis pendant deux jours.

– Je ne savais pas qu'elle était comme ça.

– Ensuite, elle avait tellement mal qu'elle pouvait à peine marcher. »

Le restaurant était bondé, il y avait foule au bar. Par l'unique fenêtre, de l'autre côté de la rue, on apercevait au premier et au deuxième étage des appartements pourvus de pièces spacieuses et bien éclairées où un couple aurait pu s'installer. Vivian buvait un second verre de vin. Le serveur se faufilait entre les tables avec leur commande sur un plateau.

« Qu'est-ce que c'est ? De la paella ? demanda-t-elle.

– Oui.

– Qu'y a-t-il dedans ?

– Du chorizo, du riz, des praires, tout. »

Elle se mit à manger.

« C'est bon », dit-elle.

Les tables pleines et les conversations qui allaient bon train donnaient à ce lieu une sorte d'intimité. Il savait que le moment était venu, il fallait qu'il se lance, d'une façon ou d'une autre.

« J'adore quand tu viens le week-end.

– Moi aussi, répondit-elle machinalement.

– C'est bien vrai ?

– Oui, confirma-t-elle, et il sentit son cœur se mettre à battre plus fort.

– Qu'est-ce que tu dirais de vivre ensemble ? Je veux dire, en étant mariés, bien sûr. »

Elle avait cessé de manger. Il ne parvenait pas à déterminer quelle était sa réaction. S'y était-il mal pris ?

« C'est tellement bruyant ici.

– Oui, un vrai vacarme.

– Est-ce que c'était une demande en mariage ?

– Pas très réussie, hein ? Oui, c'en était une. Je t'aime. J'ai besoin de toi. Je ferais n'importe quoi pour toi. »

Voilà, c'était dit, exactement comme il se l'était promis.

« Est-ce que tu veux bien m'épouser ?

– Il va nous falloir demander la permission à papa. »

Un immense bonheur l'envahit.

« Bien sûr. Mais est-ce vraiment nécessaire ?

– Oui », répondit-elle.

Elle insista pour qu'il demande sa main à son père, même si, comme elle le lui dit, elle lui avait déjà donné tellement plus.

Le déjeuner eut lieu au club de George Amussen à Washington. Bowman s'y était soigneusement préparé. Il s'était fait couper les cheveux, portait un costume et des chaussures bien cirées. Amussen était déjà assis quand le maître d'hôtel accueillit le jeune homme. De l'autre côté d'une rangée de tables, il aperçut son futur beau-père le nez plongé dans sa lecture. Lui revint en mémoire le matin où il était allé rendre visite à Mr Kindrigen, il y avait bien longtemps. Il avait aujourd'hui vingt-six ans, jouissait d'une certaine situation, et il était prêt à faire bonne impression à l'insondable père de Vivian qui, assis à sa table, les cheveux coiffés en arrière, paraissait parfaitement à son aise et ressemblait, en ce moment précis, à un héros revenu de la guerre, et même à un officier ennemi, un commandant ou un pilote de la Luftwaffe. Il était midi, la salle commençait à se remplir.

« Bonjour, dit Bowman pour toute salutation.

– Bonjour. Ravi de vous voir, répondit Amussen. J'étais en train de jeter un coup d'œil à la carte. Asseyez-vous. Je vois qu'ils ont du caviar d'alose. »

Bowman prit le menu, puis ils commandèrent chacun à boire.

Amussen savait pourquoi le jeune homme était là, et il avait préparé les grandes lignes de sa réponse. C'était un homme méthodique, aux idées bien arrêtées. Un des plus grands dangers mésestimés qui menaçait la société, pensait-il, était le métissage, des croisements libres qui, au bout du compte, ne pouvaient qu'avoir de fâcheuses conséquences. Il était originaire du Sud, pas du Sud profond, mais tout de même de ce qu'on avait appelé « Dixie », où la question essentielle demeurait celle de vos origines sociales. Lui-même venait d'une très bonne famille. Il possédait encore l'argenterie de son arrière-grand-mère et quelques-uns de ses meubles, merisier et noyer, et il avait élevé ses deux filles en accordant autant d'importance à l'équitation et aux bonnes manières qu'à tout le reste. Il avait entrepris des études supérieures, à l'université de Virginie, mais avait dû les interrompre en troisième année pour des raisons financières, ce qu'il n'avait jamais vraiment regretté. Son père, gérant d'entrepôts, jouissait d'une excellente réputation, et Amussen était un nom respectable, si l'on exceptait peut-être un cousin des environs de Roanoke, Edwin Amussen, qui cultivait du tabac et ne s'était jamais marié. En vérité, il vivait avec une femme de couleur, à ce qu'on racontait, et effectivement il avait auprès de lui une fille, Anna, qui, à dix-sept ans, était venue se faire engager comme cuisinière. Sa peau était d'un beau noir tirant sur le prune, elle sentait bon, avait des lèvres bien pleines et un sourire malicieux. Deux ou trois fois par semaine, elle empruntait l'escalier de service qui la conduisait à la chambre située au premier étage, une vaste pièce agrémentée d'une loggia. Il s'était levé un peu plus tôt pour se laver, puis il s'était recouché pendant une demi-heure dans la fraîcheur du matin, tendant l'oreille pour l'écouter s'activer dans la cuisine au rez-de-chaussée. Les rideaux fermés, la chambre était plongée dans la pénombre. Elle entrait, retirait son T-shirt en coton et s'allongeait sur le lit, comme si elle voulait étirer le haut de son corps, les avant-bras repliés sous la tête. Sur son dos nu aux muscles saillants, il posait alors cinq dollars en pièces d'argent en suivant un schéma familier : une à la base du cou, une autre un peu plus bas, et une troisième, plus bas encore, en dessous du creux des reins. Les deux dernières allaient sur les épaules, formant les branches d'une croix. Sans hâte, il soulevait sa jupe, soigneusement, comme s'il avait voulu examiner le tissu ; ces matins-là, elle ne portait rien en dessous. Elle s'était préparée pour l'occasion, parfois avec un peu de matière grasse, et le laissait prendre son temps, savourant la torpeur d'un soir d'été ou d'un après-midi paresseux, tout en l'écoutant parler de bons petits plats et de ce qu'il aimerait manger au dîner les prochains jours.

Cela avait duré pendant cinq ans, jusqu'à ce qu'elle lui annonce un beau jour, à vingt-deux ans, qu'elle allait se marier. Il ne voyait pas pourquoi changer leurs habitudes, dit-il calmement, mais elle refusa tout net. Une fois de temps en temps néanmoins, comme elle avait gardé ses entrées dans la maison, elle apparaissait le matin sans qu'on s'y attende.

« Des soucis à la maison ? demandait-il.

– Non. L'habitude, c'est tout, répondait-elle en étirant le haut de son corps sur le lit.

– Je te propose six dollars.

– Je vois pas où je pourrais en mettre un de plus.

– Là. »

Et il le lui posait dans le creux de la main, ce qu'il adorait faire.

Personne ne savait leur secret, cette liaison n'avait d'autre réalité qu'elle-même, un peu comme les visions enfiévrées qu'ont parfois les saints.

En 1928, lors d'un dîner donné à Washington, George Amussen avait rencontré Caroline Wain, qui avait vingt ans, un accent un peu traînant, et un sourire provocateur. Elle avait grandi à Detroit, son père était architecte. Quatre mois plus tard ils se mariaient, et au bout de six mois leur premier enfant, Beverly, voyait le jour. Vivian était née un an et demi après.

Caroline aimait la vie à la campagne. Elle fumait et buvait beaucoup. Son rire devint plus rauque et un petit bourrelet disgracieux fit son apparition au-dessus de sa taille. Elle aimait à paresser au lit avec ses filles et, les jours de pluie, elle leur lisait parfois des histoires. Amussen allait travailler à Washington, il lui arrivait de rentrer tard le soir, et même de passer la nuit en ville : il fit de moins en moins cas de sa femme, alors que son attention comptait tellement pour elle. Elle avait tendance à broyer du noir.

« George, l'interpella-t-elle un soir, un verre à la main. Es-tu heureux avec moi ? »

Elle n'avait pas trente ans, mais elle avait déjà des poches sous les yeux.

« Que veux-tu dire, ma chérie ?

– Es-tu heureux ?

– Suffisamment.

– Est-ce que tu m'aimes encore ? s'obstina-t-elle.

– Pourquoi poses-tu cette question ?

– Pour savoir.

– Oui, répondit-il.

– Oui, tu m'aimes ? C'est bien ça ?

– Si tu continues à me le demander, je ne sais pas ce que je vais finir par te répondre.

– Cela signifie que tu ne m'aimes pas !

– Ah vraiment ? »

Le silence s'installa.

« Est-ce qu'il y a une autre femme ? finit-elle par demander.

– Si c'était le cas, ce serait sans importance.

– Donc, il y a une femme.

– J'ai dit si c'était le cas. Il n'y a personne.

– En es-tu sûr ? Pas vraiment, hein ?

– Pourquoi n'écoutes-tu pas ce que je te dis ? »

À ces mots, elle lui lança son verre au visage. Il se releva, et se sécha avec un mouchoir qu'il avait tiré de sa poche.

Elle lui en jeta un autre à la figure au cours d'une soirée à Middleburg ce même automne, et éclata en sanglots sur le chemin du retour après plusieurs autres réceptions. Elle se fit bientôt une réputation d'alcoolique, ce qui en soi n'était pas bien grave – boire, même trop, était un trait de caractère, tout comme le courage, dans leur sphère –, mais Amussen finit par se lasser d'elle. Ses éclats de colère étaient semblables à une maladie qu'on ne pouvait pas traiter, et encore moins guérir. Son oreiller sous le bras, elle était allée dormir dans la chambre d'amis. Au bout de dix ans de mariage, ils s'étaient séparés, et avaient officialisé leur rupture peu de temps après. Caroline se rendit à Reno pour obtenir le divorce. Elle laissa ses deux filles, âgées de huit et dix ans, à leur père pour ne pas perturber leur scolarité et leurs habitudes. Elle conservait son droit de garde, mais n'en fit pas usage, et Amussen y trouva son compte, les choses continuant telles qu'elles étaient.

Bowman fit la connaissance de Caroline Amussen – elle avait gardé le nom de son ex-mari, qui n'était pas sans prestige – chez elle, à Washington. Elle les reçut en chaussons, mais elle ne manquait pas d'allure et se comporta chaleureusement à son égard. Il lui plaisait bien, dit-elle, et plus tard elle le répéta en privé à sa fille. Bowman ne songea pas que, avec le temps, les filles se mettent à ressembler à leur mère. Il était convaincu que Vivian tenait de son père et qu'elle saurait être indépendante.

Le serveur s'approcha pour prendre leur commande.

« Comment est le caviar d'alose, Edward ? demanda Amussen.

– Bien bon, Mr Amussen.

– En auriez-vous deux assiettes ? s'enquit-il. Si l'idée vous fait plaisir », ajouta-t-il en se tournant vers son invité.

Bowman supposa qu'il s'agissait d'un plat typique du Sud.

« Est-ce que vous pêchez ? L'alose est pleine d'arêtes, elle en a trop en général pour qu'on se donne la peine de la cuisiner. Les œufs sont ce qu'il y a de meilleur, expliqua Amussen.

– D'accord, je vais en prendre. Comment ça se prépare ?

– On les fait dorer dans une poêle avec du bacon. C'est bien cela, Edward ? »

Ils arrivaient à la fin du repas, on leur servait le café quand Bowman se lança :

« Je suis amoureux de Vivian, vous savez. »

Amussen continua à remuer sa petite cuiller, comme s'il n'avait pas entendu.

« Et je crois qu'elle est amoureuse de moi, poursuivit Bowman. Nous voudrions nous marier. »

Amussen restait impassible. Aussi calme que s'il avait été seul.

« Je suis venu vous demander votre permission, monsieur. »

Le « monsieur » semblait un peu emprunté, mais Bowman pensa qu'il n'en fallait pas moins. Amussen jouait toujours avec sa cuiller.

« Vivian est une bonne petite, finit-il par dire. Elle a été élevée à la campagne. Je ne pense pas qu'elle soit faite pour la vie citadine. Ce n'est pas vraiment son genre. »

Il releva les yeux.

« Comment comptez-vous subvenir à ses besoins ?

– Eh bien, comme vous le savez, j'ai une bonne situation. J'aime mon métier, une carrière m'attend. Je gagne déjà suffisamment pour subvenir à nos besoins, et tout ce que j'ai lui appartient. Je ferai en sorte qu'elle ne manque de rien.

– Vivian n'est pas une fille de la ville, répéta Amussen. Depuis qu'elle est toute petite, voyez-vous, elle est habituée à avoir son cheval.

– Nous n'en avons jamais parlé. Je suppose qu'on pourra toujours faire une petite place à un cheval », plaisanta Bowman.

Amussen ne semblait pas l'avoir entendu.

« Nous nous aimons, je ferai tout ce que je pourrai pour la rendre heureuse. »

Amussen hocha imperceptiblement la tête.

« Je m'y engage. Nous espérons que vous nous donnerez votre permission. Votre bénédiction, monsieur. »

Il y eut une pause.

« Je ne pense pas pouvoir vous la donner, dit Amussen. Pour être honnête avec vous.

– Je vois.

– Je ne crois pas que ça marcherait. Je pense que ce serait une erreur.

– Je vois.

– Mais je ne m'opposerai pas à la volonté de Vivian », conclut son père.

Bowman repartit déçu mais prêt à relever le défi de ce mariage morganatique, poliment toléré. Il ne savait pas bien quelle attitude adopter, mais quand il répéta à Vivian ce qu'avait dit son père, elle ne parut pas surprise.

« C'est papa tout craché, ça. »

Le pasteur était un septuagénaire de haute taille et aux cheveux poivre et sel qu'une chute de cheval avait rendu sourd. L'âge lui avait aussi affaibli la voix, qui restait veloutée bien qu'à peine audible. Lors de la rencontre prénuptiale, il leur expliqua qu'il allait leur poser les trois questions qu'il posait toujours aux jeunes couples. Il voulait savoir s'ils étaient amoureux, s'ils souhaitaient se marier à l'église, et enfin si ce mariage durerait.

« Nous pouvons résolument répondre oui aux deux premières, répondit Bowman.

– Ah ? » fit le pasteur.

Il était distrait et avait déjà oublié l'ordre des questions.

« Je ne pense pas que ce soit si important d'être amoureux », reconnut-il.

Il n'était pas rasé, remarqua Bowman, une barbe d'au moins un jour lui couvrait les joues, mais au mariage il se montra plus présentable. La famille de Vivian était là, sa mère, sa sœur, son beau-frère et d'autres que Bowman ne connaissait pas, et aussi des amis. De son côté, il y avait moins d'invités, toutefois son camarade de Harvard, Malcolm, et sa femme, Anthea, avaient fait le déplacement, ainsi qu'Eddins, un œillet blanc à la boutonnière. Le matin était frais et ensoleillé. Puis l'après-midi se déroula dans une agitation qui rendit difficile par la suite de se souvenir des détails. Il resta avec sa mère avant la cérémonie, et la voyait de sa place pendant le mariage lui-même. Il regarda avec un sentiment de triomphe Amussen mener la jeune femme à l'autel. Toutes ses inquiétudes se dissipèrent, on aurait dit une pièce de théâtre. Pendant l'échange des vœux, il ne vit plus que la mariée, son visage clair et rayonnant, et derrière elle Louise qui souriait également, quand il s'entendit dire « oui, avec cet anneau, je t'épouse ». Je t'épouse. Je t'épouse.

Eddins sut se faire apprécier, ou du moins remarquer de tous, à la réception qui eut lieu dans la maison familiale. Le père de Vivian, qui avait dans un premier temps souhaité l'organiser à la Red Fox, la vieille auberge de Middleburg, s'était laissé convaincre.

Le bar, installé sur une table couverte d'une nappe blanche, était tenu par deux garçons, réservés mais courtois, polis pour ainsi dire par les inégalités. Nœud papillon, visage rond et cordial, le nouveau beau-frère de Bowman, Bryan, s'approcha de lui :

« Bienvenue dans la famille », dit-il.

Il avait de petites dents régulières qui lui donnaient un air sympathique, et il était fonctionnaire d'État.

« Très beau mariage, poursuivit-il. Nous, nous n'en avons pas eu. Le *pater familias* nous a proposé trois mille dollars – enfin, à Beverly – si nous acceptions d'aller nous faire bénir ailleurs. Il espérait sans doute que je m'enfuirais avec l'argent. Il me l'a d'ailleurs dit lui-même. En tout cas, on s'est exécutés. D'où venez-vous ?

– Du New Jersey. Summit. »

Lui aussi venait de l'Est, lui confia Bryan.

« On habitait à Mount Kisco. Guard Hill Road, qu'on surnommait alors la rue des Banquiers. Chaque maison appartenait à un associé de la Morgan. »

Le garage pouvait loger quatre voitures. En fait, ils n'en possédaient que trois mais avaient un chauffeur.

« Il s'appelait Redell. Il faisait aussi fonction de cuisinier, un type à l'air louche, babilla aimablement Bryan. Il nous conduisait à l'école. Nous avions une Buick et une Hispano-Suiza, un énorme monstre avec un poste de pilotage isolé et relié par un tube acoustique. Tous les matins au petit-déjeuner, Redell nous demandait quel véhicule nous voulions prendre, la Buick, ou… la Hissy. "La Hissy !" criait-on invariablement. Et puis, dès qu'on s'éloignait de la maison, il nous laissait conduire.

– Il vous laissait conduire ?

– Mon frère et moi.

– Vous aviez quel âge ?

– J'avais douze ans et Roddy, dix. On le menaçait de l'accuser de nous avoir approchés d'un peu trop près s'il nous laissait pas prendre le volant à tour de rôle… On appelait ça les courses de la mort.

– Où est Roddy aujourd'hui ?

– Il vit dans l'Ouest. Il travaille dans le bâtiment, au bout du monde. Il mène la vie qu'il s'est choisie. »

Beverly les rejoignit.

« On parlait de Roddy, expliqua Bryan.

– Pauvre Roddy. Bryan l'aime énormément. Vous avez des frères et sœurs ? demanda-t-elle à Bowman.

– Non, je suis fils unique.

– Quelle chance vous avez ! »

Elle ne ressemblait pas à Vivian. Elle était plus grande, un peu dégingandée, avec un menton fuyant, et la réputation d'avoir son franc-parler.

« Alors, qu'avons-nous pensé de Mr Bowman ? » demanda-t-elle un peu plus tard à son mari. Elle mangeait une part de gâteau de mariage, une main ouverte au-dessous de l'autre pour récolter les miettes.

« Il m'a l'air d'un type sympathique.

– Il est allé à Harvaaaard...

– Et alors ?

– Je pense que Vivian a fait une erreur.

– Qu'est-ce que tu lui reproches ?

– Je ne sais pas. Juste une intuition. J'aime bien son copain, en revanche.

– Lequel ?

– Celui qui a une fleur à la boutonnière. Il semble nerveux, regarde.

– Qu'est-ce qui le rend nerveux, selon toi ?

– Nous, sans doute. »

Eddins en était à son deuxième verre, mais en Virginie il se sentait plus ou moins en terrain familier. Il avait bavardé avec un colonel en retraite, et une femme pas trop vilaine qui était arrivée au bras d'un juge. Puis avec Bryan, qui lui avait parlé des voitures que possédait sa famille avant d'être ruinée et contrainte de partir pour Bronxville, ce qu'ils avaient vécu comme une véritable déchéance. Eddins avait passé son temps à lorgner une jolie fille qui se tenait derrière le juge, et il finit par aller l'aborder.

« Vous venez souvent par ici ? demanda-t-il, tentant de se montrer spirituel.

– Je vous demande pardon ? »

Elle s'appelait Darrin, était fille de médecin. Elle faisait courir des chevaux.

« Les chevaux ont besoin qu'on les fasse courir ? Ils ne le font pas d'eux-mêmes ? »

Elle le considéra avec un léger mépris.

Eddins tenta de rattraper le coup en jacassant.

« Ils ont annoncé de possibles orages pour aujourd'hui, mais on dirait qu'ils se sont trompés. Moi, j'aime les orages. Il y en a un magnifique dans un roman de Thomas Hardy. Vous connaissez Thomas Hardy ?

– Non, répondit-elle sèchement.

– C'est un écrivain anglais. Ils sont hors catégorie, ces Anglais. Prenez lord Byron, le poète. Absolument incroyable. L'homme le plus célèbre d'Europe alors qu'il n'avait pas trente ans. Fou, teigneux, et infréquentable, c'est mon modèle. »

Elle ne se donna pas la peine de sourire.

« Mort de la fièvre des marais à Missolonghi. Ils ont mis son cœur dans une urne, et ses poumons dans quelque chose d'autre, j'ai oublié. L'ensemble devait finir dans une église mais s'est perdu en route. Sa dépouille a été renvoyée en Angleterre dans un cercueil rempli de rhum. Tout un cortège de femmes a suivi l'enterrement… ses anciennes maîtresses… »

Elle l'écoutait, l'air totalement indifférent.

« J'ai du sang anglais, expliqua-t-il, mais surtout écossais.

– Vraiment ?

– Des sauvages, complètement déchaînés. Ils lavent leurs vêtements dans de l'urine.

– Comment dites-vous ?

– En tout cas, c'est l'impression que donne leur odeur. »

Il avait inventé cette histoire de toutes pièces, c'est ce qu'il faisait quand il avait trop bu, et pour se protéger. Elle paraissait s'intéresser si ostensiblement peu à ce qu'il disait, trop jeune sans doute pour comprendre quoi que ce soit. Il s'était imaginé une sorte de mariage mondain et dissolu, à l'issue duquel il se serait enfui avec une demoiselle d'honneur ivre, mais il n'y avait pas de demoiselles d'honneur, rien que le témoin de la mariée qui ne l'attirait pas du tout. Il alla retrouver Bowman.

« Alors, cet endroit va devenir ta résidence de campagne, je suppose.

– Je ne crois pas, dit le marié.

– J'ai fait la connaissance de ton beau-père. Un gros propriétaire terrien. Riche comme Crésus. Tu as bien de la chance. Beaucoup de chance, dit-il en jetant un coup d'œil en direction de Vivian. Moi, il va me rester cet œillet… » Il prit le revers de sa veste entre ses doigts. « Je compte le garder en souvenir, pressé entre les pages d'un livre, ajouta-t-il en regardant la fleur en question. Il me faudra un gros bouquin. J'ai aussi parlé avec ta belle-mère. Elle ne manque pas de classe. »

Caroline était allée d'un groupe d'invités à l'autre, un peu moins mince que lors de sa dernière apparition, les joues un peu plus rondes. Elle portait une robe noire très chic et réussissait à se tenir à l'écart de son ex-mari.

Beatrice avait peu parlé. À l'église, elle avait pleuré. Elle avait étreint Vivian et senti une pression polie en retour. Tout s'était déroulé sur le même mode poli et retenu, avec force sourires et conversations courtoises.

Elle prenait congé de son fils. Elle put le serrer dans ses bras et lui dit avec tout son cœur :

« Soyez heureux. Aimez-vous sans compter. »

Elle avait néanmoins l'impression que c'était de l'amour jeté aux orties et craignait de ne jamais parvenir à connaître sa belle-fille. Il semblait, par ce jour éclatant, que le plus grand malheur était arrivé. Elle avait perdu son fils, certes pas complètement, mais une part de lui était désormais hors de portée, et il appartenait à une autre, une femme qui le connaissait à peine. Elle repensa à tout ce qui s'était passé auparavant, les espoirs et les ambitions, les années emplies de joie, et pas seulement parce qu'elles étaient aujourd'hui des souvenirs. Elle s'efforça de se montrer aimable, de se faire apprécier de tous et de les convaincre d'aimer son fils.

Ce George Amussen, elle avait l'impression de le connaître, cette maîtrise de soi, ces bonnes manières, le type d'existence que cette maison représentait. Il lui rappelait son mari, qu'elle avait longtemps essayé d'oublier mais qui continuait à faire partie de sa vie, bien que hors d'atteinte.

Vivian était heureuse. Elle portait encore sa robe blanche, elle n'avait pas eu le temps de se changer, et même si elle ne s'était toujours pas faite à l'idée, elle était désormais une femme mariée. Elle avait pris époux dans sa maison, avec la bénédiction de son père, enfin plus ou moins. C'était arrivé, elle avait réussi. Comme Beverly, elle était mariée.

Bowman était heureux ou croyait l'être, cette belle femme, cette fille superbe, était désormais à lui. Il s'imaginait la vie comme un long fleuve tranquille, avec quelqu'un à ses côtés. En présence de la famille et des amis de son épouse, il se rendit compte qu'il ne connaissait d'elle qu'un aspect, qui sans nul doute l'attirait mais n'était pas l'essentiel de son être. Derrière elle se tenait son inflexible père, et non loin de lui sa sœur et son beau-frère. De parfaits étrangers. De l'autre côté de la pièce, souriante et ivre, batifolait sa mère, Caroline. Vivian surprit son regard et, devinant peut-être ses pensées, elle lui sourit, d'un air apparemment compréhensif. Le sentiment de trouble disparut. Son sourire était sincère et amoureux. Nous allons bientôt partir, semblait-il lui dire. Cette nuit-là cependant, après avoir roulé jusqu'à l'hôtel Hay-Adams à Washington, épuisés par les événements de la journée et pas encore habitués à leur nouvelle vie, ils s'endormirent aussitôt.

5

10e Rue

Il y avait un salon et, de l'autre côté de portes vitrées, une chambre avec un lit près de la fenêtre. La cuisine était étroite mais longue, et la vaisselle attendait souvent d'être lavée. Vivian ne s'intéressait guère au ménage, ses vêtements et ses produits de beauté traînaient dans tout l'appartement. Une femme splendide émergeait de ces préparatifs, même les plus rapides. Elle avait beaucoup d'allure, y compris les lèvres nues et les cheveux en bataille, parfois précisément dans ce cas.

L'appartement se trouvait sur la 10e Rue, où les vieilles familles new-yorkaises avaient longtemps vécu, qui était tranquille mais proche de toutes les commodités, formant avec les rues adjacentes une sorte d'îlot résidentiel discret. Il y avait au mur les photographies que Vivian avait fait encadrer, deux de plus posées sur une commode, des clichés où on la voyait sauter à cheval, penchée en avant sur l'encolure au moment de dépasser l'obstacle, coiffée d'une bombe noire, le visage pur et intrépide. Elle savait monter, cela se lisait sur ses traits, et amener l'impressionnant animal à se mouvoir avec aisance sous son poids, les oreilles rabattues pour écouter ses ordres, le cuir cédant et craquant, une maîtrise parfaite ! Sur une autre, elle, Beverly et Chrissy Wendt descendaient du van après un concours hippique, couvertes de poussière, en culotte de cheval : Vivian, avec son visage étonnant et ses cheveux blonds, bâillait la bouche grande ouverte comme si elle était seule et venait de sortir du lit. Douze ans, l'air désinvolte, un peu espiègle même.

Âgée de huit ans, ses petits pieds tordus dans les escarpins de sa mère, une cigarette imaginaire à la main, elle se tenait sur le seuil de la chambre. Caroline, assise devant sa coiffeuse, la regardait dans le miroir.

« Oh, ma chérie, dit-elle, en remarquant aussi le collier de perles. Tu es tellement belle. Viens me donner une bouffée. »

Que de bonheur ! Vivian entra en claudiquant bruyamment et approcha la main de la bouche de sa mère. Caroline tira sur la cigarette puis souffla une volute invisible.

« Tu es bien élégante. Tu te prépares à aller à une réception ?

– Non, répondit-elle.

– Tu ne sors pas ?

– Non, je pense que je vais seulement inviter quelques garçons, dit Vivian d'un air entendu.

– Quelques garçons ? Combien, dis-moi ?

– Oh ! trois ou quatre.

– Mais tu ne vas donner ta préférence à aucun ? demanda Caroline.

– C'est tous des grands. Ça va dépendre. »

L'âge de l'imitation où il n'existe pas de danger, du moins pas vraiment. Dans le passé, les filles se mariaient souvent à douze ans, les futures reines s'agenouillaient pour prendre époux encore plus jeunes ; la femme de Poe était une enfant de treize ans, celle de Samuel Pepy en avait quinze, Machado, le grand poète espagnol, tomba éperdument amoureux de Leonor Izquierdo qui avait treize ans, Lolita en avait douze, et la divine Béatrice de Dante était encore plus jeune. Vivian n'était pas plus délurée qu'aucune de ces dernières, c'était un vrai garçon manqué jusqu'à la veille de ses quatorze ans. Elle adorait inventer des histoires avec sa mère. Elle aimait et craignait son père. Sa sœur et elle s'étaient constamment chamaillées depuis qu'elles avaient été en âge de parler, au point qu'Amussen demandait souvent à sa femme de faire quelque chose à ce sujet.

« Maman ! s'écria Beverly. Tu sais de quoi elle vient de me traiter ?

– De quoi t'a-t-elle traitée ? »

Peu pressée de les rejoindre, Vivian écoutait leur conversation depuis le vestibule.

« Elle m'a traitée de cul de cheval.

– Vivian, tu as vraiment dit ça ? lui demanda Caroline. Approche un peu. Tu as dit ça ? »

Vivian était pleine de détermination.

« Non, répondit-elle.

– Menteuse ! s'exclama Beverly.

– Tu l'as dit ou non, Vivian ?

– Je n'ai jamais dit de cheval. »

Ce n'était pas à proprement parler de réelles bagarres, mais la menace planait en permanence. Quand, avec le temps, il devint évident que Vivian serait la plus jolie des deux, elles durcirent leurs positions. Beverly adopta son style décharné et caustique. Vivian, de son côté, devint chaque jour plus féminine. Elles grandirent néanmoins en faisant tout de concert. Elles avaient suivi les chasses à courre depuis l'âge de sept ou huit ans. Toutefois, Vivian était la préférée du maître chasseur. Le juge Stump, grand amateur de jupons, admirait sa silhouette. En la reluquant dans ses habits d'écuyère ajustés, il se l'imaginait âgée de quelques années de plus, avec des sentiments assez peu paternels, même si, évidemment, il n'était pas son père, rien qu'un ami de la famille. Cela pouvait bien sûr exclure une chose mais pas l'autre. S'adressant à George Amussen, le juge avait coutume de dire avec désinvolture : « ta jolie petite fille », d'une façon, à son avis, tendre et respectueuse, comme s'il lui avait donné un titre officiel. Son fantasme, à bien y réfléchir, n'était pas si irréalisable. Son expérience d'homme mûr et sa fraîcheur de jeune femme se complétaient de manière inattendue mais tout à fait souhaitable. Cette idée – on aurait eu tort de parler de plan – le faisait se comporter à son égard avec davantage de raideur qu'il n'aurait pu sinon en montrer, et paraître plus vieux et plus inflexible qu'il ne l'était en réalité. Il s'en rendait compte, mais plus il essayait d'y remédier, moins il y parvenait.

En Virginie ce premier automne, au moment des courses hippiques, il faisait froid et pluvieux. Les champs étaient envahis de boue, et l'herbe couchée là où les gens étaient passés à pied ou en voiture. Des spectateurs engoncés dans leurs vêtements imperméables se perchaient sur les clôtures, leurs enfants et leurs chiens gambadant alentour. Parmi les rangées de voitures entre lesquelles certains buvaient debout par petits groupes, s'avança une silhouette trapue affublée d'un chapeau de l'armée australienne avec un côté relevé, le bord constellé de gouttes de pluie, et une cordelette tressée sous le menton. C'était le juge, qui serra la main d'Amussen, salua Vivian avec courtoisie, et hocha la tête en grommelant deux trois mots à Bowman. Ils restaient sous la pluie à parler, le juge ne s'adressant qu'à Amussen, tandis que chevaux et cavaliers, minuscules dans le lointain, dévalaient les pentes herbues au grand galop. Le juge n'avait pas digéré le mariage de Vivian. « Quand jolie femme perd la tête..., dit le poète », songeait-il. Il n'en restait pas moins là où il pouvait la contempler à son aise, et à un certain moment il croisa son regard, posé sur lui avec ce qu'il lui sembla être de l'affection, alors que la pluie dégoulinait toujours de son chapeau marron.

De retour à New York, Vivian avait de la fièvre et était toute courbatue. C'était la grippe. Bowman lui fit couler un bain chaud et la porta ensuite enveloppée dans un peignoir blanc jusqu'à son lit. Il la regarda dormir, le visage moite mais paisible. Il passa la nuit sur le canapé pour ne pas la déranger, et alla quand même travailler le lendemain matin, mais il rentra la voir deux ou trois fois au cours de la journée pour prendre soin d'elle. Sa maladie semblait les avoir rapprochés, ils passèrent des heures étrangement tendres tandis qu'elle gisait là, trop faible pour faire quoi que ce soit, et qu'il lui lisait un livre ou un magazine, lui servait son thé. Leurs voisins, deux hommes d'une quarantaine d'années qui vivaient ensemble à l'étage au-dessous, l'arrêtèrent dans l'escalier pour prendre des nouvelles de Vivian. Le même soir, ils lui portèrent de la soupe, un minestrone qu'ils avaient préparé.

« Comment va-t-elle ? » demandèrent-ils avec sollicitude sur le pas de la porte.

Ils l'entendaient tousser au fond de la chambre. Larry et Arthur, notoirement alcooliques, étaient d'anciens chanteurs de music-hall, et bénéficiaient aujourd'hui d'un loyer encadré. Vivian les aimait bien, elle les appelait Noël et Cole : ils s'étaient rencontrés dans les chœurs. Les murs de leur appartement étaient tapissés de programmes de théâtre encadrés et de photographies dédicacées de vedettes oubliées. L'une d'elles était Gertrude Neisen. Gertrude était absolument fabuleuse ! s'écriaient-ils. Ils se mettaient parfois au piano et, de temps à autre, on les entendait même chanter. Quand Vivian fut rétablie, ils lui offrirent un bouquet de lis et de roses jaunes dans un vase en verre cannelé acheté chez un fleuriste de la 18e Rue, un homme raffiné prénommé Christos avec lequel Arthur avait autrefois eu une liaison et qui était désormais l'ami des deux. Lui aussi aimait le théâtre et tout ce qui allait avec. Plus tard, il devait ouvrir un restaurant.

Les fleurs restèrent belles presque deux semaines. Elles étaient encore dans leur vase le soir du dîner chez les Baum. C'était la première fois que Bowman allait chez eux, et Vivian ne les avait jamais rencontrés. Elle était en train de se préparer, attachant ses boucles d'oreilles en se regardant dans le miroir du vestibule, juste au-dessus du splendide nuage de pétales colorés.

Bowman ne connaissait la vie privée de Baum que par conjectures. Il se la représentait d'inspiration européenne, et parfaitement paisible. Le portier avait reçu l'instruction de les faire monter immédiatement, et tandis qu'ils traversaient le court palier, le chien d'un voisin aboya derrière une porte. Baum vint en personne leur ouvrir. Ils eurent d'abord l'impression d'un décor un peu chargé. L'endroit était meublé de façon cossue, il y avait partout des tapis orientaux, des livres et des tableaux. L'appartement ne ressemblait pas au foyer d'une famille avec enfants, mais plutôt à celui d'un couple qui a beaucoup de temps à consacrer à la décoration. Diana se leva du sofa sur lequel elle se trouvait en compagnie d'un autre invité. Elle salua Vivian la première. Elle voulait faire sa connaissance depuis longtemps, dit-elle. Baum prépara des cocktails sur un plateau empli de bouteilles diverses et posé sur un meuble bas. L'autre convive semblait être un habitué. Bowman pensa d'abord qu'il s'agissait d'un parent, mais apprit ensuite qu'il enseignait la philosophie et était un ami de Diana.

Durant le dîner, ils parlèrent de livres, et notamment du manuscrit d'un réfugié polonais nommé Aronsky, qui avait miraculeusement survécu à la destruction du ghetto de Varsovie, puis de la ville elle-même. À New York, il avait réussi à se faire un nom dans les cercles littéraires. On disait de lui qu'il était charmant, mais imprévisible. Chacun se demandait comment il avait pu survivre à la guerre. À cette question, il répondait qu'il l'ignorait, qu'il avait eu de la chance. Rien n'était écrit à l'avance, quelque chose d'aussi insignifiant qu'une mouche pouvait tuer la mère de quatre enfants. Comment cela ? Il suffisait qu'elle fasse un geste fatal pour la chasser, répondait-il.

Un autre couple les avait rejoints, un œnologue et sa compagne, une petite femme aux doigts longs et à l'épaisse chevelure noir de jais. Extrêmement volubile, elle voulait sans cesse prendre la parole, comme une poupée mécanique qui serait également capable de faire l'amour. Elle se nommait Kitty. Mais ils parlaient d'Aronsky. Son livre, en attente de publication, avait pour titre *Le Sauveur*.

« Je l'ai trouvé très dérangeant, dit Diana.

– Il y a effectivement quelque chose qui ne va pas dans ce bouquin, renchérit Baum. La plupart des romans, même les plus grands, ne prétendent pas à la vérité. On y croit, ils deviennent une part de votre vie, mais ils ne sont pas pour autant vrais, au sens littéral du terme. Ce livre-là semble vouloir déroger à la règle. »

C'était le récit, sur un ton officiel et dépourvu de métaphores, de la vie de Reinhard Heydrich, le commandant SS au crâne allongé et au nez décharné qui n'obéissait qu'à Himmler et avait été un des instigateurs à l'uniforme noir de ce qu'on appelle la Solution finale. En tant que chef de la police, cet homme puissant était redouté plus qu'aucun autre durant le Troisième Reich. Il était grand, blond, et doté d'un caractère impossible et d'une capacité de travail inhumaine. Chacun connaissait sa silhouette glaciale mais élégante, et ses préférences sexuelles. On racontait que, rentrant ivre chez lui tard dans la nuit, il avait surpris une silhouette embusquée dans l'appartement obscur, sorti son arme et tiré quatre coups de feu qui avaient fait voler en éclats le miroir du vestibule dans lequel sa propre image s'était malencontreusement reflétée.

Son passé avait été soigneusement passé sous silence. Dans sa ville natale, les tombes de ses parents avaient mystérieusement disparu. Ses camarades de classe craignaient d'évoquer son souvenir, et son dossier d'élève officier dans la marine s'était envolé. Ne subsistait que l'histoire selon laquelle il avait été limogé suite à une liaison avec une très jeune fille. Ce qu'on avait cherché à cacher, c'est que, aussi improbable que cela puisse paraître, Heydrich était juif, son identité n'étant connue que d'un petit cercle de coreligionnaires influents qui comptaient sur lui pour les renseigner et les protéger.

Au bout du compte, il les trahit. Il les trahit à la fois parce qu'il n'était peut-être pas juif et parce qu'il finit comme eux, emporté par la mort qui engloutit tout. Il avait été nommé gouverneur de la Tchécoslovaquie occupée, et fut tué alors qu'il roulait en voiture dans les environs de Prague, au cours d'un attentat qui, ironie du sort, avait été planifié et orchestré depuis l'Angleterre par des Juifs qui ignoraient son secret.

Ce livre captivait par son ton catégorique et par les détails dont on avait peine à croire qu'ils aient pu être inventés. Le service précis de l'hôpital où on l'avait transporté. Le torse nu d'Heydrich sur la table d'opération alors que le chirurgien tentait de le sauver. Hitler avait dépêché son médecin personnel. Il y avait là une authenticité glaçante. Les assassins tchèques qui s'étaient fait parachuter réussissent à s'enfuir mais ne survivent pas. Ils se réfugient dans le sous-sol d'une église et, encerclés par les forces allemandes écrasantes, ils se suicident. Le village de Lidice est choisi en représailles, et tous ses habitants, complètement étrangers à l'affaire, hommes, femmes et enfants, sont exécutés. Aucun son sur terre, écrit Aronsky, n'est comparable à un pistolet allemand que l'on arme.

Baum n'y croyait pas, ou s'il y croyait, c'était avec la plus grande réticence. Il ne doutait pas, pour en avoir entendu lui-même, de la menace mortelle que faisaient planer des pistolets que l'on arme, mais il avait des soupçons sur les motivations de l'auteur. Il n'avait jamais rencontré Aronsky, pourtant ce livre le troublait.

« Tout y est trop péremptoire, fut le seul commentaire qu'il réussit à articuler.

– Heydrich a bel et bien été assassiné.

– Je n'arrive simplement pas à croire qu'il était juif. Le livre n'est jamais clair sur ce point.

– Un des maréchaux d'Hitler était en partie juif.

– Lequel ? demanda Baum.

– Von Manstein.

– Est-ce un fait attesté ?

– C'est ce qu'on raconte. Il l'aurait reconnu en privé.

– Peut-être. En fait, je crains que ce livre ne laisse perplexes pas mal de lecteurs. Dans quel but ? Il peut se tailler un grand succès même s'il est finalement démontré qu'il s'agissait de fiction. Mon sentiment, en particulier sur un sujet pareil, est qu'il faut respecter la vérité. Il va sans doute trouver un éditeur, mais nous, nous ne le publierons pas », conclut Baum.

Ils prirent un taxi pour rentrer. Bowman était exalté.

« Diana t'a plu ? demanda-t-il.

– Je l'ai trouvée sympathique.

– Très sympathique, même.

– Oui, dit Vivian, mais l'œnologue…

– Eh bien ?

– Je ne sais pas s'il a compris qu'on était mariés. Il m'a fait des avances.

– Tu en es sûre ? »

Il éprouvait une sorte de fierté. Un homme avait trouvé sa femme désirable.

« Il m'a dit que j'avais des pommettes fabuleuses. Que je ressemblais à une fille de Smith College.

– Que lui as-tu répondu ?

– Bryn Mawr, plutôt. »

Bowman éclata de rire.

« Pourquoi tu as dit ça ?

– Ça m'a semblé plus chic. »

Dîner chez les Baum. C'était comme entrer dans leur vie, d'une certaine façon, comme franchir les frontières d'un monde qu'il admirait.

Il songeait à toute une série de choses, mais à aucune en particulier. Aux aguets, il écoutait les petits bruits en provenance de la salle de bains. Finalement, comme à son habitude, sa femme sortit en éteignant la lumière au passage. Elle portait une chemise de nuit, sa préférée, avec les bretelles croisées dans le dos. Sans lui prêter attention, elle se coucha. Il était envahi de désir, comme s'ils venaient de se rencontrer à une soirée dansante. Il demeura immobile un instant en imaginant la suite, puis il lui murmura quelques mots, posant la main sur la courbure de sa hanche. Elle demeura silencieuse. Il souleva doucement sa chemise de nuit.

« Non, dit-elle.

– Que t'arrive-t-il ? Quelque chose ne va pas ? » chuchota-t-il.

Elle ne pouvait pas ne pas éprouver la même chose que lui. La chaleur, l'euphorie de la soirée, il ne restait plus qu'à couronner le tout.

« Quelque chose ne va pas ? répéta-t-il.

– Rien.

– Tu ne te sens pas bien ? »

Elle ne répondit pas. Il attendit, pendant un temps qui lui parut trop long, le sang cognant dans ses veines, peu à peu envahi par l'amertume. Elle se retourna et lui posa sur les lèvres un rapide baiser, comme pour lui donner congé. Il eut soudain l'impression qu'elle lui était devenue étrangère. Il savait qu'il aurait dû se montrer compréhensif, il ne ressentait cependant que de la colère. C'était peu aimant de sa part, mais il ne pouvait s'en empêcher. Il ne put fermer l'œil, muré dans le silence ; la ville elle-même, sombre et scintillante, lui paraissait vide. Le même couple, le même lit, et pourtant ils n'étaient plus les mêmes.

6
Noël en Virginie

Il avait neigé avant Noël, mais le temps avait ensuite viré au froid. Le ciel semblait pâle. La campagne était silencieuse, les champs, saupoudrés de blanc, les sillons durcis affleuraient là où la charrue était passée. Tout paraissait paisible. Les renards se cachaient dans leurs tanières, les cerfs restaient tapis. La route 50 qui vient de Washington, originellement dessinée en presque droite ligne par George Washington alors géomètre, était quasiment déserte. Sur une petite route, à l'aube, les phares d'une voiture éclairèrent d'abord les arbres, à demi givrés, puis la chaussée elle-même. Finalement, le ronronnement du moteur se fit entendre.

Ils avaient passé Noël chez George Amussen – Beverly et Bryan se trouvaient chez les parents de ce dernier – et devaient dîner à Longtree, au domaine de Longtree Farm, plus de quatre cents hectares qui s'étendaient jusqu'à la chaîne des Blue Ridge. Liz Bohannon avait gardé la propriété après son divorce. La maison, qui avait brûlé et qu'on avait reconstruite, était appelée Ha Ha.

En fin d'après-midi, ils passèrent le portail de fer sur lequel on lisait cet avertissement : seule une voiture à la fois pouvait le franchir. La longue allée, bordée d'arbres à intervalles réguliers, s'élevait lentement jusqu'au logis qui apparaissait enfin sur une éminence, avec sa vaste façade, percée de nombreuses fenêtres, toutes éclairées comme dans une immense maison de poupée. Quand Amussen frappa à la porte, les chiens aboyèrent aussitôt.

« Rollo ! Slipper ! » cria une voix à l'intérieur avant de se mettre à jurer.

Tout en donnant des coups de pied agacés aux chiens, Liz Bohannon, vêtue d'une robe mauve à fleurs qui découvrait une épaule grassouillette, ouvrit la porte. Elle avait été une déesse, et restait belle. Comme Amussen se penchait pour l'embrasser, elle dit : « Mon cher ami, je pensais bien que ce devait être toi. » Au jeune couple, elle déclara : « Je suis si heureuse que vous ayez pu venir. »

À Bowman, elle tendit une main étonnamment petite, à l'annulaire de laquelle étincelait une grosse émeraude.

« J'étais dans mon bureau, je réglais des factures. Est-ce qu'il va neiger ? On dirait que oui. Comment s'est passé Noël ? » demanda-t-elle à Amussen.

Elle continuait de repousser les chiens importuns, un petit au poil blanc et un dalmatien.

« Le nôtre a été plutôt paisible, reprit-elle. C'est la première fois que vous venez ici, n'est-ce pas ? demanda-t-elle à Bowman. La maison a été bâtie en 1838, mais elle a brûlé deux fois ; la dernière, au milieu de la nuit, pendant que je dormais. »

Elle prit la main de Bowman. Il en fut tout émoustillé.

« Comment voulez-vous que je vous appelle ? Philip ? Phil ? »

Elle avait de jolis traits, désormais un peu petits pour un visage qui lui avait permis pendant des années de faire et de dire ce que bon lui semblait, sans parler de la fortune qu'il lui avait apportée. On l'adorait, la décriait, et affirmait qu'elle était le plus malhonnête des éleveurs, interdite de séjour à Saratoga où elle avait un jour racheté deux de ses propres chevaux aux enchères, ce qui était rigoureusement interdit. Sans lâcher la main de Bowman, elle leur montra le chemin en continuant de parler à Amussen.

« Je réglais des factures, disais-je. Mon Dieu, cet endroit me coûte des fortunes, et davantage encore quand je n'y suis pas, le croiriez-vous ? Personne pour surveiller. Je viens de décider de vendre.

– Vendre ? s'étonna Amussen.

– Je compte m'installer en Floride. Vivre avec les Juifs. Vivian, que tu es belle ! »

Ils pénétrèrent dans le bureau, où les murs vert bouteille étaient couverts d'images de chevaux, tableaux et clichés mêlés.

« C'est ma pièce préférée, dit-elle. Vous ne trouvez pas que ces tableaux sont divins ? Celui-ci, c'est Khartoum. J'adorais ce cheval, je ne me serais séparée de lui sous aucun prétexte. Quand la maison a brûlé en 1944, je me suis enfuie au milieu de la nuit avec mon manteau de vison et cette toile, rien d'autre.

– Woody refuse de manger ! cria une voix depuis une autre pièce.

– Qui ?

– Woody. »

Un homme aux cheveux peignés en une savante ondulation apparut sur le seuil. Il portait un pull-over avec un col en V et des chaussures en peau de lézard, et arborait un air d'inquiétude hypocrite.

« Il faut le dire à Willa, ordonna Liz.

– C'est elle qui m'en a parlé.

– Travis, tu ne connais pas ces gens. Voici mon mari, Travis, dit Liz. Je l'ai trouvé dans les bas-fonds. Chacun sait qu'on ne devrait pas, mais on le fait tout de même, n'est-ce pas mon chéri ? susurra-t-elle.

– Tu veux dire que je ne suis pas né avec une cuiller d'argent dans la bouche ?

– Difficile de prétendre l'inverse.

– Comme quoi, la perfection finit par rapporter gros », conclut-il avec un sourire qui sentait l'entraînement.

Travis Gates était lieutenant-colonel dans l'aviation, mais il émanait de lui quelque chose de vaguement malhonnête. Il avait été envoyé en Chine pendant la guerre, et aimait utiliser des expressions chinoises. *Ding Hao*, répétait-il par exemple. C'était son troisième mari. Le premier, Ted Bohannon, était richissime, sa famille possédait des journaux et des mines de cuivre. Liz avait alors vingt ans, elle était insouciante et sûre d'elle, leur mariage avait été l'événement de l'année. Ils avaient déjà couché ensemble chez un ami à Georgetown, et étaient follement épris. Invités partout, ils voyageaient sans cesse : Californie, Europe, Extrême-Orient. C'était durant la Grande Dépression. Les clichés dans les journaux qui les montraient à bord d'un paquebot ou à l'hippodrome faisaient fonction de baume apaisant, censés rappeler la vie telle qu'elle avait été et serait de nouveau un jour. Ils allèrent aussi un certain nombre de fois à Silver Hill pour rendre visite à Laura, la sœur cadette de Liz, une chanteuse alcoolique qui se produisait dans un cabaret, d'ordinaire sur une petite scène, vêtue d'une robe blanche ou ornée de perles. Elle allait se faire désintoxiquer à Silver Hill tous les deux ou trois ans.

Un soir, pendant la guerre, leur voiture tomba en panne à New York. Les hôtels étaient tous pleins, mais parce que Ted connaissait le gérant, ils réussirent à obtenir une chambre au Westbury. Il leur fallut partager un lit à trois. Au milieu de la nuit, Liz se réveilla et trouva son mari penché sur sa sœur, dont la chemise de nuit était retroussée jusqu'aux aisselles. Ils étaient mariés depuis dix ans, les choses avaient déjà commencé à se gâter de toute façon, et cette nuit-là fut la dernière.

À ce moment précis, la sonnerie du téléphone retentit.

« Tu veux que je décroche, mon chou ?

– Willa va répondre. Je ne veux parler à personne. »

Elle avait pris Slipper dans ses bras et le tenait serré contre sa poitrine tout en faisant admirer à Bowman le paysage depuis la fenêtre, les Blue Ridge Mountains dans le lointain, avec seulement une ou deux maisons en vue.

« Il recommence à neiger, dit-elle. Willa ! Qui était-ce, au téléphone ? »

Elle ne reçut aucune réponse. Elle appela de nouveau.

« Willa !

– Oui…

– Qui était-ce, au téléphone ? Qu'est-ce qui t'arrive ? Tu deviens sourde ? »

Une femme noire maigrichonne apparut sur le pas de la porte.

« Je ne suis pas sourde. C'était Mrs Pry.

– P.R.Y. ?

– Pry.

– Qu'a-t-elle dit ? Ils arrivent ?

– Elle dit que Mr Pry a peur de sortir par ce temps.

– Est-ce que Monroe est dans la cuisine ? Demande-lui de nous apporter des glaçons. Venez, dit-elle à Bowman et à Vivian. Je vous fais faire le tour du propriétaire. »

Elle s'arrêta un moment dans la cuisine pour tenter de faire parler un mainate à la queue légèrement déplumée. Il vivait dans une énorme cage en bambou où il s'était aménagé une sorte de hamac. Monroe démoulait des glaçons en prenant tout son temps. Liz prit un coupe-vent accroché à un crochet au mur.

« Il ne fait pas froid, dit-elle. Je vais vous montrer les écuries. »

Au salon, Amussen feuilletait un exemplaire du *National Geographic*, installé dans un vaste divan capitonné, lisant de temps à autre la légende d'un cliché. Une jeune fille à l'allure nonchalante et vêtue d'une culotte de cheval et d'un pull-over vint prendre place à l'autre bout du canapé.

« Bonjour, Darrin », dit Amussen.

On lui avait donné ce prénom en hommage à l'un de ses oncles, mais il ne lui plaisait guère. Elle préférait se faire appeler Dare.

« Salut, répondit-elle.

– Comment vas-tu ? »

Elle le dévisagea quelques secondes et faillit sourire.

« Je me sens comme une merde, répondit-elle en étirant paresseusement les bras.

– Tu parles toujours aussi grossièrement ?

– Non. Juste avec toi. Je sais que ça te plaît. Est-ce que mon père a appelé ?

– Je ne sais pas. Anne Pry, oui.

– Mrs Emmett Pry ? De Graywillow Farm ? Je suis allée à l'école avec sa fille, Sally.

– Ça ne m'étonne pas.

– J'ai monté tous ses chevaux, et elle, ce sont les lads qui l'ont montée.

– Comment se porte ta maman ? demanda Amussen, pour changer de sujet. C'est une femme délicieuse. Je ne l'ai pas vue depuis des lustres.

– Elle va mieux.

– Je m'en réjouis, dit Amussen en reposant son magazine. Je constate que tu es en pleine forme.

– Je réussis à me lever tous les matins, envers et contre tout.

– Quel âge as-tu maintenant, Darrin ?

– Pourquoi tu m'appelles toujours Darrin ?

– Entendu. Dare. Quel âge as-tu ?

– Dix-huit ans. »

Il se leva pour se servir un verre dans un bar encastré entre les étagères. Il semblait chercher quelque chose.

« Dans le placard, juste en dessous, indiqua Dare.

– Et comment va ton père ? s'enquit Amussen, qui venait de trouver la bouteille qu'il cherchait.

– Bien. Prépare-m'en un aussi, s'il te plaît.

– Je ne savais pas que tu buvais.

– Avec un peu d'eau.

– De l'eau plate ?

– Oui. »

Il servit les deux verres.

« Voilà.

– Peter Connors est là aussi. Tu le connais, pas vrai ?

– Je n'en suis pas sûr.

– C'est mon petit ami.

– Parfait.

– Il me suit partout. Il veut m'épouser. Je me demande bien ce qu'il s'imagine.

– Je suppose que tu as l'âge requis.

– Mes parents le pensent. Je me retrouverai sans doute avec un mari de quarante ans.

– Pas impossible. Je ne crois pas que ça marcherait.

– Non, mais il serait reconnaissant pour toujours. »

Amussen ne risqua aucun commentaire.

« Il est bien joli, ton pull. »

Le pull en question était moulant, juste ce qu'il faut.

« Merci, dit-elle.

– Il est en soie ? Il me fait penser aux vêtements qu'on vendait autrefois dans cette petite boutique, à Middleburg. Tu sais, celle que tenait Peggy Court, comment s'appelait-elle déjà ?

– Le Patio. Tu y as probablement acheté des tonnes de choses.

– Moi ? Non. Mais ton pull paraît droit sorti de ses rayons.

– En fait, oui. C'est un cadeau.

– Ah vraiment ?

– Mais je préfère Garfinkle's, dit-elle.

– On ne choisit pas toujours la boutique où on vous achète des cadeaux.

– Eh bien moi, si.

– Dare, un peu de tenue, je te prie. »

Ils sirotaient leurs verres. Amussen regardait le fond du sien, mais il sentait les yeux de la jeune fille posés sur lui.

« Tu sais que ma fille Vivian est plus âgée que toi, fit-il observer.

– Je le sais. Et mon père va sans doute bientôt téléphoner pour me demander de rentrer à la maison.

– Je suppose qu'il va te falloir obéir.

– J'aimerais tellement que le père de Peter l'appelle. »

Amussen la regarda, la culotte de cheval, son visage si calme.

« Où poursuis-tu tes études ?

– J'ai abandonné. »

Il hocha la tête, comme s'il comprenait.

« Tu le savais.

– En fait, non.

– Papa insiste pour que je retourne en cours, mais je ne crois pas que ce soit une bonne idée. C'est une perte de temps, tu n'es pas d'accord ?

– Les études ne m'ont pas apporté grand-chose, je dois dire. Je te ressers ?

– Tu essaies de me saouler ?

– Je ne ferais jamais une chose pareille, répondit Amussen.

– Pourquoi pas ? »

Son petit ami, Peter, qui avait les lèvres rouges et des cheveux blonds crépus, entra dans la pièce tandis qu'elle parlait, et sourit comme pour s'excuser de les interrompre. Il était étudiant à Lafayette et comptait faire son droit. Il sentit clairement que Dare était agacée par sa présence. Il ne savait pas grand-chose d'elle mis à part les problèmes qu'elle posait constamment.

« Euh… je m'appelle Peter Connors, monsieur, se présenta-t-il.

– Ravi de faire votre connaissance, Peter. Je suis George Amussen.

– Oui, monsieur, je sais. »

Il se tourna vers Dare :

« Salut, dit-il en s'asseyant à côté d'elle avec assurance. On dirait qu'il neige. »

Effectivement, il neigeait de plus en plus fort, les flocons montaient à l'assaut des clôtures, et la lumière commençait à baisser.

Dans la chambre principale dotée d'un lit gigantesque, médicaments et bijoux sur la table de chevet, vêtements sur le dossier des chaises, Liz parlait avec son frère Eddie. La radio et toutes les lumières étaient allumées, y compris celles de la salle de bains. Gribouillés au crayon sur le papier peint au-dessus de la table de chevet, on lisait plusieurs noms assortis de numéros de téléphone, des prénoms pour la plupart, mais aussi les coordonnées de médecins et de Clark Gable. Eddie vivait en Floride, elle ne l'avait pas vu depuis son mariage avec Travis. Son aîné de trois ans, il avait le beau visage lisse d'un homme qui n'a jamais fait grand-chose. Il avait acheté et revendu des voitures.

« Tu commences à avoir des cheveux gris, dit-elle.

– Merci de l'information.

– Ça te va bien. »

Il jeta un coup d'œil dans sa direction sans répondre. Elle tendit la main et lui ébouriffa affectueusement les cheveux. Aucune réaction.

« Mais tu es encore très séduisant. Tout autant que le jour où tu portais ce smoking si élégant à la soirée des DeVores, tu te souviens ? Tu fumais en cachette une cigarette sur le perron, au cas où papa t'aurait surpris. Absolument magnifique ! Et puis, cette grosse voiture !

– George Stuver avait emprunté la LaSalle de son père.

– J'étais tellement jalouse !

– La LaSalle des Stuver... j'étais sur la banquette arrière avec Lee Donaldson ce soir-là.

– Qu'est-elle devenue ?

– Elle a subi une hystérectomie.

– Oh, mon Dieu ! Je déteste les médecins.

– De l'extérieur, on ne voit pas la différence. Tu as quelque chose à boire ici ?

– Non, j'essaie de ne pas avoir d'alcool à portée de main. Je ne veux pas devenir dépendante.

– À propos, où est passé le pilote ? Comment t'es-tu dégoté un type pareil ?

– Mon chéri, ne recommence pas !

– Le gros lot ! Où vous êtes-vous rencontrés ? »

Eddie aimait beaucoup Ted Bohannon, dont il pensait que c'était son genre d'homme.

« On s'est connus à Buenos Aires. À l'ambassade dont il était l'attaché. Après notre rencontre, les choses sont allées très vite. Je me sentais seule, tu sais que je ne suis pas faite pour le célibat. Je devais rester là-bas pendant trois mois.

– Buenos Aires.

– J'ai trouvé l'Amérique du Sud absolument épouvantable. Tout est toujours sale, où qu'on aille. Ils sont tellement paresseux, ces gens. Ça me rend folle de rage de penser à tout l'argent que nous investissons dans ce pays. Ils en ont bien assez, mon Dieu, ils ne manquent pas de ressources ! Tu verrais ces ranchs, ils ont des milliers d'employés à leur service. Il faut le voir pour le croire. Ils nous ont raconté que Perón s'était enfui avec plus de soixante millions de dollars. Et ensuite, ils viennent nous réclamer de l'argent ! »

Elle se tut pendant quelques secondes.

« Celui que j'aurais vraiment voulu épouser, c'est Ali Khan. Mais je n'ai jamais réussi à l'approcher. J'aurais fait une épouse parfaite pour lui, malheureusement il s'est marié avec cette salope de Hollywood. En tout cas, promets-moi d'essayer d'apprendre à connaître Travis. Tu me le promets ? »

Avec la neige qui tombait dru dans le soir tombant, sa chambre était comme un cocon. Elle lui rappelait des souvenirs d'enfance, l'excitation des tempêtes de neige, la joie de Noël et des vacances. Elle se voyait dans le miroir de sa chambre, brillant de mille feux. Elle avait l'impression d'être une étoile de cinéma. Elle le lui dit.

« Juste un peu trop vieille pour le rôle, persifla Eddie.

– Promets-moi, pour Travis, insista-t-elle.

– Oui, mais il y a quelque chose que tu pourrais faire pour moi. »

Il avait quelques soucis d'argent, avec les fêtes et le reste. Il avait besoin d'être remis à flot.

« Combien ?

– Un prêté pour un rendu », dit-il d'un ton léger.

Durant le dîner, les convives étaient éloignés les uns des autres autour de la grande table. On parlait de la tempête qui faisait rage et des routes fermées. La maison pouvait largement accueillir tout le monde, dit Liz. Elle ne doutait pas une seconde qu'ils avaient envie de rester pour la nuit.

« Il y a des quantités de bacon et d'œufs. »

Eddie conversait avec Travis.

« Je suis ravi de faire votre connaissance, dit-il.

– Moi aussi.

– D'où venez-vous ?

– De Californie, à l'origine, répondit Travis. J'y ai grandi. Mais ensuite, la guerre, vous savez. L'armée. J'ai passé beaucoup de temps au-delà des mers, presque deux ans, en mission entre l'Inde et la Chine.

– Vous avez survolé l'Himalaya ? C'était comment ?

– Sauvage, tout à fait sauvage ! » Il souriait comme un mannequin. « Des montagnes de huit mille mètres de haut, et on volait à l'aveuglette. J'ai perdu beaucoup d'amis. »

Willa faisait le service. Monroe avait été envoyé à l'étage pour préparer les lits.

« Vous pilotez toujours ?

– Bien sûr ! Je décolle régulièrement d'Andrews en ce moment.

– J'ai entendu dire que vous aviez un général nègre dans l'aviation, poursuivit Eddie.

– On dit l'"armée de l'air" aujourd'hui.

– Moi j'ai toujours entendu dire "aviation".

– Maintenant, ça s'appelle l'"armée de l'air".

– Et il y a vraiment un nègre général ?

– Tais-toi, chéri, dit Liz. Tais-toi, je t'en prie. »

Willa était retournée dans la cuisine, et elle avait fermé la porte derrière elle.

« C'est assez difficile comme ça de trouver de bons domestiques, gémit Liz.

– Willa me connaît, enfin. Elle sait que je ne dis pas ça pour elle.

– Dans quelle arme avez-vous servi, Eddie ? lui demanda Travis.

– Moi ? Je n'étais nulle part. L'armée n'a pas voulu de moi.

– Et pourquoi donc ?

– Je n'ai jamais réussi les tests d'aptitude physique.

– Ah…

– J'ai concouru pour la Gold Cup, voilà ce que j'ai fait », dit Eddie.

Ensuite, ils allèrent prendre le café près de la cheminée. Liz s'enfonça dans le canapé, ses bras nus en croix sur le dossier, et elle envoya valser ses chaussures.

« Passe-moi mes chaussons, mon chéri », demanda-t-elle à Travis.

Il se leva sans un mot et les lui apporta, mais il n'alla pas jusqu'à les lui mettre. Elle se pencha avec un petit grognement pour les enfiler elle-même.

« Tu es impayable ! dit-elle à Eddie.

– C'est-à-dire ?

– Que tu es impayable ! »

Peter Connors, qui n'avait pas dit grand-chose durant le dîner, réussit à glisser un mot en privé à Amussen. Il hésitait à ce sujet mais avait besoin de conseils. C'était à propos de Dare : il était amoureux d'elle, cependant il n'était pas sûr que ce soit réciproque.

« Vous étiez en train de bavarder cet après-midi, et elle s'est tue quand je me suis approché. Je me demande si elle parlait de moi. Je sais qu'elle vous admire beaucoup.

– Nous ne parlions pas de vous. Elle est très vive, ce genre de fille peut être difficile à gérer.

– Et comment faut-il s'y prendre ?

– Je suppose que si elle ne vous voulait plus dans les parages, elle saurait vous le faire comprendre. Je vous recommande la patience.

– Je ne veux pas avoir l'air de lui céder sur tout.

– Bien entendu. »

D'une certaine façon, c'était précisément l'impression qu'il donnait, en dépit de ses espoirs, de ses désirs… et de ses rêves. Il était sûr que personne n'avait de rêves aussi grandioses que les siens. Elle en faisait partie, elle en était même le sujet principal. Elle est assise nue dans un fauteuil, une jambe passée avec insouciance sur l'accoudoir. Il est debout près d'elle, il porte un peignoir en coton entrouvert. Elle semble indifférente mais elle ne se dérobe pas. Il s'agenouille et pose les lèvres sur elle. Puis il la soulève, et la tient par la taille, comme une coupe, à la hauteur de sa bouche. Il voit leur reflet en passant devant un sombre miroir en argent, les jambes de Dare pendent dans le vide et commencent à s'agiter alors que sa caresse se fait plus énergique. Elle se penche en arrière tandis que, d'un geste doux, dans le rêve et d'une certaine façon dans la réalité, il la pose sur son inavouable érection, et jouit à flots.

Au bout d'un certain temps, Liz et Travis jouaient encore aux cartes, les convives allèrent se coucher. La neige continua de tomber jusqu'aux petites heures du jour, et des étoiles apparurent dans le ciel noir. La température dégringola.

Au matin, à travers des fenêtres à demi couvertes de givre, on apercevait l'immensité blanche des champs, sans la moindre trace de pas, immaculée. La blancheur se perdait dans le lointain et se confondait avec le ciel. Deux chiens qui avaient réussi à sortir bondissaient dans la neige, soulevant en courant des gerbes de flocons pareils à des comètes.

Ils descendirent l'un après l'autre prendre leur petit-déjeuner dans la salle à manger. Liz et Dare furent parmi les dernières. Bowman et Vivian terminaient et Amussen était encore à table.

« Bonjour, dit-il.

– Bonjour, répondit Liz, la voix un peu rauque. Tu as vu cette neige ?

– Elle a fini par arrêter de tomber. C'était une vraie tempête. Je ne sais pas si les routes seront déjà rouvertes. Bonjour, dit-il à Dare qui prenait un siège.

– Salut, murmura-t-elle vaguement.

– Votre papa a téléphoné », lui dit Willa en apportant du café.

Ils dégustèrent des œufs au bacon. Travis les rejoignit bientôt. Le seul à ne pas avoir encore fait son apparition était Peter.

Quelque chose de terrible s'était produit durant la nuit. Une fois tout le monde au lit, dans le silence de la maison, Peter, qui avait attendu aussi tard que possible, était sorti dans le couloir en caleçon et maillot de corps, après avoir soigneusement refermé la porte derrière lui. La lumière était faible. On ne percevait aucun bruit. Il marcha à pas de loup jusqu'à la chambre de Dare et approcha le visage du montant de la porte. Il chuchota son nom :

« Dare. »

Il attendit, et murmura de nouveau, un peu plus fort, cette fois.

« Dare ! »

Il craignait qu'elle ne soit endormie. Il l'appela une fois de plus, puis, surmontant sa peur, il cogna doucement au battant.

« Dare. »

Il restait là, incapable de bouger.

« Je veux seulement te parler », voulait-il lui dire.

Il frappa de nouveau. Au dernier coup, son cœur bondit dans sa poitrine quand la porte s'entrebâilla sur la silhouette de George Amussen qui, d'une voix basse et impérieuse, lui ordonna :

« Retournez vous coucher. »

Liz avait passé toute la matinée au téléphone, se demandant si oui ou non elle irait en Californie. Elle voulait se rendre à Santa Anita et interrogeait ses interlocuteurs pour savoir quel temps il y faisait et si son cheval allait courir. Finalement, elle prit sa décision.

« Nous partons.

– Tu en es sûre, mon chou ?

– Oui. »

Eddie observa la scène sans risquer le moindre commentaire. Plus tard, il déclara :

« Il ne va pas faire long feu celui-là, elle va vite en épouser un autre. »

Ce ne serait pas Ali Khan, qui avait divorcé et s'apprêtait à épouser un mannequin français quand il se tua dans un accident de voiture. Liz lut la nouvelle dans le journal. Elle n'avait jamais vraiment renoncé à se marier avec lui. C'était un doux rêve. Elle s'imaginait en sa compagnie à Neuilly le matin, à regarder les chevaux s'entraîner, la brume de l'aube encore accrochée aux arbres. Il porterait un Levi's et une veste, et ils rentreraient bras dessus bras dessous prendre leur petit-déjeuner. Elle serait la femme d'un prince et se convertirait à l'islam. Mais Ali était mort, Ted s'était remarié, et son second époux était parti vivre dans le New Jersey. Malgré tout, elle avait beaucoup d'amis, les uns d'une sorte, les autres d'une autre, et elle continuait à monter à cheval.

Vivian avait adoré passer les vacances de Noël sur les lieux de son enfance. Liz, elle le voyait, commençait à aimer Philip, et même son père, d'une humeur charmante ce matin-là, semblait l'avoir finalement accepté. Tous se dirent au revoir. Amussen prit congé de Liz, puis de Dare, dont le petit ami ne se sentait pas bien. Du coin de sa serviette, Amussen lui retira un peu de jaune d'œuf à la commissure des lèvres, tandis qu'ils échangeaient quelques mots. Un geste somme toute paternel.

« Liz Bohannon est-elle réellement la cousine de ton père ? demanda Bowman par la suite.

– Non, ils s'appellent cousin cousine, je ne sais pas pourquoi », répondit Vivian.

Le monde était encore tout blanc quand ils repartirent pour Washington, les rafales de neige montant à l'assaut de la route comme des volutes de fumée. Il faisait à ce moment même - 5 °C en ville, annonçait la radio. L'autoroute disparaissait sous les bourrasques de vent. Vivian s'était emmitouflée dans sa chapka de fourrure, et les kilomètres défilaient silencieusement. Adieu à la Virginie, à la campagne, et à cette étrange impression d'isolement. Il ramenait Vivian à la maison – ce n'était pas exactement vrai, mais cette illusion lui donnait un sentiment de bonheur.

7

La prêtresse

Eddins s'était trouvé une maison à Piermont, une petite ville ouvrière au bord de l'Hudson, repliée sur elle-même, voire abandonnée, à trente minutes de New York. Il n'y avait jamais beaucoup de circulation pour y accéder. Les camions n'étaient pas autorisés sur la route bordée d'espaces verts, rien que des voitures avec, en général, un seul occupant. C'était une bâtisse blanche toute simple surmontée d'un toit en tuiles d'amiante moisies, située dans une rue qui descendait jusqu'à l'usine à papier et le fleuve. Au rez-de-chaussée se trouvaient un séjour et une cuisine, et à l'étage deux chambres et une salle de bains avec des installations vétustes. Il y avait aussi une bande étroite de gazon défraîchi et un jardin. Le perron, qui donnait directement sur le trottoir, se composait de deux grosses pierres irrégulières posées à plat. La rue descendait en pente raide et menait presque tout droit au magasin de vins et spiritueux tenu par l'ancien maire, qui continuait à s'informer de ce qu'il se passait en ville.

Il avait reconnu la maison dès qu'il l'avait vue, semblable à celles de ses voisins lorsqu'il était enfant, de petites maisons du Sud, plus petites en tout cas que celles qu'habitaient les médecins, les avocats, ou même son père, grossiste en graines. Eddins avait profondément aimé son père, trop vieux pour aller à la guerre mais qui y était néanmoins parti, rentrant à la maison en permission en 1943 dans son uniforme kaki, avec des fusils croisés brodés sur le col : une image impérissable. Les hommes du Sud revenaient au pays comme ça, en tenue militaire, il s'agissait d'une tradition.

La scène se passait en Caroline du Sud, à Ovid – qu'ils prononçaient en diphtonguant le « o », comme dans « no » –, avec ses allées de gravier en coquilles d'huîtres pilées et ses panneaux publicitaires en fer-blanc, ses églises, ses bouteilles de whiskey emballées dans des sacs en papier marron, et ces filles à la peau blanche et aux cheveux ondulés qui travaillaient dans des boutiques et des bureaux, et dont l'une était forcément destinée à devenir votre femme. Tout cela avait pénétré son sang comme les capsules de bouteille et les petits morceaux de papier d'alu enfouis dans la terre des champs de foire à force de piétinements. Il y avait aussi la tradition orale, l'histoire de chaque chose qu'on raconte encore et encore, jusqu'à ce que chacun connaisse toutes les familles et tous les noms du cru. Ils s'asseyaient à l'ombre des vérandas durant l'après-midi ou le soir, et on parlait à voix lente et perplexe d'événements survenus ici ou là, dans la vie de telle ou telle personne. Le temps, dans son souvenir, s'écoulait à une vitesse différente à cette époque, quasiment immobile puisqu'on ne se déplaçait qu'à pied, ou bien en voiture, si c'était trop loin. Juste à la sortie de la ville se trouvait la rivière, assez étroite, qui coulait lentement, passant presque inaperçue, mais qui coulait tout de même, de pâles traînées de mousse flottant imperturbablement à la surface de l'eau froide et rouillée. Sur chaque berge, à perte de vue : arbres, talus, parfois un chien errant trottinant sur la chaussée. Dans les casses, à demi clôturées, les carcasses de véhicules accidentés, et, plus loin sur la route, une voiture qui s'était encastrée dans un arbre une nuit, les portières aux garnitures arrachées ouvertes, le moteur disparu.

Il venait d'un endroit de ce genre, et qui était maintenant derrière lui, mais qui existait encore, comme une impression sur une feuille de papier placée sous celle sur laquelle vous écrivez. Il en avait gardé les choses les plus importantes, le sens de la famille, du respect, et aussi, au bout du compte, celui de l'honneur. L'objet auquel sa mère tenait le plus était une table de salle à manger en acajou cannelé, dans sa famille depuis les années 1700. Il se rappelait aussi la côte, et l'excitation du voyage qui y menait, alors qu'il durait de longues heures. Ils y étaient allés quand il était petit garçon, en été. Les îles qui affleurent à marée basse, les grandes étendues d'herbes des marais, les plages, et les bateaux penchés comme si on avait voulu les faire sécher. Ce qui lui plut le plus dans la maison de Piermont, c'est qu'elle ressemblait à celles qui bordaient l'océan. De ses fenêtres, il pouvait contempler le vaste fleuve, large et immobile comme une plaque d'ardoise, et à d'autres moments, alerte et bondissant dans la lumière.

Lors d'une soirée, il rencontra une fille nommée Dena, grande et agile, les yeux noirs et les dents du Prophète. Elle lui dit qu'elle venait du Texas et qu'elle avait divorcé – bien que ce ne soit pas tout à fait vrai – d'un type qu'elle décrivit comme un poète renommé, Texan lui aussi, Vernon Beseler – Eddins n'avait jamais entendu parler de lui –, qui était déjà parvenu à se faire publier et avait beaucoup d'amis également poètes. L'air sérieux mais le rire facile, elle avait un accent traînant et la voix vibrante de vie. Elle avait aussi un petit garçon, qu'elle faisait garder par ses parents pour l'instant. Il s'appelait Leon, ajouta-t-elle avec un léger haussement d'épaules, comme pour signifier qu'elle n'avait pas choisi ce prénom. Que penser de cette femme, aujourd'hui célibataire, qui était tombée amoureuse, s'était mariée, et se tenait maintenant devant vous avec une gentillesse presque insensée, pareille à une suppliante en vérité, perchée sur ses hauts talons ? Elle était innocente, comprit Eddins, au vrai sens du terme. Et drôle. Elle avait un morceau de scotch collé sur le front, pour empêcher la formation de rides, quand il vint la chercher la première fois. Elle avait oublié de le retirer.

« Qu'est-ce que c'est ? » demanda-t-il.

Elle porta la main à son front.

« Oh, mon Dieu ! » s'exclama-t-elle, confuse.

Elle lui parla d'elle-même, lui raconta sa vie. Elle aimait chanter, elle avait fait partie d'une chorale. On n'avait pas le droit de porter du rouge à lèvres à l'université, mais à la chorale, oui, et même du mascara et du fond du teint. Mais pourquoi sont-elles peinturlurées comme ça ? se demandaient les habitants du cru.

Elle était allée à Vassar.

« Vassar ? Où ça se trouve ?

– À Poughkeepsie.

– Pourquoi ce choix ?

– Il paraît que je suis intelligente. D'ailleurs, pas il paraît, je le suis pour de vrai. »

Elle adorait Vassar, dit-elle. On aurait dit un parc anglais, avec ses vieux bâtiments en brique, ses arbres majestueux. Les étudiantes s'y sentaient chez elles, elles venaient en cours en pyjama. Au dîner cependant, gants blancs et colliers de perles étaient de rigueur. Il y avait une fille qui s'appelait Beth Ann Rigsby. Elle refusait de se plier au règlement, personne ne pouvait la forcer à quoi que ce soit. Ils ne voulurent pas la laisser s'asseoir au dîner. « Il faut que vous portiez vos gants et votre collier de perles », insistèrent-ils. Alors elle vint au repas avec ses perles, ses gants blancs, et rien d'autre. Eddins la fixait, absolument fasciné.

« Tu regardes mes dents ?

– Tes dents ? Non.

– Tu les trouves trop grandes ? Le dentiste dit que j'ai un coup de mâchoire incroyable.

– Je les trouve magnifiques, tes dents. Quel genre d'enfant étais-tu ?

– Oh, très sage. J'avais de bonnes notes à l'école. Comme j'adorais l'Égypte, je racontais à tout le monde que j'étais égyptienne, ma mère était furieuse. J'avais accroché une pancarte à ma porte : “Ici vous entrez en Égypte.” Tu veux que je te dise des mots égyptiens ?

– Voyons.

– Albâtre. Oasis.

– Le Caire, je suppose.

– Sans doute. Ils ont eu la première grande reine de l'histoire et la plus célèbre, Néfertiti. Quand un être mourait, son âme était mise en balance avec une plume symbolisant la vérité, et s'il était jugé favorablement, il gagnait la vie éternelle. »

Elle adorait le sentir à l'écoute.

« La pharaon était un dieu, poursuivit-elle.

– Bien sûr.

– Quand il mourait…

– Quand Dieu mourait ?

– C'était la seule façon qu'il avait de partir rejoindre les autres dieux », expliqua-t-elle, comme pour le consoler.

En septembre, ils allèrent en excursion pour la journée à Piermont et ils déjeunèrent dans le petit jardin aux fleurs déjà fanées. Le soleil était encore chaud. Elle portait un short bleu, jambes nues, et des talons hauts dont le cuir lui avait blessé les pieds. Ils échangèrent rires et confidences. Elle avait tellement besoin d'être aimée. Plus tard, dans la cuisine, ils ouvrirent une bouteille de vin. Eddins était assis de biais devant la table. Sans un mot, elle s'agenouilla devant lui et entreprit, maladroitement parce qu'elle était myope, d'ouvrir sa braguette. La fermeture Éclair descendit, un cran après l'autre. Elle se sentait un peu nerveuse, mais ce fut comme elle l'avait rêvé : le taureau Apis. Commençant à peine à se tendre, son sexe lisse se glissa dans sa bouche, et, prenant de l'assurance, elle se mit à l'ouvrage. C'était un acte de foi. Elle ne l'avait jamais fait, ni à son mari ni à aucun homme. Voilà ce que ça donnait de faire des choses qu'on avait jusqu'alors seulement imaginées. La lumière était douce, il se faisait tard. *Il était pour ainsi dire sorti tout seul de sa braguette*, écrivit-elle plus tard dans son journal intime. *Il devait sûrement y penser. Il bandait déjà*. Tout lui parut si naturel. Un jour, elle avait attaché un cordon blanc autour des organes génitaux de son fils Leon, alors âgé de dix-huit mois, sans y accorder aucun sens particulier. Elle souhaitait seulement les mettre en valeur, parce qu'elle les trouvait parfaits. Elle avait toujours voulu raconter cette histoire à quelqu'un, et faire ça à Neil, c'était comme se confesser à lui. Un peu comme enfiler une botte sur un mollet bien galbé, et elle continua, de plus en plus sûre d'elle, sa bouche produisant de tout petits bruits. Elle fit de son mieux, elle aurait voulu que ça ne finisse jamais, mais il n'était plus temps de se poser ce genre de question. Elle s'en rendit compte aux mouvements de son partenaire, juste avant les cris et l'étonnement, une grande quantité qui faillit la faire s'étouffer. L'espace d'un instant, elle se sentit fière d'avoir eu ce cran. Il était toujours dans sa bouche. Elle resta un long moment sans bouger, puis elle se rassit.

Eddins ne dit pas un mot, ne fit pas un geste. Elle craignait de le regarder, redoutant d'avoir fait ce qu'il ne fallait pas. Mais elle n'avait aucun regret. Grâce à son *ka*, à sa force de vie. Suis ton désir, tant que cette vie durera, disait-on, car tu n'en connaîtras pas d'autre. Elle se releva et s'approcha de l'évier pour se laver le visage. Il y avait des taches de rouille autour des robinets. Ensuite, elle alla s'asseoir dans un des fauteuils de la salle de séjour. De l'autre côté de la fenêtre, à la lumière du soleil, elle vit un papillon blanc qui montait et descendait le long de la vitre avec des mouvements de pure extase. Quelques secondes plus tard, Eddins la rejoignit et prit place sur le canapé.

« Pourquoi t'assieds-tu toute seule et si loin ? demanda-t-il doucement.

– Alors, tu ne m'en veux pas ?

– T'en vouloir ?

– En Égypte, je serais ton esclave.

– Bon sang, Dena ! »

Il voulait dire quelque chose, mais il n'arrivait pas à décider exactement quoi.

« Aux championnats de natation…, commença-t-elle.

– Quels championnats ?

– À l'école. Les garçons portaient ces petits maillots chatoyants, et à travers l'étoffe, on voyait que certains… bandaient. Ils ne pouvaient pas s'en empêcher. Voilà à quoi ça m'a fait penser.

– Aux petits garçons ?

– Pas seulement aux petits.

– J'aimerais être tous ces garçons à la fois et que tu me regardes. »

Elle eut alors la conviction qu'il comprenait tout. Elle sentit la déesse en elle s'éveiller.

« Vraiment, ce serait difficile de t'en vouloir.

– Je n'avais encore jamais fait ça.

– Je te crois. »

Il se rendit compte qu'elle avait mal compris.

« C'était parfait, mais je te crois.

– J'ai eu l'impression que tu étais pour moi le seul, le vrai. C'était vraiment bien ? »

Pour toute réponse, il l'embrassa lentement à pleine bouche.

Elle craignait de dire quelque chose de ridicule. Un peu embarrassée, elle baissa les yeux vers ses mains, puis elle le regarda, et baissa les yeux à nouveau.

« Je devrais sans doute t'épouser, dit-elle. Le hic, c'est que je suis déjà mariée. »

Pendant plus d'un mois, avant que son fils ne revienne habiter avec elle, Eddins et elle vécurent ensemble sur l'Olympe.

Ils s'allongèrent tête-bêche, et pour lui, ce fut comme être étendu auprès d'une belle colonne de marbre, une colonne qui pouvait étancher son désir. Son mont-de-Vénus était parfumé, réchauffé par un astre invisible. La virilité hardie de ce nouveau Sardanapale lui caressait les lèvres et étouffait ses gémissements. Ensuite ils dormirent du sommeil du juste. Le soleil baignait la façade ouest de la maison, l'air froid de l'automne s'infiltrait par les fenêtres.

Ils ne rentrèrent que tard, elle appuyée à son bras, ses longues jambes flageolant un peu, et marchant tête baissée, un peu comme si elle avait trop bu. Il se coucha épuisé, tel un soldat à la fin d'une permission, et elle le chevaucha comme un étalon, aveuglée par ses cheveux lâchés. Il aimait tout d'elle, son petit nombril, sa crinière de cheveux noirs, ses pieds aux orteils longs qu'il découvrait nus au matin. Elle avait une croupe superbe, pareille à une miche de pain chaude, et quand elle criait, elle ressemblait à une femme à l'agonie qui se serait traînée jusqu'à un sanctuaire.

« Quand tu me prends, dit-elle, j'ai l'impression de partir si loin que je vais crever le ciel, et que je ne pourrai jamais revenir. On dirait que ma tête va exploser, que je suis en train de devenir folle. »

Avec Leon de retour à la maison, ils durent changer leurs habitudes, mais quand ils allaient faire les courses ensemble, ils se retrouvaient seuls tous les deux… Dena, vêtue d'une veste et d'un jean qui se penchait sur un comptoir pour mieux voir un article ou un autre, le tissu bleu délavé tendu sur ses fesses, aussi ajusté qu'un gant.

À cinq ans, Leon portait déjà des lunettes. Ce ne serait jamais un grand sportif mais il ne manquait pas de caractère. Le ressentiment et l'hostilité causés par la présence d'un inconnu dans la chambre de sa mère prirent la forme d'une réticence vite oubliée. Il savait instinctivement qui était Eddins et ce qu'il signifiait pour elle, mais il l'aimait bien et avait besoin d'un père. Et d'un ami.

« Regarde, dit-il sous prétexte de lui montrer sa chambre. C'est là que je range mes livres. Celui-là, c'est mon préféré, c'est un livre sur le foot. Et dans celui-là, tu peux tout apprendre, sur les étoiles, sur le trou le plus profond dans la mer, et puis sur les orages, et comment on peut les arrêter. C'est mon meilleur bouquin. Et puis, ça, c'est une histoire que j'ai écrite tout seul. Tu pourras la lire plus tard. Et celui-là, il est sur les soldats. »

Il en prit un autre.

« Est-ce que tu sais que là où il y a ton nombril, c'est par là que tu étais attaché quand tu étais dans le… de ta mère ? Comment ça s'appelle déjà là où les femmes, elles ont des poils, tu sais bien… »

Eddins hésita, mais Leon continua comme si de rien n'était.

« Ils font un nœud. Puis ils coupent et ça fait très mal. Et après ils fourrent le tout dans ton ventre, je t'assure. »

Il le fixa de ses yeux myopes pour s'assurer qu'on ne le prenait pas pour un menteur.

Dans le jardin, il montra à Eddins toutes sortes de jeux, inventant les règles au fur et à mesure.

« Là ! s'écria-t-il, en frappant le ballon. Si ça touche là, c'est un but. Et ça me fait un point.

– Si ça touche où, tu dis ?

– Là ! lança-t-il en poussant le ballon vers un autre endroit.

– Il faut respecter les règles.

– Bon, d'accord », dit Leon, mais il se hâta de montrer à Eddins un autre jeu.

Vernon Beseler vivait à présent près de Tompkins Square avec une femme poète prénommée Marian. Il ne voyait son fils que rarement. C'était un père qui ne disparaîtrait jamais de la circulation, précisément à cause de sa façon de disparaître. Un jour, il appela Dena pour lui demander s'ils pouvaient se voir. Il songeait à repartir pour le Texas et voulait lui parler avant.

« Est-ce que tu veux que je t'amène Leon ?

– Comment va-t-il ?

– Très bien.

– Alors non, ne l'amène pas », dit Beseler.

Il lui proposa de le retrouver à l'aéroport. Dena le reconnut à peine, il semblait décharné et hagard. Malgré elle, elle ressentit l'envie de lui tendre la main. Cet homme était le poète rebelle dont elle était autrefois tombée amoureuse, et une si grande partie de sa vie, pensait-elle, lui appartenait.

« Cette femme avec qui tu vis, je ne trouve pas qu'elle s'occupe bien de toi.

– Ce n'est pas ce que je lui demande.

– Eh bien alors, quelqu'un devrait s'en charger.

– Ce qui signifie ?

– Que tu n'as pas l'air dans ton assiette », déclara Dena.

Il fit semblant de ne pas avoir entendu.

« Tu écris en ce moment ? »

Là était la chose sacrée. Il avait toujours été son apôtre. On pouvait tout lui pardonner à cause de cela.

« Non, répondit-il. Pas en ce moment. Il n'est pas impossible que je prenne un poste de prof pour un temps.

– Où ça ?

– Je ne sais pas trop. »

Il se tut. Puis il reprit :

« Tu as déjà pensé à ce que ça pouvait faire d'être une taupe ?

– Une taupe ?

– Oui. Naître aveugle, sans yeux, enfin, avec des yeux qui ne s'ouvrent pas. Tout est noir. Vivre sous la terre dans des couloirs étroits et humides, avec la peur des serpents, des rats, de toutes les bêtes qui pourraient se trouver sur ton passage, et qui, elles, y voient quelque chose. Rechercher l'âme sœur, là, sous la terre, loin de toute lumière. »

Elle avait du mal à le regarder en face.

« Non, dit-elle. Je n'y ai jamais songé. Moi, je suis née avec des yeux.

– Il faut savoir être compatissant. »

Il essayait d'allumer une cigarette avec, en apparence, une grande concentration : il la coinça entre ses lèvres, gratta une allumette, puis l'approcha précautionneusement, avant de la secouer pour l'éteindre et de la déposer dans un cendrier. Il reprit la cigarette et l'éloigna de sa bouche de ses doigts tremblants.

« Ce n'est pas parce que je bois, tu sais ?

– Vraiment ?

– Je bois, mais ça n'a rien à voir. J'ai franchi la ligne rouge de peu. Marian ne boit pas. C'est une adepte des bains de lune. Elle adore se déshabiller et s'exposer à ses rayons.

– Elle fait ça où ?

– N'importe où.

– Vernon, si on divorçait ?

– Mais pourquoi on divorcerait ?

– Parce que nous ne sommes plus vraiment mariés.

– On sera toujours mariés.

– Je ne crois pas. Je veux dire que je ne crois pas que ça ait un sens désormais.

– Les gens écriront des chansons sur notre histoire. Je pourrais peut-être en écrire une ou deux moi-même. Comment va ce petit diable de Leon ?

– C'est un merveilleux petit garçon.

– Le contraire m'aurait étonné.

– Et notre divorce ?

– Ouais », fit Beseler, en tirant sur sa cigarette d'un air songeur.

Finalement, on appela son numéro de vol.

« Bon, eh bien, je suppose que cette fois, c'est *adios* pour un bout de temps », dit-il.

Il l'embrassa sur la joue. Elle ne le revit jamais plus. Elle venait du Texas cependant, un pays où la loyauté compte beaucoup, et à sa façon un peu méprisante, elle lui resta fidèle, loyale envers ce garçon qui avait été son mari, qui l'avait enlevée à sa famille, et qui aurait dû devenir un poète ou un chanteur célèbre. Il jouait de la guitare et chantait pour elle de sa belle voix grave.

Un avocat d'Austin, engagé par la famille Beseler, s'occupa du divorce par le truchement d'un associé de New York. Elle obtint une pension alimentaire pour l'enfant de quatre cents dollars par mois – elle n'avait rien réclamé pour elle-même –, et dans les faits, Eddins se retrouva avec un fils.

Les grands éditeurs ne sont pas toujours de grands lecteurs, et les bons lecteurs font rarement de bons éditeurs, mais Bowman se tenait quelque part au milieu. Souvent, tard dans la nuit, quand la ville dormait et que le bruit de la circulation s'était évanoui, il restait à lire. Vivian était déjà allée se coucher. Il ne gardait qu'une lampe sur pied allumée près de son fauteuil, et un verre à portée de main. Il adorait s'absorber dans sa lecture avec pour tous compagnons le silence et la couleur ambrée du whisky. Il aimait aussi manger, rencontrer des gens, parler… mais lire était un plaisir toujours renouvelé. Ce qu'étaient pour d'autres les joies de la musique, les mots sur une page l'étaient pour lui.

Au matin, Vivian lui demandait à quelle heure il s'était couché.

« Vers minuit et demi.

– Qu'est-ce que tu lisais ?

– Un livre sur Ezra Pound à St Elizabeths. »

Vivian avait entendu parler de St Elizabeths. Ce nom était synonyme de folie à Washington.

« Pourquoi y était-il ?

– Sans doute parce qu'on ne savait pas que faire de lui.

– Je veux dire, qu'avait-il fait ?

– Tu sais qui c'était ?

– À peu près.

– Eh bien, c'était un des plus grands poètes. Il avait choisi de devenir un apatride. »

Elle n'osa pas demander ce que cela signifiait.

« Il avait donné des discours à la radio pour les fascistes en Italie, expliqua Bowman. Ils s'adressaient à l'Amérique au début de la guerre. Il était obsédé par le mal que représentaient les taux d'intérêt imposés par les banques, les Juifs, le provincialisme de l'Amérique, et il en parlait dans ses émissions. Il était en train de dîner un soir à Rome quand il apprit la nouvelle du bombardement de Pearl Harbor par les Japonais, il aurait dit alors : "Mon Dieu, je suis perdu !"

– Il ne m'a pas l'air d'avoir été aussi fou que ça.

– Justement. »

Il aurait voulu continuer à parler d'Ezra Pound et aborder le sujet des *Cantos*, peut-être même lui lire un ou deux des plus brillants, mais Vivian pensait déjà à autre chose. Plutôt que de se demander à quoi, il songeait à un déjeuner quelques jours auparavant avec un des écrivains qu'il publiait, et qui lui racontait qu'il avait quitté l'école à treize ans, sans expliquer pour quelles raisons. Sa mère lui avait alors donné une carte de bibliothèque en lui disant d'aller lire les livres.

« Les livres. C'est comme ça qu'elle l'avait dit. Plus jeune, elle voulait devenir prof mais elle avait eu plusieurs enfants. Une femme aux espoirs déçus. Elle disait : "Tu viens d'une famille de gens honnêtes et travailleurs. Des gens sérieux." »

Sérieux était un mot qui l'avait hanté toute sa vie.

« Elle essayait de me dire quelque chose. Comme tous les gens fiers, elle ne voulait pas l'exprimer directement. Et si vous ne compreniez pas, tant pis pour vous. Elle voulait me léguer ce petit quelque chose, une sorte d'héritage. Nous n'avions aucune fortune à transmettre, mais ça, elle y croyait. »

Il s'appelait Keith Crowley. C'était un petit homme pas très costaud, qui détournait le regard en parlant. Bowman l'appréciait, et il aimait ce qu'il écrivait, mais ses livres ne se vendaient pas, deux ou trois mille exemplaires, jamais plus. Il en écrivit deux de plus, Bowman en publia un, puis il disparut complètement de la circulation.

8
Londres

Un terrible raffut le tira du sommeil : la pluie martelait les carreaux. Il était né un jour de tempête, les orages le rendaient toujours joyeux. Vivian était pelotonnée près de lui, profondément endormie, tandis qu'il écoutait les rafales. Baum et lui partaient pour Londres le soir même, et il avait plu toute la journée : des gerbes de brouillard froid et humide montaient des grandes roues des camions qu'ils doublaient en allant à l'aéroport, les essuie-glaces du taxi s'agitaient sur le pare-brise. L'enthousiasme de Bowman était, lui, tout sauf refroidi. Il était sûr qu'il allait aimer l'Angleterre et Londres, cette ville légendaire dont il avait rêvé à l'université, avec ses figures mythiques, ces hommes et ces femmes raffinés droit sortis des romans d'Evelyn Waugh, toutes ces Virginia, Catherine et Jane, à l'esprit étroit, sûres d'elles et à peine conscientes qu'il existait une vie en dehors de la leur.

Ils étaient assis côte à côte dans l'avion, Baum lisant paisiblement le journal tandis que le ronronnement du moteur enflait, que l'avion commençait à s'ébranler. Puis ce fut le vrombissement du décollage, la pluie s'abattant sur les hublots. Londres, songea Bowman. C'était au début du mois de mai.

Le lendemain matin, l'Angleterre apparaissait déjà entre les nuages dispersés, verte et inconnue. Ils quittèrent Heathrow dans un taxi qui hoquetait comme une machine à coudre, le chauffeur les gratifiant de quelques commentaires dans une langue difficile à saisir. Ensuite, ce furent les faubourgs, tristes et interminables, qui laissèrent enfin place aux rues à angles obliques avec leurs immeubles victoriens en brique. Ils s'engagèrent dans une large avenue. Le Mall, bordé par la végétation dense d'un parc et de hautes grilles de fer forgé noir qui défilaient. Tout au bout, on apercevait la lointaine silhouette d'une arche monumentale de pierre grise. Ils roulaient à vive allure du mauvais côté de la chaussée. Bowman s'étonna de l'aspect fier et suranné de cette ville, de son désordre et de ses noms étranges. Il n'avait pas encore compris l'essentiel : son isolement du reste de l'Europe.

Bien que plus de quinze ans se soient écoulés depuis la fin de la guerre, son spectre restait partout présent. L'Angleterre avait été victorieuse – pas une famille, des plus prestigieuses aux plus modestes, qui n'ait contribué à l'effort de guerre : les désastres du début du conflit quand le pays n'était pas prêt encore, ces navires, symboles et orgueil de la nation, qui coulaient alors qu'on les avait crus invincibles, la débâcle de l'armée dépêchée en 1940 pour combattre aux côtés des Français, et qui s'était retrouvée encerclée et piégée sur les plages de la mer du Nord dans un chaos désespéré – d'hommes laissés sans équipement ni vivres, tout ayant été abandonné pendant la retraite, et ramenés au pays, épuisés, grâce à un effort de la dernière chance et à l'indulgence des Allemands, dans tous les bateaux, grands et petits, qu'on avait pu trouver. Et pourtant la mission n'était pas terminée, ce combat apparemment sans fin, son inimaginable envergure, la guerre du désert, la détermination à sauver le canal de Suez, le vertige du conflit aérien, des murs immenses qui s'effondraient dans l'obscurité, des villes entières en flammes, des nouvelles calamiteuses en provenance d'Extrême-Orient, les listes des morts et des blessés, les préparatifs du Débarquement, les batailles interminables…

Et l'Angleterre avait gagné. Ses ennemis trébuchaient parmi les ruines, le ventre criant famine. Les décombres de leurs cités empestaient la mort et les égouts, les femmes se vendaient pour quelques cigarettes, mais c'était l'Angleterre, comme un combattant tenant miraculeusement debout, qui semblait avoir payé le plus lourd tribut. Dix ans plus tard, la nourriture y était encore rationnée, et on avait du mal à voyager, la livre sterling ne pouvant s'échanger hors des frontières. Les cloches qui avaient sonné l'heure de la victoire se turent pendant très longtemps. Impossible de retrouver les habitudes d'avant-guerre. Écrasant une cigarette après déjeuner, un éditeur avait calmement déclaré : « L'Angleterre est un pays foutu. »

Ils avaient d'abord séjourné chez une amie éditrice, Edina Dell, dans l'une de ces petites enclaves qu'on appelait « terrasses », des rangées de maisons mitoyennes identiques, avec un jardin entouré d'un mur de brique et quelques arbres devant la salle à manger, située au rez-de-chaussée. Fille d'un professeur de lettres classiques, elle semblait néanmoins, avec ses dents irrégulières et ses manières désinvoltes, avoir connu une vie plus prestigieuse, dans quelque manoir encombré de tableaux et de vieux meubles, bruissant d'indiscrétions connues de tous. Elle avait une fille, Siri, unique rejeton d'un mariage qui avait duré dix ans avec un Soudanais. L'enfant, âgée de six ou sept ans, d'une belle couleur de peau, chaude et attrayante, adorait sa mère, à laquelle elle s'accrochait littéralement en lui agrippant la jambe. On aurait dit une gazelle, avec ses iris marron foncé entourés du blanc le plus pur.

L'amant d'Edina était un homme à la silhouette imposante, l'élégant Aleksei Paros, qui venait d'une riche famille grecque et était peut-être marié – il restait très vague à ce sujet, les choses étaient plus compliquées qu'il n'y paraissait. En ce moment, il vendait des encyclopédies, mais même en manches de chemise alors qu'il fouillait la maison à la recherche de ses cigarettes, il donnait l'impression d'être quelqu'un qui finirait toujours par s'en sortir. Il était grand, trop gros, et capable de charmer hommes et femmes sans le moindre effort. Edina était attirée par les séducteurs comme lui. Son père en était pour elle le prototype : elle avait deux frères illégitimes.

Aleksei revenait à peine d'un voyage en Sicile. Il s'était arrêté la veille dans un club londonien où il avait ses habitudes et jouait régulièrement. Il adorait y déambuler, ses jetons à la main, les caressant distraitement du pouce. Il n'avait aucun système préétabli, il n'écoutait que son instinct, certaines personnes semblent avoir un talent pour cela. Passant devant une table de chemin de fer, il pouvait brusquement tendre la main et parier sur un coup de tête. C'était un geste méditerranéen, les riches Égyptiens procédaient de cette façon. Si on oubliait son apparence physique, Aleksei aurait pu en être un, aussi bien un play-boy de second ordre qu'un roi.

Debout devant la roulette, il écoutait la bille d'ivoire rebondir en tournant, un long bruit qui allait s'atténuant pour ne plus être qu'un funeste cliquetis quand elle ricochait sur les petites cloisons entre les numéros et tombait brusquement dans une encoche. Vingt-deux, pair et noir. Vingt-deux, son année de naissance. Il arrivait au même numéro de tomber plusieurs fois, mais là, il ne le sentait pas. Il y avait des jeunes gens autour de la table, et un homme en complet usé qui notait les numéros déjà sortis sur une carte qu'il tenait à la main, avant de parier modestement sur les rouges ou les noirs. *Faites vos jeux**[1], annonçait le croupier. Quelques joueurs supplémentaires s'approchèrent. Une force invisible qui flottait dans l'air confiné les attirait vers une table particulière. *Faites vos jeux*. Une jeune femme en robe du soir s'était frayé un chemin jusqu'à la roulette, les gens étaient obligés de se tenir debout de profil entre les chaises. Le tapis en feutre vert était couvert de jetons. Dès qu'un joueur pariait, deux autres renchérissaient. *Rien ne va plus**, annonçait le croupier. La roue tournait, de plus en plus vite. Soudain la bille jaillit d'une main experte et se mit à décrire un cercle dans la direction opposée sur le bord du plateau, et à ce moment-là, tel un passager qui bondit sur le pont alors que le bateau s'est déjà éloigné du quai, Aleksei plaça cinquante livres sur le 6. La bille faisait entendre son joli cliquetis hypnotique, un son riche de possibilités infinies. Il se tint prêt à gagner mille huit cents livres, et pendant cinq ou six secondes qui

1. Les mots en italique suivis d'un astérisque sont en français dans le texte original. (*Toutes les notes sont du traducteur.*)

semblèrent durer une éternité, il attendit, calme mais concentré, presque comme si le couperet de la guillotine était levé, puis la course circulaire ralentit et l'orbite se rétrécit jusqu'à l'instant final où on entendit un petit bruit métallique de rebond, et la bille s'immobilisa définitivement devant un numéro. Ce n'était pas le 6. En joueur confirmé qu'il était, il ne trahit aucune émotion ni le moindre regret. Il misa plusieurs fois cinquante livres puis s'éloigna vers une autre table.

Le matin suivant, il alla s'installer dans le jardin, une tasse de café à la main – le jardin de la réconciliation, disait-il. Avec sa chemise blanche, assis devant la table ronde en métal, on aurait dit un blessé sur la terrasse d'un hôpital. Impossible de lui en vouloir très longtemps. Il ne parla pas de la veille au soir, mais se contenta d'évoquer Palerme – *palla-irma* – une ville sans plaques indiquant le nom des rues.

« Je vous assure, répéta-t-il. Aucune rue n'est signalée. La ville entière tombe en ruine. »

Il était occupé à redresser une cigarette qu'il avait tirée d'un paquet tout écrasé. Chaque chose qu'il faisait était l'acte d'un homme qui avait survécu à des situations périlleuses et qui en verrait d'autres. Un peu comme s'il avait déjà joué à ce jeu-là.

« Vérolée par la pègre, je suppose, dit Edina.

– La Sicile ? Oui, bien sûr, reconnut Aleksei. La pègre existe. Mais on ne la voit pas. Des kidnappings. Des femmes qu'on enlève. C'est pour ça que je n'ai pas voulu t'y emmener.

– Tu avais peur qu'on me kidnappe ?

– Oui, nous, les Grecs, nous sommes déjà battus pour une femme qu'on avait enlevée.

– Que voulez-vous répondre à cela ? demanda-t-elle, désarmée, à Baum.

– Nous irons ensemble en Amérique, promit Aleksei. On louera une voiture et on traversera tout le pays. On visitera Saint Louis, Chicago, les Grandes Plaines.

– J'attends ce voyage depuis longtemps. »

Elle les pria de l'excuser, elle allait faire son yoga sur le plancher de sa chambre pour rechercher l'harmonie, bras et jambes flottant doucement dans l'air paisible, avant de passer la matinée à lire.

Londres, les boutiques prétentieuses de Jermyn et New Bond Street ; les maisons avec des plaques aux noms de leurs occupants prestigieux : Boswell, Browning, Mozart, Shelley, et même Chaucer ; le luxe caché des jours de l'Empire, avec les gardiens du temple désormais transformés en portiers aux uniformes brodés d'argent devant les grands hôtels ; les clubs les plus sélects ; les librairies, les restaurants et la liste interminable des adresses avec leurs différentes désignations : rue, place, route, cours, allée, square, avenue, impasse, villa, jardin, résidence… ; les petits hôtels, parfois miteux, avec des chambres souvent sans salle de bains ; la circulation ; les secrets que personne ne percerait jamais – c'est dans ce Londres-là qu'il se fit sa première idée de la géographie du monde de l'édition, le réseau international de tous ces gens qui se connaissaient, en particulier ceux qui s'intéressaient au même genre de livres et possédaient les mêmes listes de contacts, et qui, de façon tout aussi importante, étaient amis – pas vraiment des intimes, mais des collègues et des rivaux qui, au fil de leurs entreprises communes, se liaient d'amitié.

C'étaient dans l'ensemble des hommes capables et même brillants, certains avaient des principes, d'autres moins. Le plus remarquable, en tout cas celui dont on parlait le plus, était Bernard Wiberg, qui dirigeait une maison d'édition britannique. C'était un homme robuste approchant la cinquantaine, avec un visage du XVIIIe siècle facile à caricaturer, un nez proéminent, un menton plutôt pointu, et des bras qui paraissaient un peu courts. Réfugié allemand, il était arrivé en Angleterre juste avant la guerre sans un sou en poche. Durant les premières années, il avait dû partager une chambre, et le seul luxe qu'il pouvait s'offrir était un café, une fois par semaine, au Dorchester, entouré de gens qui dégustaient des repas à trente shillings ou davantage. Un jour, il serait des leurs, il s'en était fait le serment.

Il commença par publier des livres qui étaient tombés dans le domaine public, mais en proposant des produits de qualité et en les commercialisant avec élégance. Il connut un grand succès avec les Mémoires osés de femmes qui avaient gravi l'échelle sociale, si possible depuis leur plus jeune âge, dans le Londres de la Régence. Il publia également, malgré le scandale public, quelques livres sur la Shoah mais vue depuis l'autre bord, y compris un best-seller intitulé *Juliet des camps*, inspiré de plusieurs histoires et mettant en scène une belle jeune fille juive qui tentait de sauver sa peau en travaillant au bordel d'un camp de concentration où un officier allemand tombait amoureux d'elle. C'était non seulement une insulte à la face des innombrables victimes mais un mensonge à celle des survivants. Wiberg le prit de haut :

« L'histoire, c'est comme les vêtements accrochés dans votre placard, dit-il. Enfilez-les, et vous comprendrez. »

D'une certaine façon, il parlait de sa vie et de sa propre famille, qui avait entièrement péri dans l'effroyable cauchemar de l'Europe de l'Est. Tout cela était derrière lui. Ses ongles étaient manucurés et il portait des vêtements de prix. Il aimait la musique et l'opéra et avait dit un jour que sa maison d'édition était ordonnancée comme un orchestre symphonique : les contrebasses et les percussions se trouvaient au fond, elles constituaient, pour ainsi dire, les fondations des œuvres principales, et on avançait ainsi jusqu'aux flûtes, hautbois, et clarinettes, représentant les livres de moindre valeur mais qui rendaient les gens heureux et se vendaient à la pelle. Ce qui l'intéressait le plus, c'étaient les percussions : il souhaitait que les gagnants du prix Nobel lui dédicacent leurs œuvres, il voulait avoir une belle maison pour y donner de grandes réceptions.

Il avait acheté cette maison, en fait un appartement de deux étages entiers qui donnait sur Regent's Park. Il était somptueux, avec de hauts plafonds, et des murs laqués de couleurs soutenues mais apaisantes, des esquisses et des tableaux partout, notamment un grand Bacon. Les bibliothèques regorgeaient de livres, on n'entendait pas la circulation, ni aucun bruit venant de la rue.

Dans un silence feutré et patricien, un majordome vous servait le thé.

Robert Baum et Wiberg partageaient une grande complicité, et au fil des ans ils avaient fait beaucoup d'affaires ensemble, chacun affirmant que l'autre en avait tiré un meilleur parti

Edina, et elle n'était pas la seule, voyait les choses différemment.

« Il y a de merveilleux réfugiés allemands qui s'appellent Jacob, soulignait-elle. D'excellents médecins, banquiers, critiques d'art : il n'en fait pas partie. Il est arrivé ici et il a cherché le talon d'Achille, profitant de la fameuse noblesse de cœur chrétienne des Anglais. Il a fait des choses terribles. Le livre sur la fille juive qui tombe amoureuse de l'officier SS, par exemple ! Il faut savoir ne pas dépasser certaines limites. Et bien sûr, il a fait son chemin. Il ne pouvait pas entrer dans la haute société, mais il s'est arrangé pour engager des jeunes femmes appartenant aux meilleures familles. Il leur a donné beaucoup d'argent. Voilà la vérité. Robert sait exactement ce que j'en pense. »

À Cologne, l'homologue de Wiberg, à quelques détails près, s'appelait Karl Maria Löhr, un homme assez peu sympathique lui aussi, auquel son père avait légué sa maison d'édition, et qui aimait s'asseoir sur le plancher de son bureau, un verre de whisky à la main, pour bavarder avec ses auteurs. Il avait trois secrétaires, qui étaient ou avaient été à son entière disposition. L'une d'elles, Erna, partait souvent avec lui en week-end, alors qu'il allait officiellement rendre visite à sa mère qui habitait Dortmund. Une autre, plus jeune, était très diligente et acceptait de faire des heures supplémentaires puisqu'elle n'était pas mariée. La soirée se terminait parfois dans un petit restaurant sympathique, fréquenté par des artistes, où on restait jusque tard dans la nuit à discuter et à rire. Puis on prenait un dernier verre dans la bibliothèque lambrissée de Löhr, où Katja, la deuxième secrétaire, gardait des vêtements de rechange et avait même sa propre salle de bains. Sylvia, la troisième – elle venait en fait d'accéder à cette promotion après avoir changé d'emploi –, l'avait accompagné aux foires du livre de Francfort et de Londres et, en une occasion mémorable, à Bologne où ils avaient dîné sur la terrasse arborée de chez Diana et étaient descendus au Baglioni. Il se passait souvent un long laps de temps entre deux rencontres où il couchait avec elle, et le fait qu'il ne la connaissait pas depuis très longtemps, ajouté à l'excitation du voyage, l'émoustillait. Elle s'approchait toujours du lit l'avant-bras glissé sous sa poitrine un peu lourde. Silvia était une femme enjouée et il se produisait souvent des choses amusantes en sa compagnie. Un jour, dans un bar en front de mer à Hambourg, un marin l'invita à danser. Karl Maria n'émit aucune objection, mais ensuite l'inconnu lui proposa vingt-cinq marks pour monter dans une chambre avec lui. Elle refusa, il en offrit cinquante et la suivit jusqu'au bar où il alla jusqu'à cent marks. Karl Maria se pencha vers lui et lui dit : « *Hör zu. Sie is meine Frau.* C'est ma femme. Ça m'est égal, mais à mon avis, vous risquez d'atteindre le prix qu'elle réclame. »

Le marin était ivre, ils réussirent néanmoins à lui fausser compagnie et à rentrer à l'hôtel, où ils prirent un dernier verre au bar magnifiquement décoré et désert, en riant de bon cœur. Löhr tenait très bien l'alcool.

Le confrère suédois de Baum était un homme raffiné, qui avait publié Gide, Dreiser et Anthony Powell, ainsi que Proust et Genet. Il avait aussi fait connaître les Russes, comme Bunin et Babel, plus tard, les grands exilés. Il s'était rendu en Russie, un pays terrible et désespéré, disait-il, pareil à une vaste prison, et pourtant les Russes étaient le peuple le plus merveilleux qu'il ait jamais rencontré.

« Je les aime plus que je ne saurais le dire, répétait-il. Ils ne sont pas comme nous. Pour une raison mystérieuse, il y a chez eux une profondeur et une intériorité qu'on ne trouve nulle part ailleurs. C'est peut-être le résultat d'incessantes tyrannies. Akhmatova, j'adorerais la publier, mais elle l'est déjà par un confrère. Son mari avait été exécuté par les communistes, son fils avait passé des années dans un camp, elle vivait dans une petite chambre sous la surveillance de la police secrète, craignant sans cesse de se faire arrêter. Des amis lui rendaient visite, et tandis qu'elle parlait de choses et d'autres à l'intention des policiers qui l'espionnaient, elle leur montrait une feuille de papier à cigarette sur lequel elle avait écrit les vers d'un poème pour qu'ils l'apprennent par cœur; quand ils avaient hoché la tête, elle y mettait le feu avec une allumette. Lorsque les Russes vous reçoivent chez eux, d'ordinaire dans la cuisine, même si ce n'est que pour prendre un thé, ils vous offrent leur âme. »

Berggren, lui, ne semblait pas doté de cette qualité de saint. On aurait presque dit un banquier : grand, réservé, avec des dents irrégulières et des cheveux plus ou moins blonds qui avaient viré au gris. Quelle que soit la saison, il portait un costume, souvent à trois pièces, et d'ordinaire il retirait ses lunettes pour lire. Il s'était marié trois fois. Sa première épouse possédait de l'argent et une maison, une vieille demeure bâtie au siècle dernier, avec un court de tennis et des allées pavées. Elle était conventionnelle mais vive d'esprit, et avait parfaitement saisi que Berggren, lors d'une réception, s'était débrouillé pour lui présenter sa nouvelle maîtresse et recueillir son avis, si l'on peut dire, parce qu'il avait toute confiance en son jugement.

La maîtresse en question, Bibi, devint sa deuxième femme – il regretta son divorce, il avait passionnément aimé la première, cependant la page était tournée. Elle était élégante, mais caractérielle et exigeante. Elle laissait toujours dans son sillage la surprise désagréable de factures exorbitantes, dépensant sans compter, notamment pour acheter de grands crus.

Berggren avait été créé pour les femmes. Elles étaient sa raison de vivre ou du moins la représentaient. Ce n'était pas un homme avec lequel on avait du mal à cohabiter, il était civilisé et courtois, même s'il pouvait paraître parfois peu communicatif. Il s'agissait moins d'un repli sur lui-même que d'une forme de distraction. Il avait tendance à éviter les conflits, bien que, avec Bibi, ce ne soit pas toujours possible. Il avait ses habitudes dans un hôtel situé rue Nackstromsgaten où il installait ses invités écrivains, et où il prenait lui-même une chambre quand il y avait de l'eau dans le gaz à la maison. Le gérant le connaissait, ainsi que le réceptionniste. La barmaid faisait tournoyer de la glace pilée dans une coupe avant d'en vider le contenu dans un verre de vin suisse, du sion, qu'il appréciait particulièrement.

Un après-midi, il passa devant une vitrine où une fille d'une vingtaine d'années en jean noir moulant était en train d'habiller un mannequin. Elle sentit son regard posé sur elle mais elle ne le lui rendit pas. Il resta là plus longtemps qu'il ne l'aurait voulu, incapable de détacher les yeux du spectacle. Elle, pas la vendeuse en personne mais une jeune femme qui lui ressemblait, devint sa troisième épouse.

Qui peut dire ce qui se passait dans l'intimité de leur vie ? Était-elle rétive, ou bien se tenait-elle dévêtue entre ses genoux comme les enfants des patriarches, dévoilant son ventre nu et la courbe de ses hanches ? Une froideur involontaire au fond de lui semblait lui interdire d'être pleinement heureux et, bien qu'il ait épousé de belles femmes, qu'il les ait, disons, possédées, son bonheur n'était jamais complet même si vivre sans elles lui paraissait impensable. Les gens avaient autrefois avant tout faim de nourriture, il n'y en avait jamais assez et la plupart des habitants de la planète étaient mal nourris ou mouraient d'inanition ; désormais, ils avaient faim de sexe, et son absence faisait se dresser le même spectre du manque.

Avec Karen, Berggren ne connut pas une nouvelle jeunesse, mais quelque chose de mieux encore. Le sexe était désormais plus qu'un plaisir ; à son âge, il avait l'impression d'accéder aux mythes éternels. Par accident, il avait plusieurs années auparavant aperçu une scène merveilleuse : sa mère qui s'habillait. Elle lui tournait le dos, et à l'âge de soixante-douze ans elle avait encore des fesses fermes, parfaites, la taille bien prise. C'était donc dans ses gènes, il allait peut-être pouvoir continuer ainsi encore et encore, mais un beau jour il découvrit un tout autre spectacle, parfaitement innocent : Karen et une ancienne camarade de classe étaient étendues sur l'herbe en bikini, occupées à bronzer ; le visage enfoui entre leurs bras, elles bavardaient et, de temps à autre, la jambe de l'une ou de l'autre se soulevait dans le soleil qui dorait leurs dos nus. Assis en manches de chemise sur la terrasse dallée, Berggren lisait un manuscrit. Il songea un instant à descendre au jardin les rejoindre, mais il ressentit une certaine gêne, et devina que, quel que soit le sujet de leur conversation, il y mettrait fin en s'approchant. Il ne tenta même pas d'imaginer de quoi elles pouvaient bien parler, il remarqua seulement la joie insouciante qui les animait, alors qu'il avait pour sa part une manière d'être tellement plus triste et sérieuse. Il alluma une cigarette, et resta à fumer paisiblement tandis qu'il relisait quelques pages. D'ailleurs, elles ne tardèrent pas à se lever et à plier leurs serviettes de bain. Ce jour-là, et ceux qui suivirent, il comprit ce qui se passait en réalité avec les femmes qu'il aimait, ses épouses principalement. Ce fut une des raisons qui l'amenèrent, malgré sa position sociale, son intelligence, et le respect dont il était entouré, à se suicider à l'âge de cinquante-trois ans, l'année où Karen et lui se séparèrent.

9

Le bal est fini

Beaucoup d'invités étaient déjà arrivés, et d'autres, dont il faisait partie, étaient en train de se diriger vers le premier étage. L'invitation avait été impromptue. Il donnait un bal costumé, lui avait dit Wiberg, « et vous êtes le bienvenu ». En compagnie d'une Junon arborant un masque or et blanc et d'un Viking argenté, affublé d'un casque surmonté d'immenses cornes, Bowman gravit le vaste escalier. La porte qui donnait sur le superbe appartement était ouverte. À l'intérieur se pressait une foule d'un autre âge : un croisé avec une tunique ornée d'une grande croix rouge ; quelques sauvages vêtus de vert et coiffés de longues perruques de raphia ; plusieurs convives étaient habillés en noir et portaient des masques noirs, et on apercevait une Hélène de Troie dans une tunique couleur lavande avec des bretelles croisées à la mode grecque sur un dos très dénudé. Le costume de Bowman, déniché à la dernière minute, se composait d'une veste de hussard à brandebourgs, rouge et vert, par-dessus son propre pantalon. Wiberg, fidèle au goût britannique pour l'Orient, était déguisé en pacha. Sur le palier jouait un orchestre composé de six musiciens.

La foule était compacte. L'assemblée était étrangère au monde littéraire, en tout cas à en juger par les conversations. On trouvait là plutôt des diplomates et des personnalités de la haute société ou du cinéma, en somme, des gens qui voulaient prendre du bon temps. Une femme, par exemple, était en train d'enfoncer sa langue dans la bouche de son voisin, et une autre – que Bowman ne revit pas par la suite –, costumée en serveuse de drive-in avec un short minuscule et des collants argent scintillants, butinait d'un groupe à l'autre comme une abeille dans un champ de trèfle. Wiberg ne lui adressa que quelques mots, et Bowman ne connaissait personne d'autre. La musique déferlait. Deux anges se tenaient près de l'orchestre, une cigarette à la main. À minuit, des serveurs en veste blanche commencèrent à servir le souper : huîtres, rosbif froid, canapés et pâtisseries. On croisait de superbes silhouettes en robe de soie. Une dame d'un certain âge, avec un nez aussi long qu'un index, mangeait goulûment, et l'homme qui l'accompagnait se moucha dans une serviette en tissu : un gentleman, sans doute. Il y avait là aussi la prostituée de luxe, pourtant rayée de la liste des invités, qui était venue tout de même et avait par défi offert des fellations à cinq messieurs, l'un après l'autre, dans une chambre.

Bowman, n'ayant plus rien de nouveau à observer ni d'endroits à découvrir, se penchait sur une table pour admirer une collection de photographies, certaines dédicacées, dans d'épais cadres d'argent, représentant des couples ou des individus élégants, posant sur leur perron ou dans des jardins. Une voix derrière lui observa :

« Bernard est friand de titres.

– Oui, je jetais justement un coup d'œil.

– Il aime les titres et les gens qui les portent. »

Elle était vêtue d'un ensemble pantalon en soie noire, avec un foulard de pirate et les anneaux d'or qui vont avec. C'était un costume et ce n'en était pas un, il aurait très bien pu s'agir d'une tenue de soirée normale. Elle aussi avait un long nez, mais elle était belle. Il se sentit soudain nerveux et eut l'impression qu'il allait à coup sûr dire quelque chose de stupide.

« Vous faites partie du personnel de l'ambassade ? s'enquit-elle.

– L'ambassade ?

– L'ambassade des États-Unis.

– Non, rien de semblable. Je suis éditeur.

– Vous travaillez avec Bernard ? »

Comment le connaissait-elle ? se demanda-t-il. Mais, bien sûr, à ce bal, c'était le cas de presque tout le monde.

« Non, pour une maison américaine, Braden & Baum. Vous savez, confessa-t-il, vous êtes la seule personne à qui j'aurai parlé de toute la soirée. »

Un extra se tenait près d'eux.

« Vous voudriez boire quelque chose ? proposa Bowman.

– Non, merci, j'ai déjà assez bu comme ça », répondit l'inconnue.

Il se rendit compte qu'elle disait vrai, à ses yeux brillants et à ses gestes hésitants.

« Vous êtes venue accompagnée ? s'entendit-il lui demander.

– Je suis avec mon mari.

– Votre mari.

– Oui, c'est ce qu'on dit. Comment vous appelez-vous déjà ? »

Elle s'appelait Enid Armour.

« Mrs… Mrs Armour.

– Pourquoi répétez-vous mon nom comme ça ?

– Involontairement, je vous assure.

– Aucune importance. Vous restez longtemps à Londres ?

– Non.

– Une autre fois, peut-être ?

– Je l'espère », répondit-il.

Elle semblait déjà avoir l'esprit ailleurs, mais elle s'attarda, prenant sa main entre les siennes, comme pour le consoler. Il ne réussit pas à la revoir dans la foule, alors qu'il distinguait d'autres silhouettes remarquables. Elle était peut-être partie. Il trouva le nom de son mari dans une liste, sur une table près de la porte. Aux environs de trois heures du matin apparurent des figures fantastiques ; par exemple, un homme costumé en hibou, avec des lambeaux de vêtements en guise de plumes, et une femme coiffée d'un chapeau haut de forme et les jambes gainées d'un collant noir, qui dormaient ou gisaient évanouis sur les canapés. Il passa devant eux dans sa tunique militaire comme le survivant solitaire d'un autre âge.

Il séjournait dans un hôtel quelconque, près de Queens Gate. Il passa un certain temps à se demander si cette femme se souviendrait de lui. La soirée, il le mesurait, avait été éblouissante. Il serait bientôt quatre heures et il se sentait épuisé. Il tomba dans un profond sommeil qui prit fin seulement quand le soleil, traversant le carreau, inonda la chambre. De l'autre côté de la rue, les façades étaient baignées de lumière.

E. G. Armour était dans l'annuaire. Bowman avait envie d'appeler mais il hésitait. Il rassembla son courage. Il savait que c'était un geste hardi, et il changea d'avis une douzaine de fois en s'habillant. Serait-ce elle qui décrocherait ? Finalement, il s'empara du téléphone. Il s'imaginait la sonnerie dans un lieu qu'il ne connaissait pas. Au bout d'un moment, une voix d'homme répondit : « Allô ?

– Mrs Armour, je vous prie. »

Il était sûr que son interlocuteur entendait son cœur battre à se rompre.

« Oui. Qui la demande ?

– Philip Bowman. »

L'homme reposa le combiné et il l'entendit l'appeler. Il se sentait de plus en plus nerveux.

« Allô, dit-elle d'une voix posée.

– Enid ?

– Oui ?

– Philip Bowman à l'appareil. »

Il entreprit d'expliquer qui il était, où ils s'étaient rencontrés.

« Oui, bien sûr », dit-elle, d'un ton pourtant neutre.

Il demanda alors, parce qu'il ne se serait jamais pardonné de ne pas l'avoir fait, si elle était libre à déjeuner.

Elle marqua une pause.

« Aujourd'hui ?

– Oui.

– Eh bien, il faudrait que ce soit assez tard. Pas avant treize heures.

– Parfait, où pourrions-nous nous retrouver ? »

Elle suggéra le San Frediano, dans Fulham Road, près de chez elle. Ce fut là que Bowman, déjà sur place, la vit arriver et se faufiler entre les tables. Elle portait un pull-over gris et une veste en daim : une femme inaccessible qui repéra bientôt sa présence. Il se leva avec un certain embarras.

Elle sourit.

« Bonjour, dit-elle.

– Bonjour. »

Il eut l'impression qu'il venait d'être rattrapé par l'homme en lui, comme s'il avait attendu, tapi dans la coulisse.

« J'avais très peur de vous téléphoner.

– Vraiment ?

– Il m'a fallu un courage surhumain.

– Comment cela ? »

Il ne répondit pas.

« Avez-vous fini par trouver quelqu'un à qui parler ?

– Personne d'autre que vous.

– Je ne vous crois pas.

– C'est pourtant vrai.

– Vous ne me semblez pourtant pas si réservé.

– Je ne le suis pas. Je n'ai tout simplement pas rencontré la bonne personne…

– Il est vrai que tous ces sultans et ces Cléopâtre…

– C'était une soirée fantastique.

– Sans doute…. Parlez-moi de vous.

– Il n'y a pas grand-chose à dire. J'ai trente-quatre ans, et comme vous vous en rendez sûrement compte, je suis très intimidé.

– Vous êtes marié ?

– Oui.

– Moi aussi.

– Je sais, c'était votre mari au téléphone, n'est-ce pas ?

– Oui. Il se prépare à partir pour l'Écosse. Nous ne sommes pas en très bons termes. Il semblerait que je n'avais pas bien compris ce que le mariage signifiait pour lui.

– C'est-à-dire ?

– Qu'il passerait son temps à aller voir ailleurs et moi, le mien à tenter de l'en empêcher. Quel ennui! Vous vous entendez bien avec votre femme?

– Sur un certain plan.

– Lequel?

– Aucun en particulier. Je voulais dire jusqu'à un certain point.

– Je ne crois pas qu'on finisse jamais de connaître quelqu'un. »

Il apprit qu'elle était originaire du Cap, et avait vu le jour sur les marches de l'hôpital, sa mère, qui avait toujours le plus grand mal à s'arracher à une soirée, n'ayant pas réussi à aller plus loin. Elle se sentait néanmoins complètement anglaise, elle était enfant quand ils avaient élu domicile à Londres. Elle était meurtrie au fond d'elle, même si cela ne se voyait pas. Sa beauté était presque trop confiante. En fait son mari avait une maîtresse attitrée, une femme qui pourrait un jour toucher un gros héritage, mais il n'était pas prêt à la quitter. Wiberg avait en tout cas conseillé à Enid de ne pas divorcer, elle n'avait aucun revenu en propre et il valait mieux pour elle conserver cette situation, enviable à son avis, de femme fortunée et représentative.

« Comment connaissez-vous Wiberg?

– C'est un homme étonnant, répondit-elle. Il connaît tout le monde. Il s'est toujours montré très gentil à mon égard.

– En quoi?

– Oh, de nombreuses façons. Il me laisse me déguiser en pirate, par exemple.

– Vous parlez d'hier soir.

– Euh... »

Elle lui sourit: il ne pouvait détacher les yeux de son visage, la façon dont ses lèvres bougeaient quand elle parlait, le geste léger et insouciant de la main, son parfum... Il avait l'impression d'être confronté à une autre langue, totalement étrangère à la sienne.

« Des meutes d'hommes doivent vous courir après.

– Pas exactement au sens où vous l'entendez, dit-elle. Voulez-vous que je vous raconte une histoire terrifiante qui m'est arrivée? »

Un soir, elle avait eu un accident de voiture dans les environs de Northampton. Un peu ébranlée, elle s'était trouvé un petit hôtel et finit par y dîner avant de prendre un verre de vin au coin du feu. Dans sa chambre, plus tard dans la nuit, elle entendit deux hommes qui murmuraient devant sa porte alors qu'elle se préparait à se coucher. Ensuite, ils tentèrent d'entrer. Elle vit la poignée s'abaisser. « Allez-vous-en ! » cria-t-elle. Il n'y avait pas de téléphone dans la chambre, ce qu'ils savaient sans doute. Ils lui parlèrent à travers le battant, ils voulaient seulement bavarder un peu avec elle, dirent-ils.

« Pas ce soir. Je suis fatiguée. Demain. »

La poignée de la porte s'abaissa de nouveau. Ils répétèrent qu'ils voulaient seulement bavarder, ils savaient qu'elle serait partie le lendemain.

« Mais non, je vous le promets. »

Au bout d'un certain temps, le calme se fit. Elle colla l'oreille à la porte et, bien qu'effrayée, elle l'entrouvrit, vit qu'il n'y avait personne dans le couloir. Puis elle rassembla ses affaires et fila sans demander son reste. Ses bagages s'entrechoquant, elle roula quelques kilomètres, et dormit dans sa voiture près d'un chantier de maisons en construction.

« Eh bien, vous êtes une personne chanceuse, n'est-ce pas ? dit-il, en prenant sa main fine entre les siennes. Laissez-moi voir… ça, c'est votre ligne de vie, ajouta-t-il en l'effleurant du bout du doigt. À l'en croire, vous avez de belles années devant vous, je dirais que vous vivrez facilement jusqu'à quatre-vingts ans.

– Je ne sais pas si cette perspective me fait très envie.

– Vous changerez peut-être d'avis. Je vois aussi des enfants. Vous en avez ?

– Non, pas encore.

– J'en vois deux ou trois. La ligne se brise un peu à cet endroit. C'est difficile d'en être sûr. »

Il continuait à lui tenir la main, qui, pendant quelques instants, se referma tendrement autour de la sienne. Elle sourit.

« Voudriez-vous me rendre un service ? demanda-t-elle.

Viendriez-vous avec moi après déjeuner dans une boutique à trois pas d'ici ? Ils ont une robe magnifique dont j'ai envie depuis un certain temps. Si je l'essayais, vous me donneriez votre avis ? »

Elle essaya non pas une mais deux robes dans l'élégant magasin, sortant de derrière le rideau en tournant légèrement sur elle-même. L'éclat blanc d'une bretelle de soutien-gorge qu'elle repoussa sous l'étoffe, comme une pensée qui lui serait venue après coup, fut pour Bowman un signe de pureté. Quand elle prit congé, ce fut pareil à la fin d'une représentation. Comme lorsqu'on se retrouve dans la rue à la sortie du théâtre. En marchant, il aperçut son propre reflet dans de nombreuses vitrines et s'arrêta pour prendre la mesure de lui-même. Il avait l'impression que cette ville lui appartenait, non pas la grande cité victorienne avec ses boiseries sombres et ses halls de marbre blanc, ses hauts bus rouges et leurs incessantes embardées, ses fenêtres et ses portes innombrables, mais une autre ville, qu'il voyait maintenant sans l'avoir jamais imaginée.

Elle accepta de dîner avec lui, mais après vingt minutes à l'attendre au bar, au cours desquelles il se sentait de plus en plus observé, il comprit qu'elle ne viendrait pas. Une difficulté liée à son mari ? Changement d'avis ? En tout cas, elle avait exclu l'idée de le revoir. Il avait pleinement conscience de sa propre insignifiance et même de sa trivialité, mais soudain, tout se renversa quand elle apparut.

« Désolée d'être en retard. Pardonnez-moi. Je vous ai fait attendre ?

– Non, ce n'est rien. »

Les minutes de désespoir s'étaient évanouies.

« J'étais au téléphone avec mon mari, et nous nous disputions, comme d'habitude.

– À quel sujet ?

– Oh, l'argent... et tout le reste. »

Elle portait un tailleur et un chemisier de soie noire. Elle rayonnait comme si tous ses problèmes étaient oubliés. Ils allèrent s'asseoir à table, et quand elle s'installa sur la banquette contre le mur, et lui face à elle, il put l'admirer tout son saoul, conscient de l'aura de brillance dont elle les entourait tous les deux.

Durant le dîner, il lui demanda :

« Êtes-vous déjà tombée amoureuse ?

– Tombée ? Si j'ai jamais été amoureuse, vous voulez dire ? Oui, bien sûr.

– Je voulais exactement dire "tombée". Cela ne s'oublie pas.

– C'est étrange que vous disiez cela. »

Elle était tombée amoureuse quand elle était toute jeune, lui confia-t-elle.

« Quel âge aviez-vous ?

– Dix-huit ans. »

Cela avait été la plus extraordinaire des expériences. Comme si on lui avait jeté un sort, expliqua-t-elle. C'était à Sienne, où elle séjournait avec une douzaine de garçons et de filles, étudiants comme elle, et elle ne se rendait pas vraiment compte de l'intensité de… Il y avait une grande roue, on montait jusqu'au ciel et, parfois, on restait suspendu là-haut, et cette fameuse nuit, le garçon assis à côté d'elle se mit à lui murmurer avec passion à l'oreille les choses les plus exaltantes, les plus extravagantes. Elle était tombée amoureuse. Elle n'avait jamais plus rien connu d'aussi fort.

Plus jamais rien d'aussi fort. Bowman se sentit découragé. Pourquoi avait-elle ajouté cela ?

« Vous savez ce que c'est, dit-elle encore. Proprement incroyable ! »

C'était du passé qu'elle parlait, mais peut-être pas seulement – il ne pouvait pas en être sûr. Elle avait une présence fraîche, presque virginale.

« Incroyable, oui, c'est le mot. »

Elle avait à peine refermé la porte de son appartement que déjà il l'étreignait et l'embrassait fougueusement, murmurant contre sa joue des paroles qu'elle ne comprit pas.

« Comment ? »

Mais il ne les répéta pas, trop occupé à ouvrir l'attache qui retenait le col de son chemisier, et elle le laissa faire. Dans la chambre, elle fit glisser sa jupe. Elle se tint un moment immobile, les bras serrés, puis elle se débarrassa du reste. Elle resplendissait. L'Angleterre était là sous ses yeux, nue dans la pénombre. Elle avait en fait souffert de la solitude, et elle était prête à être aimée. Jamais il ne fut plus sûr de son intuition. Il embrassa ses épaules nues, puis ses mains et ses doigts effilés.

Elle était allongée sous lui. Il se retenait mais elle lui fit comprendre que ce n'était pas nécessaire. Ils ne parlaient pas. Il craignait de parler. Il approcha le bout de son sexe, la toucha et, presque sans effort, il s'introduisit en elle, mais le gland seulement, s'interdisant de pousser trop fort. Il avait le contrôle absolu de sa vie. Il se concentra et la pénétra lentement, s'avançant comme un bateau, et il s'échappa d'elle un petit cri, pareil à celui d'un lièvre, quand il s'enfonça jusqu'à la garde.

Ensuite ils demeurèrent longtemps sans bouger, jusqu'à ce qu'elle se glisse à côté de lui.

« Mon Dieu !

– Que se passe-t-il ?

– Je suis trempée. »

Elle tendit la main pour prendre quelque chose sur la table de chevet puis alluma une cigarette.

« Tu fumes ?

– De temps à autre. »

Ses yeux s'étaient accoutumés à la pénombre. Il s'agenouilla sur le lit pour venir boire à sa source. Il ne s'agissait plus de caresses préliminaires. Il n'était pas épuisé. Il la regarda fumer. Au bout de quelques minutes, ils refirent l'amour. Il l'attira à lui par les poignets, comme un linge que l'on tord. Au dernier instant, elle poussa un petit cri, et il jouit encore trop vite, mais elle défaillit. Le drap étant mouillé, ils se replièrent au bord du lit et s'endormirent, lui blotti contre elle comme un enfant, repu et satisfait. C'était différent du mariage, aucune sanctification ici, mais c'était bel et bien le mariage qui avait permis cette union. Son époux était parti en Écosse. Le consentement s'était passé de mots.

Au matin, elle dormait encore, les lèvres entrouvertes, comme une adolescente sur la plage, les cheveux ras et le cou dénudé. Il se demanda s'il allait la réveiller en la touchant du bout de l'index ou en l'effleurant du plat de la main, mais ses yeux s'étaient déjà ouverts, peut-être avait-elle senti son regard, et elle étira les jambes sous le drap. Il la retourna sur le ventre comme si elle était sa chose, comme s'ils s'étaient mis d'accord.

Il s'assit dans la baignoire, une immense vasque couleur de craie telle qu'on en trouvait dans les stations balnéaires, que l'eau emplissait avec fracas. Ses yeux se posèrent par hasard sur une paire de délicats sous-vêtements blancs mis à sécher sur le porte-serviettes. Les étagères et le rebord de la fenêtre étaient encombrés de toutes sortes de pots et de petits flacons, ses lotions et ses crèmes. Il les regarda un moment, la tête ailleurs, tandis que l'eau chaude montait lentement. Il se laissa glisser plus bas quand elle lui atteignit les épaules, en une sorte de nirvana dans lequel la réalisation de tous ses désirs, et non leur renoncement, l'avait plongé. Il était au cœur de la grande ville, et Londres lui appartiendrait toujours.

Vêtue d'un peignoir pastel qui lui arrivait au-dessus des genoux et qu'elle maintenait fermé d'une main, elle servit le thé. Il était encore tôt. Il boutonnait sa chemise.

« J'ai l'impression d'être Stanley Ketchel.

– Qui est-ce ?

– Un boxeur. On a raconté une histoire fameuse à son sujet dans les journaux. Stanley Ketchel, champion du monde des poids moyens, s'est fait abattre d'un coup de revolver hier matin par le mari de la femme pour laquelle il était en train de préparer le petit-déjeuner.

– Amusant. C'est toi qui l'as écrit, cet article ?

– Non, c'est seulement une entrée en matière célèbre. J'aime les débuts, ils sont souvent très importants. Le nôtre l'a été. Difficile à oublier. Je pensais… Je ne suis pas sûr de ce que je pensais exactement, mais, entre autres choses, je me disais que c'était impossible.

– La suite a prouvé l'inverse.

– Oui. »

Ils restèrent un moment silencieux.

« Le hic, c'est qu'il faut que je reparte demain.

– Demain ! Quand reviendras-tu ?

– Je ne sais pas. Difficile d'être sûr. Tout dépend sans doute du travail. »

Il ajouta aussitôt :

« J'espère que tu ne m'oublieras pas.

– Il n'y a pas de doute là-dessus. »

Tels furent les mots qu'il garda au plus profond de lui et qu'il vint tant de fois caresser, ainsi que des images d'elle aussi nettes que des clichés. Il aurait voulu une photographie, mais il s'interdit de la lui demander. Il en prendrait une lui-même la prochaine fois et la garderait entre les pages d'un livre au bureau sans rien écrire au dos, ni nom ni date. Il s'imaginait quelqu'un la trouvant là par hasard et demandant qui c'était. Il la lui reprendrait des mains, silencieusement.

10

Cornersville

Caroline Amussen vivait depuis des années à Dupont Circle, le quartier historique de Washington, dans un appartement dont les meubles, qui étaient déjà démodés quand elle avait emménagé, n'avaient jamais été changés : c'était le même canapé à trois places, les mêmes fauteuils et les mêmes lampes, la même table en bois laqué blanc dans la cuisine où elle buvait son café le matin en fumant ; puis, après avoir lu le journal, elle écoutait à la radio son animateur favori, dont elle répétait les saillies à ses amies d'une voix qui s'était un peu éraillée, la voix de l'expérience et de l'alcool. Plusieurs femmes, divorcées ou non, étaient proches d'elles, comme Eve Lambert, qu'elle connaissait depuis l'enfance et qui avait épousé un Lambert, une famille riche à millions. Elle était régulièrement invitée chez eux et, de temps à autre, allait faire de la voile en leur compagnie, même si Brice Lambert, un sportif aux mâchoires carrées, préférait naviguer, racontait-on, en compagnie d'une jeune journaliste qui tenait une rubrique mondaine. Le yacht garantissait une intimité absolue et la rumeur voulait que Brice demande à sa petite amie de passer ses journées à bord entièrement nue. C'est ce qu'on disait. Mais comment aurait-on pu le savoir ? se demandait Caroline.

Avec ses amies, elle déjeunait, puis elle jouait aux cartes, dans l'après-midi ou la soirée. Elle restait la plus belle de leur petit groupe, et, mis à part Eve, elle avait épousé le plus beau parti. Les autres s'étaient mariées, à son avis, avec des hommes d'extraction beaucoup plus modeste ou carrément inintéressants, des représentants et des assistants de direction pour l'essentiel. Washington pouvait être une ville assez ennuyeuse. À dix-sept heures tous les soirs, les bureaux du gouvernement fédéral se vidaient et les fonctionnaires rentraient chez eux après avoir passé la journée à gaspiller l'argent que George Amussen avait gagné à la sueur de son front, se plaignait-il régulièrement. Les pouvoirs publics devraient être supprimés, ajoutait-il, tout ce fatras inutile. Les choses iraient bien mieux sans.

Le loyer de Caroline était payé par Amussen, ce qui ne représentait pas pour lui une trop lourde charge étant donné que son entreprise gérait l'immeuble entier et qu'il pouvait inclure cette somme dans ses frais généraux. Il lui versait également une pension de trois cent cinquante dollars par mois que son père complétait. Cela ne suffisait pas à donner des réceptions ou à jouer aux courses, mais il lui arrivait cependant de parier, et elle se rendait de temps à autre à Pimlico avec Susan McCann, laquelle avait failli épouser un diplomate brésilien – failli seulement, car, comme elle devait plus tard l'avouer à Caroline, au cours d'un week-end désastreux à Rehoboth, elle s'était montrée un peu coincée : depuis, il avait commencé à fréquenter une autre femme qui tenait un magasin d'antiquités à Georgetown.

Caroline, quant à elle, n'était pas malheureuse, mais plutôt optimiste. Il restait beaucoup de choses auxquelles penser, la vie qui était derrière elle, et celle qui sans doute l'attendait. Elle n'excluait pas de se remarier un jour, et avait eu des liaisons avec différents hommes au fil des ans ; aucun ne lui convenait toutefois vraiment. Elle en voulait un qui, entre autres, ferait se demander à George Amussen s'il n'avait pas commis une grossière erreur quand ils se croiseraient à nouveau, ce qui ne manquerait pas tôt ou tard de se produire, même si elle ne décolérait pas ni ne se souciait de son avis.

Dans cette existence apaisée, elle savait qu'elle buvait trop, même si un verre ou deux vous faisaient vous sentir davantage vous-même et que les gens semblaient plus vivants et séduisants quand ils avaient un peu caressé la bouteille.

« En tout cas, on se sent plus séduisante, reconnaissait Susan.

– C'est la même chose.

– Tu sors toujours avec Milton Goldman ? demanda Susan, l'air de rien.

– Non, répondit Caroline.

– Que s'est-il passé ?

– Rien en particulier.

– Je croyais qu'il te plaisait bien.

– C'est un très gentil garçon », conclut Caroline.

C'était vrai. Il possédait des biens immobiliers dans Connecticut Avenue et au-delà, mais elle se rappelait parfaitement la photo de lui enfant, vêtu de ce qui ressemblait à une robe, et affublé de longues boucles qui lui tombaient sur les côtés de la tête, comme ces hommes avec leurs chapeaux et leurs manteaux noirs que l'on voyait parfois à New York. Ce cliché lui avait fait comprendre qu'elle ne pourrait pas l'épouser, son petit monde ne l'accepterait jamais. Elle songeait à Brice Lambert, et aussi, bien que ce ne soit désormais plus la sienne, à l'existence qu'elle menait en Virginie. Mais la vie continuait, chaque semaine tristement pareille à la précédente, chaque nouvelle année à celle qui venait de s'achever, si bien qu'on finissait par ne plus très bien se repérer.

Puis un matin, un accident survint. Elle se réveilla paralysée de tout un côté du corps, et quand elle essaya d'utiliser son téléphone, elle ne pouvait plus prononcer correctement une seule syllabe. Impossible d'articuler, les mots lui emplissaient la bouche et sortaient tout déformés. Elle avait eu une attaque, lui expliqua-t-on à l'hôpital. Elle mettrait du temps à s'en remettre et ce ne serait pas facile. Dix jours plus tard, elle prenait un avion en fauteuil roulant pour s'installer chez son père à Cambridge, Maryland, sur la côte Atlantique. Beverly avait tout organisé, l'avait conduite à l'aéroport et installée à bord, mais ne pouvait rien faire de plus à cause de ses trois enfants, et maintenant Vivian allait devoir prendre le relais.

La maison se trouvait exactement à Cornersville au bord d'une petite route tranquille : c'était une belle bâtisse en brique qui datait presque de la guerre de Sécession, et tombait un peu en ruine. Warren Wain, le père de Caroline, l'avait achetée dans l'intention de la retaper et d'y passer sa retraite, mais la réfection s'était finalement révélée plus compliquée qu'il ne l'aurait cru, même avec l'aide de son fils Cook, l'oncle de Vivian. Warren Wain avait lui-même été architecte à Cleveland, estimé par ses pairs, et s'il avait légué certaines de ses qualités et de sa prestance à Caroline, son fils avait été moins gâté. Il avait également fait des études d'architecte sans toutefois réussir à décrocher son inscription à l'ordre des architectes indépendants. Il avait longtemps travaillé dans le cabinet de son père, qui dans les faits avait toujours subvenu à ses besoins. Il avait peu d'amis, et ne s'était jamais marié. Il avait eu une relation avec une femme divorcée pendant quatre ou cinq ans, et finalement demandé sa main, sans grande conviction, suggérant que peut-être ce serait mieux pour eux.

« Non, je ne crois pas, répondit-elle tranquillement.

– Je pensais que tu voulais te marier. C'est pour cette raison que je te le propose.

– Ah, c'est pour ça ?

– Oui.

– Eh bien, je ne crois pas. De toute façon, ça ne marcherait jamais.

– Ça a bien marché jusque-là.

– Sans doute parce que nous n'étions justement pas mariés.

– Mais bon Dieu de merde, qu'est-ce que tu veux à la fin ? Est-ce que tu le sais seulement ? »

Elle ne répondit pas.

La maison était en piteux état. Des briques s'entassaient contre un mur, et l'allée qui conduisait à la porte principale n'était qu'en partie terminée, moitié brique moitié terre battue. À l'intérieur, on avait posé sans les peindre des cloisons sèches pour remplacer l'ancien plâtre. Les carreaux de la porte vitrée menant à la cave étaient cassés, et Vivian vit une pile de bouteilles empilées. C'était

Cook qui les avait vidées, découvrit-elle. Elle découvrit ensuite que beaucoup de chèques avaient été rédigés à l'ordre du magasin de vins et spiritueux de Cambridge, et d'autres au porteur, Cook ayant imité la signature de son père. Le vieil homme s'en était aperçu mais ne voulait pas provoquer de conflit avec son fils. Son arthrite le faisait souffrir, et désormais, avec sa fille invalide qui ne pouvait plus s'occuper d'elle-même, les tâches de la vie quotidienne représentaient pour lui un effort presque trop grand. Mais il adorait la campagne. La propriété se trouvait près de grands espaces où l'on pouvait contempler le ciel à perte de vue, le soleil qui ondoyait et même parfois le vent. Sur le bras d'une rivière toute proche, il avait remarqué une oie blanche qui vivait là parmi les canards. Chaque fois qu'un avion passait, l'oie levait la tête, l'observait et imitait le bruit du moteur. Il voyait tout cela de l'autre côté du ciel.

Vivian s'était installée dans la pièce en cours de réfection qui devait devenir le bureau de son grand-père. Elle resta une quinzaine de jours la première fois, faisant la cuisine, conduisant sa mère à ses rendez-vous médicaux, et même une fois chez le coiffeur pour lui changer les idées. Elle était attentive et compatissante envers Caroline, mais elle restait avant tout la fille de son père. C'est lui qui lui avait appris à monter à cheval, à chasser et à jouer au tennis. Elle s'était prise de passion pour tout cela bien plus que Beverly, et elle aimait vraisemblablement aussi leur père davantage. Il représentait tout pour elle, un peu têtu, certes, mais à part ça, n'était-il pas parfait ?

Caroline, qui ne parvenait toujours qu'à grommeler quelques mots, roulait des yeux chaque fois que Vivian prononçait le nom de Cook. C'était un des signes les plus clairs de la nature de ses sentiments. Sinon, un sourire inepte restait en permanence sur ses lèvres et elle émettait une bouillie de sons. Mais dans ses yeux, on voyait que rien ne lui échappait et qu'elle gardait l'esprit vif. Tick, le labrador noir de Warren Wain, restait paisiblement couché à ses pieds, et martelait le plancher de sa queue touffue quand quelqu'un s'approchait. Comme le reste de la maison, il avait connu des jours meilleurs. Il se déplaçait avec raideur, et son museau était constellé de taches blanches, mais il avait bon fond. Cook, qui ne se donnait même pas la peine de se raser et portait invariablement un gros pull-over informe, l'emmenait souvent promener.

« Comment vont-ils ? demanda Bowman quand Vivian rentra à New York.

– Cook jette l'argent par les fenêtres et la maison est une épave.

– Et ta mère ?

– Pas très bien. Je doute qu'elle puisse rester là-bas très longtemps. Ils ne peuvent pas s'occuper d'elle. Il faut l'aider à s'habiller, sans parler du reste, tu vois ce que je veux dire. Je vais être obligée d'y retourner.

– Est-ce qu'on ne devrait pas la placer dans une sorte de maison de repos ?

– L'idée ne m'enchante pas, mais il va sans doute falloir s'y résoudre.

– Beverly ne peut pas l'aider ? Elle ne vit pas très loin.

– Beverly a ses propres soucis.

– De quoi parles-tu ? De Bryan ? Des enfants ? »

Vivian haussa les épaules.

« De ses soucis avec l'alcool, répondit-elle. C'est de famille. »

Quand elle repartit pour le Maryland, il était entendu qu'elle resterait quelques semaines de plus que la dernière fois, et lorsqu'elle arriva à Cornersville, les choses semblaient avoir empiré, pour des raisons qu'elle ne tarda pas à comprendre. Le compte en banque était dans le rouge, et le vieil homme devait prendre des dispositions. En chaussons et en peignoir, à la table du petit-déjeuner, tandis que Vivian faisait la vaisselle, il se décida à parler à son fils.

« Cook, écoute-moi. Il faut que je te dise quelque chose.

– Oui ?

– Je suis obligé de te poser la question : est-ce qu'il t'est déjà arrivé d'imiter ma signature ? demanda-t-il.

– Ta signature ? Non. Pourquoi ? Rien qu'une fois ou deux.

– Rien qu'une fois ou deux?

– Deux. Peut-être trois.» Il était de plus en plus embarrassé. «Quand tu étais trop occupé, à cause de Caroline.

– Trop occupé pour quoi faire?

– Pour aller à la banque», répondit Cook.

Wain s'assit paisiblement.

«Tu sais, quand j'étais en France, pendant la guerre…»

En fait, il se souvenait à peine de la guerre, assis face à ce fils raté, dans cette maison en chantier. Il avait bien du mal à garder le fil de ses pensées. Cook restait sur la défensive, par avance en proie à l'ennui.

«En hiver, quand il faisait froid, raconta le vieil homme, on traçait un cercle avec de l'essence, on l'enflammait et on sautait à pieds joints pour se réchauffer avant de décoller. On nous demandait pourquoi, est-ce que nous n'avions pas peur de nous brûler? Mais on allait sans doute mourir dans l'heure qui suivait, alors qu'est-ce que ça pouvait faire?»

Il avait été observateur dans l'aviation et possédait encore quelques clichés où on le voyait en uniforme. Il se rendit compte qu'il avait décidément perdu le fil.

«Je ne comprends pas.

– Qu'est-ce que tu ne comprends pas?

– Le rapport.

– Le rapport, c'est que je serai bientôt mort et le compte en banque, à sec. Il ne restera rien. La maison s'écroulera et il faudra que tu prennes soin de Caroline. Alors tout sera fini pour de bon.

– C'étaient seulement quelques chèques. Pour t'épargner des soucis.

– Si seulement c'était vrai!» soupira Wain.

Une semaine après son arrivée, Vivian, assise à la table de bois sombre poussée contre le mur, dans le bureau en cours de réfection de son grand-père, écrivait une lettre à son mari. Elle commençait par *Cher Philip*.

D'ordinaire, elle débutait par *Philip chéri*. Était-ce un acte manqué ou bien davantage ? Bowman y lut un mauvais présage et un frisson le parcourut quand il découvrit ces mots si peu familiers. Personne ne pouvait savoir ce qui s'était passé à Londres. C'était un monde à part. Il lut avec nervosité. *Caro est à peu près dans le même état. Elle a beaucoup de mal à parler et toutes ses tentatives pour communiquer l'épuisent, mais on arrive à deviner certaines choses en guettant son expression. C'est surtout moi qui me charge de la sortir, grand-père et moi. À part cela, on regarde la télévision, ou bien elle reste à mes côtés quand je fais la cuisine. Rien n'avance vraiment dans la maison. Cook est un incapable. Soit il est en ville à faire je ne sais quoi, soit il se cache dans son atelier. Mais ce n'est pas pour cela que je t'écris.*

Bowman tourna la page. Il poursuivit avec hâte et appréhension.

Je ne sais pas bien comment le dire, mais depuis un moment, j'ai l'impression que nos chemins s'éloignent et que nous ne partageons plus grand-chose. Je ne parle de rien de particulier (?)…

Arrivé là, il sauta quelques lignes. Ce point d'interrogation l'avait effrayé. Il ne savait pas ce qu'il signifiait, mais il n'y avait pas de quoi s'alarmer. *Je suppose que je ne peux pas t'en vouloir. Et je ne m'en veux pas non plus. Peut-être en a-t-il toujours été ainsi, mais au début je ne m'en rendais pas compte. Je ne trouve pas ma place dans ton monde, et je ne crois pas que tu trouves la tienne dans le mien. Je pense que je ferais sans doute mieux de retourner là d'où je viens.*

Sans qu'il puisse se l'expliquer tout à fait, ces mots résonnèrent en lui comme un glas. C'était une lettre de séparation. Deux nuits avant qu'elle ne parte, ils avaient fait l'amour, un oreiller replié sous elle, comme une enfant nue et innocente qui aurait eu mal au ventre, et il la sentit présente plus qu'elle ne l'avait sans doute jamais été, peut-être à cause de cette position, ou parce qu'ils franchissaient un nouveau seuil d'intimité. Aujourd'hui toutefois, avec un regret soudain et poignant, il voyait bien qu'il s'était trompé, et qu'elle réagissait en fait à autre chose, quelque chose qu'elle seule savait.

Papa aurait sans doute une crise cardiaque s'il m'entendait dire ça, mais je ne veux rien, et surtout pas de pension. Je ne souhaite pas que tu m'entretiennes pour le restant de mes jours. Nous ne sommes pas mariés depuis si longtemps après tout. Si tu pouvais me donner trois mille dollars pour m'aider temporairement, cela m'irait très bien. Regarde les choses en face, j'ai raison, n'est-ce pas ? Nous n'étions vraiment pas faits l'un pour l'autre. Je finirai peut-être par trouver l'homme qu'il me faut, et toi, la femme qu'il te faut, en tout cas quelqu'un qui te convienne mieux.

Son papa. Bowman n'avait jamais connu de figure masculine forte dans sa vie qui lui aurait appris à être un homme, et il avait été attiré par son beau-père malgré lui et en dépit de la distance qui les séparait. Ils n'avaient aucun lien – il n'avait pas la moindre idée de ce que son beau-père pensait ou allait faire. Il le revoyait assis à la table du petit-déjeuner avec une aisance presque criminelle, occupé à beurrer un toast et à boire son café, le matin de la tempête de neige en Virginie, quand ils avaient tous passé la nuit chez Liz. Il se l'était clairement rappelé par la suite.

Le lendemain du jour où elle avait écrit cette lettre, Vivian aperçut par hasard son oncle Cook qui passait le long de la maison en poussant une lourde brouette, et elle éprouva un choc en voyant une patte qui dépassait du bord. Elle se précipita à sa rencontre et le rejoignit au moment où il s'arrêtait devant la porte principale.

« Que s'est-il passé ? Il est blessé ? demanda-t-elle anxieusement.

– Je l'ai trouvé dans l'établi », répondit Cook.

Le chien avait les yeux fermés. Elle lui prit la patte.

« Il est mort ?

– Je crois que oui.

– Tu ferais mieux d'appeler le vétérinaire, et de le dire à grand-père », dit Vivian.

Il hocha la tête.

« Je l'ai trouvé allongé, tout simplement », ajouta-t-il.

Son grand-père sortit voir ce qu'il se passait. Il portait un vieux chapeau de paille, comme un notaire de campagne. Ils entendirent

Caroline qui criait quelques mots indistincts. Wain caressa la patte du chien, puis, tout doucement, comme s'il pensait à autre chose, il lissa son beau poil noir.

« Est-ce qu'on devrait appeler le Dr Carter ? demanda Vivian.

– Non, non, répondit Wain. C'est inutile. »

Des larmes coulaient le long de son visage. Il semblait en avoir honte. Le Dr Carter, c'était ce vétérinaire aux jambes arquées qui ne voyait pas de l'œil gauche – il avait un jour reçu un coup sur la tête. Il avait coutume de tendre le bras et de dire : « Par exemple, je ne vois pas ma main. »

Cook restait silencieux et, de l'avis de son père, imperturbable. Wain revoyait quel petit garçon il était, espiègle mais sympathique, et il songeait à ce qu'il était peu à peu advenu de lui. Il eut une vision de l'avenir : Cook, maussade et portant encore beau, descendant l'escalier pour affronter les huissiers, jambes nues sous sa robe de chambre grise à motifs cachemire, ses cheveux poivre et sel en bataille. Épuisé, affligé d'une forte migraine et totalement ruiné.

« Eh bien, qu'est-ce que vous voulez ? » dirait-il aux hommes de loi.

Il n'aurait pas la moindre idée de ce qu'il allait faire, et Caroline s'enfoncerait dans son fauteuil roulant, ayant depuis longtemps renoncé à tenter de se faire comprendre.

11
Intérim

Il ressentit d'abord de l'amertume à se retrouver seul, à avoir été quitté. Il oubliait de changer sa taie d'oreiller, il balayait lui-même. Il était en colère, mais bien forcé d'admettre qu'elle avait raison. Ils avaient mené une vie d'apparences, et pour l'essentiel elle ne faisait jamais rien, elle ne s'occupait même pas du ménage. Les serviettes étaient en général humides, le lit, fait à la va-vite, les rebords de fenêtre, poussiéreux. Ils s'étaient un jour disputés à ce sujet. Et si elle nettoyait un peu ? avait-il demandé, l'air de rien.

Elle ne daigna même pas répondre.

« Vivian, pourquoi ne consacres-tu pas un petit peu de temps au ménage ?

– Ce n'est pas mon affaire. »

Cette réponse, quoi qu'elle ait voulu dire, l'irrita prodigieusement.

« Ton affaire ? Mais de quoi tu parles ?

– Ce n'est pas mon but dans la vie.

– Je vois. Mais alors, c'est quoi, ton but dans la vie ?

– Je n'ai pas à répondre.

– Et le mien ? Tu sais ce que c'est ?

– Aucune idée », répondit-elle distraitement.

Il était fou de rage. Il aurait pu casser la table d'un coup de poing.

« Bon Dieu ! Ça veut dire quoi, aucune idée ?

– Que je n'en ai aucune idée. »

Inutile d'essayer de parler. Il avait même eu du mal à se coucher à ses côtés ce soir-là, tant il se sentait tenu à l'écart. On aurait dit qu'elle irradiait le mépris. Incapable de trouver le sommeil, il en tremblait presque. Il avait fini par prendre son oreiller et était allé dormir sur le canapé.

Maintenant, il n'y avait plus cette présence, même invisible, dans la maison – la conscience de ses humeurs et de ses habitudes avait disparu. L'appartement était plongé dans le silence. Il ne restait que sa photographie encadrée dans la chambre, avec ses yeux légèrement bridés, son nez un peu retroussé et sa lèvre supérieure arquée. La nuit, il restait à lire, un verre plein de glaçons à portée de main, le whisky ambré distillant son arôme subtil. Des paroles qu'elle avait prononcées lui restaient gravées en mémoire, il savait qu'il mettrait du temps à les oublier.

« Je t'ai donné ta chance », avait-elle déclaré.

Elle avait refusé d'ajouter quoi que ce soit. Sa chance, que voulait-elle dire au juste ?

« Vivian et moi nous sommes séparés.

– Ah, dit Eddins. Désolé de l'apprendre. Ça s'est passé quand ?

– Il y a une semaine.

– Navré, vieux, vraiment. Et c'est définitif ?

– Je crois, oui.

– Ah mon Dieu. Quand je pense au couple en or que vous formiez, polo, rente familiale !

– On ne touchait aucune rente. Son père, entre autres qualités, est extrêmement près de ses sous. Je ne me rappelle même pas qu'il nous ait offert un cadeau de mariage.

– C'est vraiment moche ! Que vas-tu faire ? Pourquoi ne viendrais-tu pas à Piermont passer quelque temps chez nous ? C'est une petite ville ouvrière, mais on s'y sent bien. Il y a deux trois restaurants et plusieurs bars. Et un cinéma à Nyack. Depuis la table de la cuisine, qui fait office de salle à manger, on aperçoit le fleuve.

– Tu vas finir par me donner envie de venir. »

Pendant un moment, il se sentit presque tenté par la vie décontractée et pastorale, la vieille maison perchée sur la colline un peu en retrait. Il s'imaginait déjà le rythme plus lent, roulant vers la grande ville dans l'éclat du matin et rentrant le soir, parfois tard, la circulation déjà plus fluide, le ciel de nuit, clair au-dessus des arbres.

« Je vais me débrouiller, finit-il par dire.

– Tu dis ça sans avoir réfléchi, mais souviens-toi que notre porte t'est grande ouverte. On te fera même une place dans notre lit. »

Ils gardèrent le silence pendant plusieurs secondes.

« Je me rappelle ton mariage, dit Eddins. La route à travers ce paysage superbe. La belle maison. Qu'est-il advenu de ce juge qui aimait les femmes à forte poitrine ?

– Ça fait un bail que je ne l'ai pas vu. »

Vivian cependant revit le juge par hasard quelque temps après son retour, même si « par hasard » n'est pas tout à fait exact. Le juge Stump avait appris la nouvelle et lui témoigna de toute sa sympathie. Il l'invita à déjeuner au Red Fox, non sans nervosité, bien qu'il soit un ami de la famille, presque un oncle en vérité. Il portait un élégant costume gris et sa coupe de cheveux était impeccable. Après une conversation polie et, comme toujours avec lui, complètement décousue, il lui communiqua quelques informations qui, pensait-il, pouvaient l'intéresser. Il achetait la demeure des Hollis, la maison de maître de Zulla Road, pas la ferme toute proche. Il le lui confia en fixant la nappe, puis il leva les yeux vers elle.

« Je déteste cette maison, dit Vivian. Je ne supporterais pas d'y vivre.

– Ah, fit le juge, blessé.

– Ça n'a rien à voir avec vous, c'est seulement que je n'ai jamais aimé cette bâtisse.

– Je l'ignorais. »

Elle était franche comme l'or, il le savait. D'une certaine façon, cela lui plaisait. Elle était la femme la plus désirable qu'il ait jamais vue. Ils n'avaient pas si souvent l'occasion de se parler, de parler vraiment. Rassemblant tout son courage, le juge se lança :

« Eh bien, il y a d'autres maisons… »

Elle mit un certain temps avant de comprendre où il voulait en venir.

« Mr Stump…

– John.

– Seriez-vous en train de… », commença-t-elle d'un air engageant.

Il n'était pas le genre d'homme à sourire de façon désarmante. Il ne souriait pas quand il annonçait une sentence ou décidait du montant d'une amende, et il voulait, dans ce cas précis, montrer combien il était sérieux. Il adoucit néanmoins un peu son expression.

« J'ai déjà connu un mariage raté », dit Vivian.

Le juge en avait connu trois, même s'il se considérait parfaitement irréprochable.

« Avez-vous pensé à Jane Clevinger ? » suggéra Vivian sans réfléchir, ignorant que Mrs Clevinger, riche et dotée d'un fort caractère, avait d'emblée repoussé le juge le jour de leur première rencontre ou presque.

« Non, non, protesta-t-il. Jane… nous n'avons aucun point commun. Nous ne partageons pas l'essentiel, les choses importantes… »

Vivian ne voulait ni entendre ni tenter de deviner de quoi il parlait.

« Je pense que vous et moi devrions rester amis », déclara-t-elle assez abruptement.

Le juge ne se laissa pas décourager pour autant. Il était satisfait des progrès réalisés. Il pouvait se montrer patient pour quelque temps, maintenant qu'il avait fait au moins connaître ses sentiments. Alors qu'ils se levaient, il désigna plus ou moins la table de leur déjeuner et suggéra :

« Ça reste entre nous, n'est-ce pas ? Strictement entre nous. »

Bowman annonça la nouvelle à sa mère. Il avait retardé le moment d'affronter sa déception et ses questions, mais il ne pouvait plus reculer. Il était venu la voir pour le week-end, incapable de le lui dire par téléphone.

« Vivian et moi nous sommes séparés. »

Il se sentit un peu honteux, comme s'il avait reconnu un échec.

« Oh, mon Dieu ! s'exclama Beatrice.

– En réalité, c'est elle qui l'a voulu.

– Je vois. Elle t'a donné une raison ? Qu'est-ce qui n'allait pas ?

– Je n'en sais rien. Nous n'étions pas faits l'un pour l'autre.

– Elle reviendra, prédit Beatrice.

– Je ne crois pas. »

Silence.

« Rien d'autre ? demanda sa mère.

– Que veux-tu dire ? Elle aurait rencontré un autre homme ? Non. Sa mère a eu une attaque mais je ne suis pas sûr que ce soit lié. Peut-être un peu.

– Une attaque ? Elle est morte ?

– Non, elle est chez son père dans le Maryland. Vivian fait ce qu'elle peut pour s'occuper d'elle.

– Je suis vraiment navrée », dit sa mère, et il ne comprit pas exactement de quoi elle parlait.

En fait, elle n'était pas navrée du tout, elle éprouvait une joie coupable.

« Je connaissais à peine Vivian, soupira-t-elle d'un ton de regret. Elle ne m'a jamais laissé l'approcher. Peut-être était-ce ma faute. J'aurais dû essayer davantage.

– Je ne sais pas trop », avoua-t-il.

Il prenait les choses stoïquement, se dit Beatrice, le signe possible d'une certaine indifférence. Ce serait merveilleux que ce soit le cas.

« On est souvent déçu par les gens, murmura-t-elle gentiment.

– Oui. »

Il y avait des choses qu'elle ignorait, bien sûr, comme les lettres aux enveloppes bordées de points rouges et bleus en provenance de Londres, *j'ai passé des heures et des heures à essayer de ne plus penser à toi*. Cette lettre, particulièrement émouvante, était toujours dans sa poche. Il l'y gardait afin de pouvoir la relire de temps à autre, dans la rue, si l'envie l'en prenait, ou à son bureau.

« Pourquoi le courrier en provenance d'Europe met-il si longtemps ? demanda-t-il à un ancien préposé durant un déjeuner. Les avions traversent l'Atlantique en quelques heures.

– C'était moins long avant la guerre, répondit l'autre. Une lettre mettait quatre jours, peut-être cinq. On la portait au bateau avant qu'il appareille, et elle était distribuée à Londres cinq jours plus tard. L'avion nous a tout simplement fait perdre une journée. »

Le beau temps était enfin revenu à Londres, écrivait-elle. Elle était pareille à un lézard, elle n'aimait rien tant que rester étendue au soleil au bord d'une piscine, ou à une grenouille sur un nénuphar, pas une très grosse grenouille, plutôt un de ces spécimens allongés qui nagent si bien. Elle était une excellente nageuse, lui avait-elle confié.

Elle lui écrivait assise sur son lit, après avoir refusé plusieurs invitations. *Tu me manques terriblement.* Et il lui avait répondu : *Je pense à toi quatorze fois par jour. Je me demande sans cesse quand tu seras à nouveau dans mes bras. Durant une demi-heure chaque matin au réveil, je garde le silence, immergé dans ton souvenir. J'imagine tes yeux qui s'ouvrent et qui me cherchent.* Il ne la connaissait pas assez bien pour lui dire le désir physique violent qu'elle éveillait chez lui, il aurait voulu pouvoir le lui exprimer mais il n'osait pas. J'aime ton corps, rêvait-il d'écrire, je voudrais t'arracher tes vêtements, comme on déballe un cadeau merveilleux. Je pense à toi, je rêve de toi, je t'imagine. Comme tu es belle. Ma trop belle.

Finalement, il écrivit toutes ces choses. Il restait sous le charme de son profil, de son sourire éclatant, de son corps nu, mais aussi des vêtements élégants qu'elle portait dans son monde lointain et privilégié.

Tu m'as fait me sentir pleinement en vie, répondit-elle.

Cet été-là, il apprit le décès de Caroline, sa belle-mère, ou plutôt son ex-belle-mère. Il l'aimait bien et appréciait son aplomb naturel quand elle avait trop bu, ce qui était souvent le cas. Les mots se bousculaient un peu, mais elle surmontait la difficulté, ne lui accordant pas plus d'importance qu'à un brin de tabac sur sa langue qu'elle aurait pu cueillir du bout du doigt. Elle avait eu une quinte de toux, puis elle était restée prostrée dans le silence avant de s'effondrer. Vivian l'avait trouvée par terre, mais elle était sans doute déjà morte, et l'était en tout cas à l'arrivée de l'ambulance. Bowman envoya une belle gerbe de fleurs, des lis et des roses jaunes dont il se souvenait qu'elle les aimait particulièrement, il ne reçut cependant aucune réponse, pas même un petit mot de remerciement de Vivian.

12

España

En octobre, ils se rendirent en Espagne. Elle y était déjà allée, quand elle était encore célibataire, avec des amis. Les Anglais adoraient l'Espagne. Comme tous les peuples du Nord, ils étaient fous du sud de la France, de l'Italie, de tous les pays de soleil.

L'immense ciel de Madrid était bleu pâle. Au contraire des autres grandes villes, la capitale espagnole n'a pas de fleuve, les larges avenues bordées d'arbres sont son unique rivière, la Calle de Alcalá, le Paseo del Prado. Des policiers étaient postés à de nombreux coins de rue, avec leurs chapeaux noirs et leurs visages sombres. Le pays retenait son souffle. Franco, le vieux dictateur, vainqueur de la cruelle guerre civile qui avait maintenu une Espagne conservatrice et catholique, était encore au pouvoir, même s'il se préparait pour la mort et la vie éternelle. Non loin de la ville, un tombeau monumental était creusé dans la roche de granit, El Valle de Los Caidos. Des centaines de bagnards œuvraient d'arrache-pied pour terminer le sanctuaire où le grand chef de la Phalange reposerait pour l'éternité sous une croix de quarante étages et où lui rendraient visite des touristes, des prêtres et des ambassadeurs, jusqu'à la disparition des derniers survivants, ceux qui avaient combattu à ses côtés. Le ciel éclatant de l'Espagne était assombri. Dans une librairie, Bowman réussit à persuader le prudent propriétaire de lui vendre un exemplaire du *Romancero gitano* de Lorca qui était interdit. Il en lut des passages entiers à Enid, qui ne fut pas impressionnée outre mesure. Le Prado était obscur, dans un état de négligence voire d'abandon ; on avait du mal à distinguer les chefs-d'œuvre. Ils déjeunèrent dans une taverne où plusieurs toreros avaient leurs habitudes, près des arènes, ainsi que dans d'autres, animées et ouvertes tard dans la nuit, et ils prirent ensuite un verre au Ritz où le barman sembla reconnaître Enid, qui pourtant n'y était jamais descendue.

Ils allèrent passer une journée à Tolède, et avant de poursuivre leur route vers Séville, où l'été s'attardait et où la voix de la ville, comme le dit le poète, vous faisait monter les larmes aux yeux. Ils empruntèrent des allées serpentant entre de hauts murs, Enid juchée sur de hauts talons et les épaules nues, et ils restèrent dans le silence du soir tombé à écouter les premières notes solennelles d'une guitare dans l'air désormais immobile. Grave et figé, un guitariste égrenait un sombre accord après l'autre, jusqu'à ce qu'une femme, assise à ses côtés mais demeurée jusque-là invisible, lève les bras et que, dans un claquement de mains pareil au crépitement d'une arme à feu, elle lâche d'une voix farouche : *Dalé!* Poussant son compagnon à accélérer le rythme, elle répétait : *Dalé! Dalé!* Puis, lentement, elle se mit à psalmodier, ou à fredonner – on ne pouvait pas dire qu'elle chantait, elle récitait des paroles connues depuis toujours, elle récitait et répétait les mêmes mots, tandis que la guitare résonnait, tels des tambours, sur un rythme hypnotique et inquiétant. C'était la célèbre *siguiriya flamenca*, et elle se mit ensuite à chanter comme si elle renonçait à la vie, comme si elle appelait la mort. Elle venait d'Utrera, gémissait-elle, la ville où Perrate était né, la ville où Bernarda et Fernanda…

Tout près de son visage, ses mains marquaient le rythme violemment ; sa voix paraissait chargée d'angoisse, elle chantait en aveugle, les yeux fermés, les bras nus, des anneaux d'argent aux oreilles et une cascade de cheveux noirs. C'était sa chanson, mais elle venait de la Vega, la vaste plaine peuplée de paysans aux visages tannés par le soleil sous la chaleur de feu, et la gitane déversait tout le désespoir et l'amertume de la vie et de ses crimes, sans jamais cesser de frapper des mains avec fougue : elle parlait d'une ville appelée Utrera, de la maison où s'était produit le meurtre, où l'amant avait été laissé pour mort, quand surgit soudain de l'ombre un homme en pantalon noir et aux cheveux longs, bras levés au-dessus de la tête, martelant le plancher de ses talons ferrés. La femme chantait avec une intensité encore accrue, parmi les accords incessants, le crépitement sauvage des talons, l'argent, le noir, le corps svelte de l'homme ondoyant comme un S, les chiens trottinant dans l'obscurité près des maisons, l'eau ruisselante d'une fontaine, le bruissement des feuilles d'arbres.

Ils s'attablèrent ensuite dans un bar ouvert sur une rue étroite, presque incapables de parler.

« Comment as-tu trouvé ça ? demanda-t-il.

– Oh, mon Dieu ! » s'exclama-t-elle pour toute réponse.

De retour dans leur chambre, il se mit à l'embrasser éperdument, lui dévorant les lèvres, le cou. Il fit glisser les bretelles de sa robe. Jamais il n'aurait à lui une femme aussi belle. Son ancienne vie enchaînée était derrière lui, transformée par une sorte de révélation. Ils firent l'amour comme s'il s'agissait d'un crime de sang ; il la tenait par la taille, mi-femme, mi-urne, pesant de tout son poids. Elle criait comme à l'agonie, tel un chien qui hurle à la mort. Ils s'effondrèrent, frappés par la foudre.

Il se réveilla quand la lumière vint effleurer les délicats rideaux de dentelle. Un bon bain le reconstitua. Elle dormait encore, elle ne semblait pas même respirer. Alors qu'il restait là, émerveillé, à la regarder, la main d'Enid sortit des draps et vint à sa rencontre, puis elle repoussa la serviette et ses doigts se refermèrent doucement autour de son sexe. Sans un mot, elle l'observa. Il avait commencé à bander. Une petite goutte translucide lui tomba sur le poignet qu'elle porta ensuite à sa bouche.

« Je me suis trompé de mari », dit-elle.

Elle se retourna à plat ventre et il s'agenouilla entre ses jambes pour ce qu'il lui sembla une éternité, puis il entreprit sans se presser de les disposer autrement, comme pour installer un tripode. Dans la lumière du petit matin, elle était parfaite, son dos superbe, la plénitude de ses hanches. Elle le sentit entrer doucement en elle,

elle glissa la main entre ses jambes, et il était là, devenant peu à peu partie d'elle. Le rythme lent et régulier s'imposa, pratiquement sans aucune variation, mais au fur et à mesure des minutes il se fit de plus en plus intense. Au-dehors, la rue était complètement silencieuse ; dans les chambres adjacentes, les clients dormaient encore. Elle se remit à crier. Il tentait de ralentir l'allure, il aurait voulu à la fois que cela cesse et continue, mais elle tremblait comme un arbre sur le point de tomber, ses gémissements passaient subrepticement sous la porte.

Quand ils se réveillèrent après neuf heures, le soleil inondait tout un mur. De retour de la salle de bains, elle se recoucha près de lui.

« Enid ?

– Oui.

– Puis-je te poser une question pratique ?

– C'est-à-dire ?

– Je n'ai utilisé aucune protection…

– Eh bien, si quelque chose devait se passer… si quelque chose devait se passer, je dirais que c'est lui le père.

– Quand les hommes ont des liaisons, est-ce qu'ils couchent encore avec leur femme ?

– Je suppose que oui, mais pas dans ce cas. Cela fait un an qu'il ne m'a pas approchée. Et même plus. Je suppose que tu t'en es rendu compte.

– C'est un peu décevant. Je pensais que tout le mérite m'en revenait.

– Mais il t'en revient. »

À l'extérieur, le soleil déversait des flots de lumière. À l'intérieur de l'immense cathédrale, les restes de Christophe Colomb dans leur cercueil ouvragé étaient soutenus par les statues des quatre rois d'Aragon, de Castille, de León et de Navarre, et le trésor comprenait encore de l'or et de l'argent venus du Nouveau Monde.

Séville, la ville de don Juan, l'Andalousie, le pays de l'amour. Son poète était Garcia Lorca, avec ses cheveux noirs, ses sourcils sombres, et le visage effilé comme celui d'une femme. Homosexuel, il s'affirma comme un des anges de la renaissance de l'Espagne dans les années vingt et trente. Ses livres et ses pièces résonnaient d'une musique pure et fatale, ses poèmes étaient hauts en couleur et vibraient d'une émotion violente et du désespoir amoureux. Né dans une famille riche, ses sympathies et son amour allaient toutefois aux pauvres, ces hommes et ces femmes qui travaillaient toute leur vie dans des champs brûlés de soleil. Il en vint à mépriser l'Église qui faisait si peu pour eux, et devint le dramaturge et l'ami des gitans. Sa première passion était la musique ; il jouait inlassablement du piano dans sa chambre à l'étage de sa maison aux abords de la ville. Sa couleur était le vert, et aussi l'argent, la couleur de l'eau dans la nuit, et des immenses plaines qu'elle irriguait et rendait fertiles.

Quand un poète devient célèbre, sa renommée ne ressemble à celle de nul autre, c'est celle que connut Lorca. Il fut assassiné en 1936, au tout début de la guerre civile : arrêté et exécuté par les forces d'extrême droite, on l'enterra dans une tombe anonyme qu'on l'avait forcé à creuser. La destruction du génie pur est naturelle, elle ne fait que le confirmer. Et de la mort, comme le disait Lorca lui-même, rien ne saurait consoler, ce qui est une des beautés de la vie.

Parmi les plus sublimes de ses poèmes, on compte le chant funèbre composé pour la mort de son ami, un torero qui avait pris sa retraite mais était retourné dans l'arène en hommage à son beau-frère, le grand Joselito. Vêtu de son habit brodé et ajusté, peut-être un peu trop serré, il combattait dans une arène de province quand un cri monta de la foule. La corne incurvée du taureau, telle une dague acérée, avait déchiré la fine étoffe du pantalon et la chair blanche qu'il recouvrait.

Deux jours après s'être fait encorner, *trompe de lis dans l'aine verte*, Ignacio Sánchez Mejias mourut à l'hôpital de Madrid où il avait exigé d'être transporté. Rappelant une musique liturgique pareille à un glas funèbre, la célèbre lamentation commence. *A las cinco de la tarde* – à cinq heures du soir. La chaleur est encore accablante. L'homme mortellement blessé, toujours dans son habit de lumière déchiré, gît dans la petite infirmerie.

À cinq heures du soir.

Les vers se répètent et roulent comme des vagues. Un enfant apporte un drap blanc, à cinq heures du soir. Le lit est un cercueil sur roues, à cinq heures du soir. Venue de loin, la gangrène s'installe, à cinq heures du soir. Ses blessures brûlent comme des soleils, à cinq heures du soir, et la foule casse les carreaux.

On vit, disait Lorca, quand on meurt et qu'on se souvient de vous. La mort de Mejia, en 1934, était comme l'apprentissage de la sienne propre, annoncée mais encore inconnue. La terrible tempête qui allait déchirer le pays se préparait. L'enfant au drap blanc approchait, le seau de chaux vive était prêt, et la terre tassée de l'arène était déjà plongée dans l'ombre.

Il lut le *Chant funèbre pour Ignacio Sánchez Mejias* à haute voix pour la première fois devant une salle pleine de gitans durant la semaine sainte, puis il dormit dans l'immense lit blanc d'un danseur flamenco, *la rose solitaire de ton souffle sur ma joue.*

Ce jour-là, ils déjeunèrent dans un restaurant au-dessus d'un bar, avec un étroit escalier que les serveurs devaient emprunter chargés de leurs plateaux. C'était une terrasse ouverte aux quatre vents, une bâche de toile faisant office de toit. Ils étaient assis dans un coin tranquille, mais sortir avec elle signifiait être le point de mire de tous les regards. En contrebas, le fleuve coulait lentement.

« C'est quoi, les *almejas* ?

– Où vois-tu ça ?

– Là, dit-il. *Almejas a la Casera.*

– Pas la moindre idée. »

Ils commandèrent du merlan, une friture de petits poissons et des pommes de terre. Malgré l'épaisseur de la toile, le soleil était brûlant. Toutes les tables étaient pleines, l'une d'elles occupée par un groupe d'Allemands qui riaient bruyamment.

« C'est le Guadalquivir, dit Bowman en le montrant du doigt.

– Le fleuve.
– J'aime les noms propres. Toi, tu as un bien joli nom.
– La célèbre Mrs Armour.
– J'aime aussi poser mes mains sur toi.
– Oui, je sais.
– Vraiment ?
– Mmm. »

Ils partirent pour Grenade. La campagne écrasée de soleil flottait derrière les vitres du train. Ils traversaient des collines, des vallées, des milliers et des milliers d'oliviers défilaient. Enid dormait. Surgi d'un rêve ou d'une contrée inconnue, un faible ronflement, pareil à celui d'un enfant, lui échappa. Quelques secondes seulement. Jamais elle n'avait paru plus sereine.

Dans le lointain, sur une petite colline près d'un village, on apercevait une maison blanche entourée d'arbres, une maison où ils auraient pu vivre ensemble, la chambre donnant sur un jardin silencieux, frais et vert, avec des portes-fenêtres ouvrant sur le balcon qui le surplombait, des matins d'amour où les rayons obliques du soleil zébraient le plancher. Elle prendrait son bain en laissant la porte ouverte, et le soir, ils descendraient en voiture jusqu'à la ville – il ne savait absolument pas laquelle, pas très éloignée en tout cas, toutes étaient magiques – et puis ils rentreraient sous les étoiles dans la nuit profonde.

En même temps, il ne lui faisait pas totalement confiance, comment aurait-il pu en être autrement, surtout quand elle gardait le silence ou se montrait songeuse ? Il pensait alors qu'il était l'objet de ses pensées, ou pire encore, qu'il n'y avait aucune place. Elle lui jetait parfois un coup d'œil rapide, comme pour le juger. Mieux valait ne pas lui révéler ses craintes, mais elle le mettait mal à l'aise avec son calme inaltérable. Il lui arrivait de partir faire une course, d'aller à la pharmacie ou au consulat – jamais elle ne s'était donné la peine d'expliquer quelles démarches elle allait y faire –, et alors il était soudain parfaitement sûr qu'elle partait pour de bon, qu'en rentrant à l'hôtel, ses bagages auraient disparu, l'employé de la réception ne saurait rien. Il se précipiterait dans la rue, à la recherche de ses cheveux blonds dans la foule.

En vérité, avec certaines femmes, on n'est jamais sûr de rien. Ils étaient en voyage depuis dix jours et il croyait la connaître. Dans leur chambre, il la connaissait, au moins la plupart du temps, et aussi dans le bar aux boiseries acajou de l'hôtel, mais en vérité il était impossible de connaître quelqu'un vingt-quatre heures sur vingt-quatre, et encore moins ses pensées, sur lesquelles il était inutile de poser des questions. Elle ne sembla même pas remarquer la présence du beau barman, tant elle paraissait plongée dans ses réflexions. L'homme était habitué à susciter l'admiration et se tint à quelques pas, apparemment inconsolable. Enid finit par avouer qu'elle haïssait l'idée même de rentrer à Londres.

« Moi aussi », déclara Bowman.

Elle demeura silencieuse.

« Ton mari, poursuivit-il.

– Oh ! en partie seulement. Bon, d'accord, un peu plus qu'en partie. Je ne veux pas quitter l'Espagne. Pourquoi ne viens-tu pas vivre à Londres ? »

Il ne s'y attendait pas.

« Vivre à Londres, dit-il. Est-ce que tu comptes demander le divorce ?

– Je voudrais vraiment, mais c'est encore trop tôt.

– Et pourquoi ça ?

– Il y a deux ou trois raisons. L'argent en est une. Il ne me donnera rien.

– La loi pourrait l'y contraindre.

– Je suis épuisée rien que d'y penser. La bataille. Les tribunaux.

– Mais tu serais libre… ?

– Libre et seule.

– Tu ne serais pas seule.

– C'est une promesse ? » demanda-t-elle.

Ils ne rentrèrent pas à Londres ensemble. À Madrid, il prit un avion pour New York. Par hasard, il se trouva que le siège à côté de lui était vacant, et il resta longtemps à regarder par le hublot, puis il se rencogna au fond de son siège avec un sentiment de plénitude et de bonheur profond. L'Espagne commençait à disparaître. Enid l'y avait amené. Il s'en souviendrait pendant très longtemps. Les hautes et vastes marches du grand hôtel, l'Alfonso XIII, que banquiers et généraux nationalistes avaient gravies comme s'ils montaient à l'autel. Les allées du Retiro, les rangées de statues blanches.

Sur la page de garde du recueil de poèmes de Lorca, il nota soigneusement les noms des hôtels, le Reina Victoria, le Dauro, le del Cardenal, le Simón. Ils avaient dormi dans un lit avec quatre oreillers, perdus dans leur blancheur moelleuse. Le mot espagnol pour nu est *desnudo*. Si semblable dans toutes les langues, avait-elle observé.

Il commanda à boire. Les annonces diverses étaient terminées et on n'entendait plus que le ronronnement régulier des moteurs. Il eut l'impression de se dédoubler, mais il pensait aussi à lui-même. Il se voyait, tout entier, depuis la main qui tenait le verre jusqu'aux pieds. Quelle chance il avait ! Il apercevait la jambe d'un inconnu, un passager de première classe, vêtu d'un complet gris. Il se sentit supérieur à ce type, qui qu'il soit, supérieur à tous les autres. « Tu sens le savon », lui avait-elle dit. Il avait pris un bain. « Toutes tes odeurs d'homme se sont envolées. – Elles reviendront », avait-il rétorqué. La jambe de complet gris lui faisait penser à New York, à son travail. Il songea à Gretchen et aux marques sur sa peau qui, d'une certaine façon, la rendaient encore plus désirable. Il repensa à cette fille en Virginie ce Noël-là, Dare, qui exsudait une telle sensualité, elle se serait offerte à vous sur-le-champ… si vous étiez celui qu'elle attendait. Maintenant, cela lui était arrivé, à lui aussi, il avait été en Espagne auprès d'une femme qui lui avait donné un sentiment de toute-puissance. Il avait franchi une ligne. Ses cheveux blonds, sa silhouette élancée. Il était désormais la personne qu'il avait toujours voulu être, un homme accompli, déjà habitué à ce miracle. Enid fumait de temps à autre, et elle exhalait lentement les volutes parfumées. Au Ritz, la lumière la rendait belle. Le cliquetis de ses hauts talons. Elle était unique, elle n'aurait jamais sa pareille.

Un jour, plus tard au cours de l'automne, il retournait au bureau après le déjeuner. La fraîcheur commençait à s'installer, les passants dans la rue avaient le visage vivifié par le vent. Le ciel était incolore, et de la lumière brillait aux fenêtres des immeubles, comme cela se produisait de plus en plus tôt. Le bureau semblait anormalement calme, tout le monde était-il sorti ? Il n'était pas si tard. Non, ils n'étaient pas rentrés chez eux, ils écoutaient la radio. Quelque chose de terrible venait de se produire. Le Président avait été assassiné à Dallas.

13
Le paradis

Dans la petite maison blanche de Piermont, en compagnie de sa femme et de Leon, Eddins menait l'existence d'un roi philosophe. L'intérieur restait meublé de façon rudimentaire : deux vieux fauteuils en osier rembourrés par des coussins de part et d'autre du canapé, et un tapis d'Orient bien fatigué. Il y avait des livres, des tables de chevet en bambou dans la chambre, et un certain sens de l'harmonie. Il ne manquait rien. Dans la cuisine, qui tenait lieu de salle à manger, trônait la table où ils prenaient leurs repas et devant laquelle Eddins aimait s'asseoir pour lire, une cigarette se consumant lentement dans un fume-cigarette en ambre, goûtant le plaisir de son environnement, comme si la maison reposait pour ainsi dire sur ses épaules, sa femme et Leon dormant paisiblement à l'étage, tandis que lui, tel Atlas, en supportait vaillamment le fardeau.

Dans leur petite bourgade, ils s'habillaient de façon décontractée, Eddins, ainsi qu'il se plaisait à le répéter, attifé comme un peintre en bâtiment, ce qui convenait parfaitement aux lieux. Il portait un pardessus, une écharpe, une veste de costume sur un pantalon de jogging, et un chapeau mou, ce qui ne l'empêchait pas de se mettre sur son trente et un pour aller à New York. Il s'y rendait en voiture, la plupart du temps seul, rempli d'allégresse quand il traversait le George Washington Bridge et apercevait la ligne des gratte-ciel à l'horizon. Le soir, roulant de façon plus décontractée sur une route moins encombrée au fur et à mesure qu'il s'éloignait de la grande ville, il rentrait en vibrant encore un peu de l'énergie de Manhattan.

Pendant longtemps, ils donnèrent à tous l'image d'un de ces jeunes couples qu'on envie, un couple libre de toute habitude et de toute attache, libre même de tout poids du passé. Lors des réceptions par exemple, il n'était pas rare qu'elle lui prenne le pouce dans sa main quand personne ne la regardait. Le soir, ils regardaient la télévision au lit, écoutant l'escalier craquer, et ne se donnant même pas la peine de crier à Leon d'éteindre sa lampe. La nuit pénétrée par le silence du grand fleuve. La nuit traversée par les averses. La charpente entière gémissait en hiver, et en été la chaleur était aussi étouffante qu'à Bombay. À cause de Leon, ils ne pouvaient plus paresser nus dans le jardin, comme William Blake et sa femme, mais sur leur tête de lit, elle avait gravé un petit signe cabalistique qui signifiait *Umda*, un roi ou un chef de guerre égyptien, et lui ne portait que le pantalon de son pyjama.

Dans leur bourgade et dans le village voisin, Grand View, ils s'étaient fait des amis. Chez Sbordone's un soir, ils rencontrèrent un peintre à l'air triste, un certain Stanley Palm qui ressemblait à Dante sur le tableau qui le représente découvrant Béatrice pour la première fois, et qui vivait dans une maison en parpaings au bord de la rivière avec un petit atelier attenant. Il était séparé de sa femme, Marian, avec laquelle il était resté marié pendant douze ans, et ils avaient une fille de neuf ans prénommée Erica. Erica Palm, se dit Eddins. Il trouvait que ça sonnait bien. Erica et Leon. C'était inhabituel et très moderne, les deux enfants étaient issus de couples divorcés, ou au moins désunis. Dans le cas de Palm, c'était parce que sa femme s'était découragée et qu'elle avait perdu tout espoir le concernant : il n'allait nulle part. Pas de galerie à New York, personne ne le connaissait. Il enseignait trois jours par semaine au département d'arts graphiques du City College, et le reste du temps il travaillait dans son atelier à des toiles le plus souvent monochromes.

Palm n'avait pas eu beaucoup de veine avec les femmes, même s'il continuait de garder espoir. Dans les bars, en particulier, il jouait de malchance. Un jour par exemple il alla prendre un verre en ville et, à une femme qui semblait sans compagnie, il se risqua à demander :

« Vous êtes seule ? »

Facile de deviner où il voulait en venir.

« Non, mon ami est parti me chercher quelque chose à boire. »

Palm ne voyant personne au comptoir finit par demander :

« Vous venez d'où ?

– De la lune, répondit-elle sèchement.

– Ah ! Moi, de Saturne.

– Ça se voit. »

Il était séparé depuis plus d'un an. Il avait du mal à comprendre certaines choses, confessa-t-il à Eddins. De nombreux peintres qui se débrouillaient très bien n'étaient franchement pas meilleurs que lui. Pour certains, tout semblait tellement simple. Cédant à une impulsion, un soir il appela Marian :

« Salut, ma jolie.

– Stanley ?

– Oui, répondit-il d'un ton légèrement menaçant. C'est Stanley.

– L'espace d'une seconde, je n'avais pas reconnu ta voix. Tu as l'air un peu bizarre.

– Ah oui ?

– Tu as bu ?

– Non, non, tout va bien. Qu'est-ce que tu fabriques ? demanda-t-il, plus joyeux.

– Comment ça ?

– Et si tu venais faire un petit tour par ici ?

– Un petit tour ? »

Il décida de se jeter à l'eau, dans l'esprit du temps.

« J'ai envie de te sauter, lâcha-t-il assez précipitamment.

– Oh, mon Dieu !

– Non, je suis sérieux, je t'assure. »

Elle changea de sujet : à l'évidence, il avait bu ou entendu une chose ou une autre.

« Dis-moi un peu ce qui t'arrive.

– Rien du tout. Je pensais à nous, c'est tout. Tu pourrais te montrer un peu plus compréhensive.

– J'ai déjà donné.

– Je me sens vraiment seul.

– Ce n'est pas de solitude qu'il s'agit.

– De quoi, alors ?

– Je ne peux pas venir.

– Pourquoi pas ? Pourquoi ne pas être un peu généreuse ?

– Je l'ai été. Plus souvent qu'à mon tour.

– Ça ne m'est pas d'un grand secours en ce moment précis.

– Tu t'en remettras. »

La conversation se poursuivit durant quelque temps. À la fin, elle lui demanda s'il se sentait mieux.

« Non. »

Puis un jour, au Village Hall, où il était allé avec des affiches pour une exposition à laquelle il participait, il croisa une brune en pull moulant qui lui parut sympathique. Elle s'appelait Judy, elle était plus jeune que lui, mais ils bavardèrent néanmoins un moment. Elle se dit impressionnée qu'il soit peintre, il était le premier qu'elle rencontrait. Elle le reconduisit à Piermont, et, sur la route, comme en transe, il tendit la main et la glissa sous sa veste en cuir, telle une rock-star, pendant qu'elle était au volant. Elle ne broncha pas et devint sa petite amie. Rapidement, il lui fit part de son idée : il voulait ouvrir un restaurant, du genre de ceux qu'on trouve à New York, fréquenté par des peintres et des musiciens. Ce serait un restaurant italien, et il avait déjà choisi le nom, le Sironi's, en hommage à un peintre qu'il aimait.

« Le Sironi's.

– Oui. »

Judy se montra enthousiaste. Elle ferait tout pour l'aider et voulait même être associée à part entière. Palm eut l'impression que son rêve devenait réalité, le genre de rêve qui ne meurt presque jamais. S'il avait été décidé que le Sironi's serait en ville, il y avait aussi une possibilité d'installation sur la route W9. Judy préférait le centre, elle n'aimait pas l'idée d'être loin de tout, surtout la nuit.

« Pourquoi s'enterrer là-bas ?

– Eh bien, il y a un vieux local à louer près d'un virage. Marian n'aimait pas beaucoup l'idée non plus.

– Qu'est-ce que Marian a à faire là-dedans ? » demanda Judy.

Stanley sentait depuis le début que ça ne collerait pas entre elles, et il avait même été réticent à l'idée que Judy passe officiellement la nuit chez lui. Il la faisait se garer un peu plus loin dans la rue.

« Qu'est-ce qui te dérange ? Tu as peur qu'on me voie ?

– Non, c'est pas ça. C'est à cause d'Erica.

– Marian ne sait pas que tu as une copine ? Et puis, en quoi ça la regarde de toute façon ?

– Marian n'a rien à voir là-dedans, et ce qu'elle pense m'est égal. Je m'en fous complètement.

– On ne dirait pas ! »

Stanley était embarrassé. Il parlait très souvent à sa femme, elle appelait parfois quand Judy était dans les parages. Il n'y avait aucun doute sur son interlocutrice. Mais un artiste n'avait que faire de la mentalité et des valeurs bourgeoises. Il demanda à Marian d'écrire une lettre déclarant qu'il était libre de voir qui il voulait et de faire l'amour avec qui il souhaitait, mais elle refusa d'ajouter « n'importe où et de n'importe quelle façon ».

Judy lut la lettre et se mit à pleurer.

« Qu'est-ce qui ne va pas ?

– Oh, mon Dieu !

– Parle !

– Tu as besoin de sa permission. »

Malgré les esquisses en couleur qu'avait réalisées Stanley de la devanture et du bar du Sironi's, un événement imprévu vint mettre fin au projet. Le maire, élu et réélu depuis des années, un homme dont la famille et de nombreux parents vivaient en ville, avait depuis un certain temps une liaison avec une caissière de la Tappan Zee Bank. Ils étaient en train de se livrer à leurs ébats une nuit dans sa voiture quand un policier zélé s'était approché et avait éclairé la scène avec sa lampe électrique. La caissière cria au viol avant de recouvrer son calme, et le maire s'efforça de tout expliquer au représentant de l'ordre qui malheureusement n'était autre que le chef de district. Tous les efforts déployés par le maire pour le convaincre de ne pas consigner l'épisode furent vains, et il en résulta une guerre ouverte dans la communauté, où l'épouse blessée se rangea du côté de la police. S'ensuivit la paralysie générale des services administratifs, et l'établissement de la licence du Sironi's fut repoussé *sine die*.

En ville, un jour, Eddins déjeunait au Century Club, dans un décor raffiné de tableaux et de livres, avec Charles Delovet, un agent littéraire à succès, élégant jusqu'au bout des ongles et affligé d'une légère claudication, due, disait-on, à un accident de ski. On ne le remarquait pas facilement, mais une de ses chaussures était équipée d'un talon compensé. Delovet avait beaucoup d'allure et il plaisait aux dames. Entre autres clients importants, on chuchotait qu'il s'occupait de Noël Coward, et aussi qu'il possédait un yacht amarré à Westport sur lequel il donnait des réceptions en été. Dans son bureau, il avait un cendrier en céramique, un souvenir des Folies-Bergère avec en relief les longues jambes d'une danseuse et une inscription gravée sur le bord : *Faire plaisir aux femmes, ça coûte cher*. Il avait été éditeur autrefois, et il aimait les écrivains, il les aimait même beaucoup. Il en rencontrait rarement qu'il n'aimait pas ou qui n'aient pas au moins des qualités qu'il apprécie. Il y en avait cependant un petit nombre. Il détestait les plagiaires.

« Penelope Gilliatt. Et Kosinsky, dit-il. Quelle usurpatrice ! »

Du temps où il était éditeur, souligna-t-il, il achetait des livres. Maintenant, en tant qu'agent, il les vendait. C'était beaucoup plus facile que de décider ou non d'acquérir les droits d'un manuscrit, et mieux encore, une fois que le livre était vendu, votre responsabilité s'arrêtait là. L'éditeur s'occupait de tout, et si l'ouvrage marchait bien, vous touchiez des dividendes. Dans le cas contraire, il restait toujours des manuscrits à caser dans le vaste monde. On avait aussi la chance, expliqua-t-il, de voir un auteur mûrir et progresser, une vraie relation s'établissait.

Une des innovations importantes introduites par Delovet avait été d'annoncer que désormais tous les manuscrits soumis seraient lus. Il réclamait une certaine somme pour cela. Une équipe de lecteurs passait son temps à évaluer les propositions et à expédier des lettres de refus. *L'intrigue manque un peu de vigueur. Si les personnages étaient plus aboutis, votre roman serait en mesure de trouver un éditeur… Certaines parties de votre texte nous ont paru tout à fait stimulantes… Ce n'est pas exactement notre tasse de thé…*

Allez vous faire foutre avec votre tasse de thé, avait un jour répondu un écrivain furieux.

Il avait aussi eu l'idée de mettre les livres aux enchères auprès de plusieurs éditeurs à la fois, au lieu de les soumettre à l'un après l'autre comme c'était la coutume, attendant une réponse avant de passer au suivant. Les éditeurs commencèrent par refuser la pratique, mais peu à peu ils rompirent les rangs et acceptèrent de proposer un prix si un livre était suffisamment prometteur ou si un auteur était déjà assez célèbre.

Durant le déjeuner ce jour-là, la conversation fut aimable et chaleureuse. Cela tenait peut-être au parfum de réussite qui émanait de Delovet, son blazer de prix et la cravate en soie qui semblait n'avoir jamais été nouée avant ce jour. Eddins se sentit conquis.

« Dites-moi, Neil, combien gagnez-vous par an ? »

Nous y voilà, se dit Eddins. Il ajouta deux ou trois mille dollars à la somme annuelle et il l'annonça sans hésiter. Delovet fit un geste pour indiquer combien il la trouvait dérisoire, apparemment cela ne valait même pas la peine d'en parler. Il expliqua que ce chiffre était inférieur à ce qu'il devait être.

« Est-ce que je devrais considérer cela comme une offre d'embauche ? s'enquit Eddins.

– Mais absolument », répondit Delovet.

Ils se mirent sans tarder d'accord sur un nouveau salaire.

Robert Baum savait qu'il était fréquent qu'un éditeur quitte la maison pour un salaire plus haut ou un meilleur emploi. Il comptait sur la réputation de sa maison pour compenser. Il connaissait Delovet personnellement, et n'ignorait rien des rumeurs selon lesquelles certains écrivains qu'il représentait ne recevaient jamais leurs droits d'auteur, en particulier les droits étrangers, si difficiles à établir. Il donna de Delovet une description succincte :

« C'est un escroc. »

Eddins se fit couper les cheveux et s'acheta un imperméable pour l'automne à la Bristish American House. Il entrevoyait déjà une vie qui allait lui plaire. Au début, il fut surtout chargé de régler les détails d'affaires en cours, avec des clients de second ordre, y compris deux écrivains du Sud, dont l'un avait commencé par être pasteur dans le Missouri et possédait, de l'avis d'Eddins, un réel talent.

Tout se passait par courrier. Eddins tapait ses lettres à la machine ou en laissait le soin à la secrétaire : il annonçait aux auteurs quelle maison d'édition avait refusé leur texte, joignant éventuellement quelques mots d'encouragement émanant d'un éditeur. Il leur conseillait de se tourner vers *Harper's Magazine* ou *The Atlantic Monthly*, s'efforçait de leur apporter du réconfort. Il aimait les écrivains, certains d'entre eux en tout cas, comme les alcooliques et ceux qui parlaient la même langue que lui. Le pasteur défroqué par exemple avait écrit une histoire capable de vous arracher des larmes sur une femme décharnée qui vivait dans une ferme en compagnie d'une truie aveugle, mais personne ne voulait la publier. Flannery O'Connor semblait avoir épuisé toutes les possibilités de nouvelles du Sud, avait fait remarquer l'auteur avec amertume.

Eddins leur vouait une sincère sympathie. Il avait presque l'impression d'entendre leur accent traînant et chantant à la fois. Ils habitaient tous à la campagne, dans des coins reculés. Son deuxième client vivait dans une ferme isolée en compagnie de son père vieillissant. Eddins craignait de les décevoir. Il fallait toujours faire ce qu'on attendait de vous, tel était le code implicite. Si, à l'âge de cinq ans, on vous envoyait travailler aux champs, vous y alliez et vous ne vous en portiez sans doute pas plus mal. Si on vous appelait sous les drapeaux, vous obéissiez, même si cela ne vous rapportait pas grand-chose par la suite, comme son père ou ces hommes avant lui qui, après la défaite, avaient parcouru des centaines et des centaines de kilomètres à pied pour tenter de reconstruire leurs vies.

Les choses en arrivèrent au point où il finit par suggérer à Delovet de consentir une avance aux deux écrivains, comme le faisaient parfois certains éditeurs, ou même de leur attribuer une petite rente mensuelle : l'idée ne fut même pas discutée. Le yacht de Westport n'avait pas de moteur en fait, mais Eddins ne le découvrit que beaucoup plus tard. Entre-temps, il apprenait tout ce qu'il fallait savoir – et même plus – sur son nouveau métier d'agent. Dena venait faire un tour en ville, comme elle disait, et s'offrir un bon dîner quand l'envie lui en prenait. Une fois ou deux, ils s'offrirent un week-end tous les trois dans un grand hôtel en assez piteux état dans la partie basse de la Cinquième Avenue.

Ils passèrent le réveillon du Nouvel An à Piermont, chez Sbordone's, en compagnie de Stanley et de sa petite amie. La serveuse avait des problèmes de circulation du sang dans les jambes, et à la fin de la soirée, éreintée, elle s'était assise à table avec eux. Le Premier de l'An, par un matin clair et silencieux, Eddins se réveilla tôt dans son lit douillet. Dena dormait d'un sommeil paisible, son visage aussi pur et serein que toujours. Il se sentait épuisé mais, en même temps, frais comme un gardon et plein de désir. Il fit doucement glisser les couvertures, et la caressa jusqu'à ce qu'elle se réveille à moitié, sa main posée au creux de ses reins s'aventurant plus bas encore. D'une pression des doigts, elle accepta. Ils entendaient leur fils au rez-de-chaussée, et ils s'appliquèrent à ne faire aucun bruit tandis qu'ils accueillaient l'aube nouvelle. Ils se rendormirent ensuite enlacés. Le Nouvel An. 1969.

14

Moravin

Un vieil écrivain, William Swangren, jouissant encore d'un certain respect grâce à un livre ou deux publiés il y a longtemps, avait soumis un manuscrit qu'ils allaient être obligés de refuser, une sorte de *Mort à Venise* version américaine, assez élégamment composé mais un peu passé de mode. Bowman, pour le lui annoncer, l'avait invité à déjeuner, cependant Swangren expliqua que, cela lui étant impossible, ce serait plus facile pour lui s'ils se retrouvaient chez lui. Un peu agacé par ces manières de grand seigneur, Bowman accepta néanmoins.

L'immeuble, en brique blanche ordinaire, perdu parmi d'autres tous semblables proches de la Deuxième Avenue, n'était pas ce à quoi il s'attendait. Le hall d'entrée était étroit et le liftier n'était même pas en uniforme. Swangren, en chemise à carreaux et nœud papillon, vint lui ouvrir lui-même. C'était un petit appartement plutôt congestionné, et les fenêtres donnaient toutes sur les bâtiments en face. Les meubles n'avaient aucun style particulier, il y avait entre autres un canapé convertible, des bibliothèques, une porte fermée communiquant avec la chambre – Swangren avait un compagnon nommé Harold avec lequel il vivait depuis longtemps –, et, près de la cuisine, une grande estampe encadrée, d'un bleu métallique, représentant un jeune homme nu dont le sexe pendait paresseusement entre ses jambes. Sur la table-bar juste au-dessous, Swangren leur prépara du thé glacé sans cesser de parler. Il avait encore une jolie silhouette, ses cheveux d'un blanc délavé – le sort de tous les blonds – et des taches de nicotine au coin des lèvres. Sa conversation n'était qu'anecdotes et commérages, comme s'il vous connaissait depuis toujours : il avait d'ailleurs rencontré tout le monde, Somerset Maugham, John Marquand, Greta Garbo. Il avait vécu pendant des années en Europe, surtout en France, et il était un familier des Rothschild.

Ils bavardèrent avec plaisir. Manifestement, Swangren appréciait la compagnie. Il parla des scandales qui agitaient l'Académie américaine, de certains de ses membres discutables, et des querelles entre poètes. Il évoqua aussi l'homosexualité dans l'Antiquité, le coït intercrural des Grecs, et la gonorrhée qu'il avait personnellement contractée. Pendant dix-huit mois un médecin français devait lui insérer un petit tube et badigeonner les lésions avec de l'Argyrol.

Ils continuaient à parler de choses et d'autres en sirotant leur thé. Bowman guettait le moment propice pour aborder la question du roman, mais Swangren était absorbé par son récit de la nuit où Thornton Wilder l'avait invité à dîner dans sa chambre d'hôtel.

« Il était sans doute un peu effrayé par mon homosexualité légendaire, expliqua Swangren. Il y avait une bouteille de bourbon et un seau à glace devant chacun de nous, et nous étions censés nous entretenir de Proust, mais je ne me rappelle rien de nos échanges. Je me souviens seulement que nous avons trop bu, et qu'ensuite j'étais si agité et si épuisé que j'ai dû rentrer me coucher. Wilder, lui, a fait la tournée des bars jusqu'à l'aube, bavardant avec un étranger après l'autre. Il était très timide, mais dans une ville inconnue, il espérait découvrir ainsi ce qui intéressait le commun des mortels. Il n'avait pratiquement pas de famille. Un frère. Sa sœur était à l'asile psychiatrique. »

Swangren était né dans une ferme dans l'est de l'Ohio, et il avait de robustes mains de paysan. Dans les Alleghenies, expliqua-t-il, on découvrait souvent du charbon sous les champs, et après leur journée de travail, les paysans se transformaient pour quelques heures en mineurs. Tandis qu'ils avançaient sous la terre, ils laissaient derrière eux des colonnes de charbon chancelantes pour soutenir le toit, et quand ils battaient en retraite, ils faisaient sauter ces piliers de fortune. Ils appelaient cela « faire exploser leurs arrières ».

Voilà où il en était aujourd'hui : il faisait exploser ses arrières.

Au bout du compte, Bowman finit par tellement l'apprécier qu'il changea d'avis au sujet du livre. Ils l'achetèrent. Malheureusement, il se vendit très mal.

À cette époque, tout l'horizon était assombri par la guerre du Vietnam. La passion de ses innombrables opposants, en particulier des jeunes, s'était embrasée. Ce furent les interminables listes de victimes, la violence tangible, les nombreuses promesses de victoire jamais tenues, jusqu'à ce que la guerre se mette à ressembler à un fils dissolu auquel on ne peut plus faire confiance, qu'on ne changera jamais mais qu'il faut néanmoins accepter.

En même temps, comme pour tenter de panser les plaies, surgit une vague d'art nouveau, tel un raz de marée inattendu. Pour l'essentiel, il s'agissait de peinture, mais aussi de films européens, si frais, si candides. Ils semblaient proposer une autre humanité qui par ailleurs risquait de se perdre. Bowman avait refusé de défiler en uniforme lors d'une immense manifestation pacifiste à cause d'un vague sens de l'honneur, mais il était résolument hostile à cette guerre. Quelle personne sensée ne le serait pas ?

Sa vie, entre-temps, ressemblait à celle d'un diplomate. Il jouissait d'une certaine position sociale, il était entouré de respect, mais ses moyens restaient limités. Il travaillait auprès d'individus, certains dotés d'un réel génie, d'autres absolument inoubliables : Auden qui arrivait de bonne heure en pantoufles, qui sifflait cinq ou six martinis puis une bouteille de bordeaux, son visage parcheminé auréolé de volutes de fumée ; Marisa Nello, davantage la maîtresse de ses amis poètes qu'un véritable poète elle-même, qui montait les marches en se récitant du Baudelaire dans son français abominable. C'était une vie plus importante qu'il n'y paraissait, un œil gardé sur l'histoire, l'architecture, et la conduite humaine… avec des après-midi incandescents en Espagne, les volets clos, une lame de soleil se glissant dans la pénombre.

Il s'était installé dans un appartement de la 65e Rue, non loin de la maison couverte de vigne vierge où il avait attendu de parler à Kindrigen si longtemps auparavant. Une femme de ménage passait trois fois par semaine et elle lui faisait ses courses, il dressait la liste des achats sur un petit tableau noir dans la cuisine et notait ses consignes. Il ne dînait que rarement chez lui, et dans ce cas elle préparait le repas et le lui laissait au four. La plupart du temps, il allait au restaurant ou se rendait aux soirées où il était invité. Il lui arrivait aussi d'aller au cinéma ou au théâtre. Souvent, il se rendait au spectacle sur un coup de tête, sans même avoir de billet. En costume-cravate, il se plantait dans le hall d'entrée, brandissant un carton à chemise sur lequel on pouvait lire : « Recherche un billet », et il était rare qu'il n'en trouve pas. À l'opéra, il aimait particulièrement *Aïda* et *Turandot*, assis dans une mer obscure de visages blancs, complètement abandonné à la beauté des grands airs et au sentiment d'appartenir au monde.

Parfois, on donnait des réceptions dans le milieu de l'édition, où il croisait toutes ces jeunes femmes qui rêvaient de s'y faire une place, avec leurs robes noires et leurs visages rayonnants, des filles qui, en attendant, vivaient dans des appartements minuscules, des piles de vêtements entassés au chevet du lit, et les photos de l'été se racornissant peu à peu.

Il adorait son travail. La vie s'y déroulait lentement mais avec précision. En été, la semaine était plus courte, tout le monde quittait le bureau le vendredi à midi, et dans certains cas on ne revenait pas avant le lundi midi, après avoir passé le week-end dans le Connecticut ou aux environs de Wainscott, retrouvant la vieille bâtisse qu'avec un peu de chance vous aviez achetée dix ans auparavant pour une bouchée de pain. Il en admirait une en particulier, qui appartenait à un de ses collègues, Aaron Asher, un corps de ferme dissimulé par un rideau d'arbres. D'autres maisons faisaient naître elles aussi les images d'une vie bien rangée, des cuisines avec des buffets tout simples, de vieilles fenêtres, le confort du mariage inscrit dans ces rituels ordinaires et qui souvent surpassait le reste : le petit-déjeuner du matin, les conversations, les veillées, rien qui ne suggère ni l'excès ni le déclin.

Ce qu'il faut à tout un chacun, ce sont des amis et un endroit où il fait bon vivre. Il avait des amis, dans l'édition et en dehors. Il connaissait du monde et il n'était pas un inconnu. Malcolm Pearson, son ancien camarade de chambre, venait parfois à New York avec sa femme, souvent accompagnés de leur fille, pour visiter des musées ou des galeries dont il connaissait le directeur. Malcolm avait vieilli. Il ronchonnait beaucoup et marchait avec une canne. « Est-ce que moi aussi, je vieillis ? » se demandait Bowman. C'était une question qu'il se posait rarement. Il n'avait jamais été particulièrement jeune, ou, pour dire les choses autrement, il était resté jeune très longtemps, et maintenant il paraissait réellement son âge : suffisamment vieux pour les conforts du monde civilisé, mais pas assez pour ceux, plus sommaires, du monde primitif.

On lui demandait souvent des conseils, et même, on se tournait vers lui pour trouver du réconfort en cas de besoin. Une éditrice qu'il aimait bien, une femme dont le visage respirait l'intelligence, et qui avait la capacité de débusquer en un instant le sens là où il se cachait, connaissait des difficultés depuis un certain temps avec son fils. À trente ans, il était psychiquement instable, et n'avait jamais été capable de trouver sa voie. À une certaine époque, il s'était réfugié dans la religion et était devenu dévot. Il était même allé en pèlerinage à Jérusalem et il lisait la Bible à longueur de journée. Sa passion, avoua-t-il à sa mère, le « portait vers l'absolu ». Elle en fut effrayée, évidemment. Comme c'est parfois le cas de ces âmes tourmentées, il était doux et gentil. Son père l'avait rejeté.

En fait, Bowman ne pouvait pas faire grand-chose d'autre que l'écouter et tenter de lui apporter son soutien. Plusieurs thérapeutes avaient déjà échoué. Tout de même, d'une certaine façon, il l'aidait.

On le considérait généralement comme un homme qui n'avait pas encore fondé une famille mais qui était dans la position idéale pour le faire. Il avait l'air jeune pour son âge, quarante-cinq ans. Pas de cheveux gris. Il paraissait en bons termes avec la vie. On le regardait aussi comme une sorte d'enchanteur, capable d'un coup de baguette magique de transformer un inconnu en écrivain. Il pouvait réaliser cette métamorphose, pensait-on. Elle aimait lire, lui dit la jeune femme blonde assise à côté de lui. C'était un dîner de douze couverts dans un grand appartement empli d'objets d'art, avec un piano à queue, et deux pièces de réception qui semblaient se compléter, l'une avec des fauteuils confortables pour siroter son cocktail, l'autre dotée d'une grande table, d'un buffet, d'un divan dans un coin, et de vastes fenêtres qui donnaient sur le parc.

Elle aimait lire, mais le problème était qu'elle ne se souvenait jamais de ce qu'elle avait lu – *Dona Flor et ses deux maris* était le seul titre qui lui revenait en mémoire à cet instant précis.

« Oui », dit Bowman.

Il avait la bouche pleine quand elle lui demanda :

« Quelle sorte de livres publiez-vous ?

– Des romans et des essais », répondit-il, tout simplement.

Elle l'observa un instant, comme s'il venait de dire une chose extraordinaire.

« Répétez-moi votre nom.

– Philip Bowman. »

Elle demeura quelques secondes silencieuse. Puis elle reprit :

« Voici mon mari », dit-elle en désignant un homme assis de l'autre côté de la table.

Il était avocat, avait-on déjà expliqué à Bowman.

« Voulez-vous que je vous raconte une histoire ? demanda-t-elle. Nous étions en vacances chez des amis à Cape Cod, et il y avait là également un type, un architecte. Très sympathique. Sa petite amie était censée le rejoindre, mais elle ne montra jamais le bout de son nez. Il venait de divorcer. Il avait été marié pendant un an à une actrice. La douleur de la séparation était encore vive. Vous êtes marié ?

– Non, divorcé.

– Quelle tristesse ! Nous sommes mariés depuis douze ans, mon mari et moi. Nous nous sommes rencontrés en Floride – je suis originaire de là-bas. À cette époque, je ne savais pas très bien quoi faire après la fin de mes études. Pour l'heure, je travaillais dans un magasin d'antiquités et j'étais en train d'accrocher des tableaux quand il m'a remarquée. Cette blonde, manifestement WASP[1] – vous connaissez cette petite fixette qu'ont les hommes –, lui avait tapé dans l'œil. Il a suffi d'un regard ! »

Par-dessus les têtes de sa voisine et de leur hôtesse, Bowman apercevait la porte qui ouvrait sur la cuisine éclairée *a giorno*.

« Qu'est-ce que vous regardez comme ça ? demanda-t-elle.

– Une souris vient de traverser le carrelage de la cuisine.

– Une souris ! Vous avez une vue exceptionnelle. Elle était grosse ?

– Non, rien qu'une petite souris.

– Est-ce que vous voulez entendre la fin de mon histoire ?

– Où en étions-nous ?

– L'architecte…

– L'architecte divorcé.

– Oui. Eh bien finalement, cette femme, sa petite amie, est arrivée. Elle portait une robe moulante. Absolument pas faite pour lui. Je veux dire qu'elle a fait une entrée des plus spectaculaires. Avant, moi aussi je m'habillais comme ça. Je sais de quoi je parle. Enfin, avoua-t-elle soudain, ce qui s'est passé, c'est que je suis tombée follement amoureuse de ce type. Il était divorcé, il semblait si vulnérable. Après dîner, je me suis endormie sur le divan et quand j'ai rouvert les yeux, il était là, juste au-dessus de moi. On a bavardé pendant un moment. Il était tellement beau. Et catholique, en plus. J'avais déjà des fantasmes… vous voyez ce

1. White Anglo-Saxon Protestant.

que je veux dire ? J'aurais donné n'importe quoi pour l'avoir, mais c'était impossible à ce moment-là. »

Elle buvait du vin. Elle avait perdu ce qu'on aurait pu appeler sa retenue.

« Vous ne comprenez sans doute rien, je n'ai probablement pas très bien raconté cette histoire. Il avait deux ans de moins que moi, mais nous étions faits l'un pour l'autre. Est-ce que je peux vous confier quelque chose ? Il ne s'est pas passé un jour depuis sans que je repense à lui. Des histoires de ce genre, vous devez en entendre tous les jours.

– Non, pas vraiment.

– Je veux dire, ce n'est qu'un pur fantasme. Nous avons deux enfants, deux enfants adorables au demeurant. Nous nous sommes connus en Floride, en 1957… et maintenant nous voilà ici. Vous voyez ce que je veux dire ? Le temps a filé si vite ! Mon mari est un bon père. Et un bon mari. Pourtant ce soir-là… je ne peux pas l'expliquer. »

Elle marqua une pause.

« Il m'a embrassée avant de partir. »

Elle plongea les yeux droit dans ceux de Bowman puis détourna le regard.

Peu avant la fin de la soirée, elle le retrouva près de la porte ; sans dire un mot, elle lui prit le bras.

« Je vous plais ? demanda-t-elle.

– Oui, dit-il pour la consoler.

– Si quelqu'un voulait écrire cette histoire, ça ne me dérangerait pas. »

Enid ne lui avait jamais demandé si elle lui plaisait. Il avait été fou d'elle. En Angleterre, ils étaient partis dans le Norfolk, en direction du nord, un paysage tout vert avec de grandes maisons et des villes tristes à pleurer, une terre de chevaux, pour aller chercher un chien. À Newmarket, au coin d'une rue, ils passèrent devant des garçons d'écurie, l'un d'eux en train de pisser contre un mur. Il brandit sa queue dans leur direction, dans celle d'Enid en tout cas.

« Sympa, dit Bowman. De braves gars bien anglais, n'est-ce pas ?

– Indubitablement », répondit Enid.

Quelques kilomètres au sortir de la ville, ils dénichèrent la maison qu'ils cherchaient, une construction basse à la façade en stuc au fond d'une allée. Un homme vêtu d'un pull-over gris et au visage presque aussi rouge qu'un steak vint leur ouvrir.

« Mr Davies ? demanda Enid.

– Oui. » Il les attendait.

« Vous souhaitez le voir, j'imagine. »

Il leur fit contourner la maison et les conduisit jusqu'à un vaste enclos situé juste derrière. À leur approche, quelques chiens se mirent à aboyer et d'autres firent bientôt chorus.

« Ne vous faites pas de souci, dit Davies. C'est bon pour eux de voir du monde. »

Ils longèrent la clôture, jusqu'à ce que, presque parvenu au bout, il annonce : « Le voilà. »

Un jeune lévrier couché dans un coin du chenil prit son temps pour se lever et, avec lenteur et dignité, s'approcha du grillage. C'était vraiment un chien de roi, blanc à l'exception d'une partie du dos, grise, et d'un casque de poils, gris également, autour de la tête. Les souverains orientaux avaient coutume de se faire enterrer avec leurs lévriers. Enid passa les doigts à travers les mailles pour lui toucher l'oreille.

« Il est très beau.

– À peine cinq mois, commenta Davies.

– Salut », dit-elle au chien.

C'est un ami qui le lui offrait. Il s'appelait Moravin, et son père, Jacky Boy, avait gagné quelques concours. Davies était entraîneur. Il avait passé sa vie auprès des chiens. Son père, leur expliqua-t-il plus tard, était entrepreneur et avait toujours voulu posséder un cheval de course mais s'était finalement contenté de chiens. Ils mangeaient moins. Davies avait remporté plusieurs prix, mais on ne pouvait jamais être sûr, les chiens parfois vous trahissaient. Certains étaient prometteurs mais n'arrivaient jamais à rien. On les élevait pour courir, mais ils ne s'en tiraient pas tous aussi bien. Certains étaient rapides au démarrage, d'autres meilleurs sur les longues distances, il y avait des coureurs de fond qui aimaient battre la campagne et d'autres qui préféraient les pistes.

« Ils sont tous différents. »

Il avait appris la prudence, il entretenait pourtant des espoirs pour ce chien qui, à peine né, s'intéressait beaucoup à la poupée de chiffon qu'il poursuivait avec ardeur et saisissait entre ses deux longues rangées de crocs blancs. Plus tard, il avait réalisé de bons temps et courait sans problème à l'entraînement avec deux autres chiens.

Lors de sa première course, tout alla de travers. Dès le départ, un autre chien le bouscula et il ne parvint jamais à s'échapper de la meute. Il resta prisonnier à l'arrière pendant la totalité du parcours. Une grande déception, expliqua l'entraîneur au téléphone.

« Ce n'est pas juste, dit Enid.

– Peut-être que non, mais les courses, c'est comme ça. Ce n'était que sa première. Il faut qu'il reprenne confiance en lui. »

On le fit courir avec deux autres chiens trois ou quatre fois. Il se montra rapide et enfin, lors de la course suivante, il arriva quatrième. Elle avait eu lieu à l'extérieur de Londres, Enid n'était pas là.

Lors de sa troisième course, à Romford, il était dans la boîte de départ numéro deux, et partait à vingt contre un. Sur le rail, le leurre bondit en avant, donnant le signal du départ. Les barrières s'ouvrirent d'un coup et les chiens s'élancèrent sur la piste. Il fit presque toute la course en tête mais la mêlée était telle avant la ligne d'arrivée qu'on ne pouvait pas vraiment discerner quel était le premier. Au bout du compte, il avait gagné d'une tête. « Chapeau bas pour les sélectionneurs ! » Les cris de joie et la fanfare retentirent. Le résultat avait été si serré ! Ce n'étaient pas les juges qu'on saluait mais les spécialistes qui avaient déterminé les cotes. Cette semaine-là dans les journaux, parurent les premières acclamations : *Un magnifique coureur !* et *Il va falloir compter avec lui !*

Il remporta deux victoires de plus et commençait à se bâtir une solide réputation. *Trois courses gagnées parmi les cinq dernières*, écrivit-on, et plus impressionnant encore : *Une vitesse époustouflante. Il gagne avec quatre longueurs d'avance.*

Bowman prit un avion pour le voir courir à White City, la grande course londonienne qui vidait les théâtres de la capitale et ne manquait pas de panache. Ce soir-là avec Enid, la tête lui tournait. Ils appartenaient désormais tous deux au monde des courses.

En chemin, ils s'arrêtèrent pour prendre un verre. Ils se trouvaient à proximité d'un hôpital. Une pancarte au-dessus du comptoir annonçait une réduction de quinze pour cent au personnel médical et aux patients avec des cicatrices de plus de trente points de suture. Au cynodrome, la foule était compacte. Les gens se déplaçaient et bavardaient, un verre à la main. Il faisait sombre, le ciel était couvert et la pluie s'annonçait. Moravin était donné à trois contre un. Davies l'avait déjà frotté avec un onguent de sa composition : épaules, corps, jusqu'au puissant arrière-train comme s'il le préparait pour une traversée de la Manche à la nage, et puis chaque cuisse, de haut en bas. Ensuite, il lui étira une patte après l'autre, le lévrier avait cessé de résister à ce traitement, et attendait paisiblement qu'il termine.

Il était au départ de la cinquième course. Il avait commencé à pleuvioter tandis qu'on amenait les chiens. Il y en avait deux blancs : Moravin et un autre, nommé Cobb's Lad. Le silence se faisait graduellement dans les gradins.

« Je ne me suis jamais sentie aussi nerveuse, murmura Enid. On dirait que c'est moi qui vais courir. »

Bowman remarqua que pour une raison inconnue, les paris étaient tombés à trois contre deux. On avait commencé à faire entrer les chiens dans les boîtes de départ. Soudain, du fond de l'obscurité, le lièvre mécanique jaillit et les barrières s'ouvrirent.

Les lévriers s'élancèrent puis la meute aborda le premier virage et le dépassa en longeant le bord extérieur. La pluie redoublait. Des nappes d'eau argentée tombaient dru sous les réverbères. On pouvait à peine distinguer les chiens les uns des autres, mais un lévrier blanc semblait être dans le peloton de tête. Ils filaient comme le vent, ventre à terre et fendant l'averse. On avait peine à imaginer comment l'un d'eux pourrait se détacher des autres. Quand ils amorcèrent le dernier virage, on aperçut les épaules et la tête d'un chien blanc qui franchit en premier la ligne d'arrivée. C'était Moravin.

Il pleuvait encore très fort quand, sous un parapluie, Davies l'éloigna de la piste pour qu'il puisse se calmer. Bowman en emprunta un à une femme qui se tenait à côté d'eux, et il abrita Enid jusqu'au bord du podium où Moravin fut amené, et sur lequel il monta avec élégance, les taches grises le long de sa tête lui donnant l'air d'un bandit masqué. Sa langue tremblait dans sa bouche ouverte tandis que son entraîneur le soulevait entre ses bras en signe de victoire, comme un agneau. Le chien d'Enid.

Ils prirent un verre ensemble par la suite, et c'était comme si Davies en avait déjà bu un auparavant. Son visage rayonnait.

« Un brave chien, répéta-t-il plusieurs fois. J'espère que vous aviez parié sur lui, madame.

– Mais oui, cent livres.

– Ils ont fait baisser la cote. Les bookmakers ont misé leur propre argent pour faire baisser la cote. Ils ont eu peur de lui. Ils ont eu peur, je vous dis. »

Il séjournait chez un ami en banlieue, expliqua-t-il. Il se montrait plus bavard que jamais. Avec allégresse, il leur confia : « Il est plein de promesses, vous ne trouvez pas ? »

Ils le laissèrent au pub et allèrent dîner dans Dean Street avec des connaissances, parmi lesquelles une femme d'âge mûr, dotée d'un visage magnifique, ridé comme un pruneau, et d'une voix qui se révéla un peu rauque. Bowman se sentit attiré par elle. Elle dit quelque chose en italien qu'il ne saisit qu'à moitié, mais elle refusa de répéter. Elle avait été mariée avec un Italien, expliqua-t-elle.

« Il s'est fait abattre après la guerre.

– Abattre ?

– En représailles. Il savait que cela arriverait. C'était courant à l'époque. Sa sœur, ma belle-sœur donc, qui est morte pas plus tard que l'année dernière, s'enorgueillissait d'avoir craché au visage de Winston Churchill sur la place Saint-Marc. Ces gens étaient des fascistes. Je n'y pouvais rien. Sinon, mon mari était absolument charmant. Tout cela s'est passé il y a si longtemps, vous n'êtes pas assez vieux pour avoir connu cette époque.

– Mais si, croyez-moi.

– Quel âge avez-vous ? Trente-cinq ans ?

– Quarante-cinq.

– Je me rappelle l'Exposition coloniale française, en 1932 ou 1933. Les tirailleurs sénégalais avec leurs uniformes bleus et leurs fez rouges, qui allaient pieds nus. C'était un monde différent, complètement différent. À quoi a ressemblé votre vie ?

– Ma vie ?

– Quelles choses vous ont semblé importantes ?

– Eh bien, si j'y réfléchis attentivement, les choses qui ont le plus compté, je suis obligé de le reconnaître, ce sont la marine et la guerre.

– Les hommes peuvent toujours se rabattre là-dessus, n'est-ce pas ? »

Il n'était pas sûr d'avoir dit la vérité. Son esprit s'était involontairement replié vers cette période. Et puis, parmi ses rêves, aucun autre n'avait été plus récurrent.

Deux semaines plus tard, alors qu'il se préparait pour le Derby, Moravin courut à Wimbledon et tomba dans un virage, sans raison apparente. Il avait une fracture du carpe, rien de sérieux, mais alors qu'il restait couché là, la patte plâtrée, il semblait honteux, comme s'il savait avoir déçu. Enid lui caressait le dos, son poil gris et blanc paraissait si doux. Ses petites oreilles étaient rabattues, son regard, égaré.

L'os néanmoins mit longtemps à se ressouder. Une éternité. Elle lui rendit visite quand il fut enfin guéri, cependant quelque chose n'était pas vraiment revenu. Elle n'aurait su dire exactement quoi. Il restait mince et élégant, presque pareil aux autres, mais il ne courut plus jamais.

« J'en ai le cœur brisé », dit-elle.

Quand il lui posa la question plus tard, Davies répondit :

« Oui, il aurait pu courir le Derby, mais il a fait cette chute. Il se passe toujours quelque chose de ce genre. Je vous conseille d'offrir un lévrier à votre pire ennemi. »

Enid l'avait accompagné à l'aéroport, ce qu'elle ne faisait jamais. Tandis qu'ils attendaient l'embarquement, il ressentit une sorte de gêne. Ce n'étaient pas ses paroles, plutôt son silence. Quelque chose leur filait entre les doigts, et il ne pouvait rien faire pour l'en empêcher. Ils ne se marieraient jamais. Elle était déjà mariée et se sentait en quelque sorte redevable envers son conjoint – sans que Bowman sache en quoi. Elle avait expliqué que jamais elle ne pourrait vivre à New York, sa vie était à Londres. Il n'était qu'une facette de cette existence, mais il voulait continuer à l'être.

« Je peux peut-être revenir le mois prochain.

– Ce serait parfait. »

Ils s'étaient dit au revoir dans le grand hall. Elle lui avait adressé un petit geste du bout des doigts quand il avait disparu.

Il ressentit un grand vide en montant à bord, et avant même de décoller, une intense tristesse. Comme s'il partait pour la dernière fois, il regarda l'Angleterre qui passait lentement sous l'appareil. Soudain, Enid se mit à lui manquer terriblement. Il aurait dû tomber à genoux, d'une façon ou d'une autre.

Dans le hall moquetté du Plaza un soir d'hiver, Bowman se trouva nez à nez avec une femme au corps plutôt informe dans une robe bleue. C'était Beverly, son ex-belle-sœur ; son menton s'était pratiquement noyé dans la graisse.

« Mais ne serait-ce pas là Mr New York ? » s'exclama-t-elle.

Bryan se tenait à côté d'elle. Bowman lui serra la main.

« Mais que faites-vous tous les deux à New York ?

– Je vais me repoudrer le nez, répondit Beverly. Retrouvons-nous au bar, où qu'il soit », dit-elle en s'adressant à son mari.

Bryan restait imperturbable.

« Ne faites pas attention à elle, s'excusa-t-il quand elle eut tourné les talons. Nous sommes venus voir deux ou trois spectacles. Bev voulait absolument prendre un verre au célèbre Oak Room Bar.

– C'est tout droit. Vous avez l'air en pleine forme.

– Vous aussi. »

Ils n'avaient pas grand-chose à se dire.

« Comment va la vie ? demanda Bowman Vivian ? Nous avons perdu contact.

– Elle se porte bien. Égale à elle-même.

– Remariée ? Je suppose que je l'aurais appris.

– Non, elle ne s'est pas remariée. En revanche, vous savez qui a convolé ? George.

– George ? Remarié ? Mais avec qui ?

– Une femme du coin. Une certaine Peggy Algood. Je ne crois pas que vous la connaissiez.

– À quoi ressemble-t-elle ?

– Oh, vous savez… Elle a environ dix ans de moins que lui, plutôt facile à vivre. C'est son troisième mariage. On raconte qu'elle avait envoyé une carte postale à sa mère durant son deuxième voyage de noces. *Algood porte bien mal son nom…* Mais ce n'est peut-être qu'une histoire. Je l'aime bien.

– Ah Bryan, ça me fait plaisir de vous voir ! Dommage que nos chemins aient… divergé. Et comment se porte Liz Bohannon ? Toujours bon pied bon œil ?

– Oui, oui, telle qu'en elle-même. Je crois qu'elle a arrêté le cheval. On n'est plus jamais invités chez elle. Un jour, Beverly a dit des choses qu'elle aurait mieux fait de garder pour elle. »

De Bryan, on pouvait assurément dire qu'il était naïf au sujet de sa femme, et qu'il savait se montrer stoïque à ce sujet. Il la traitait avec désinvolture, un peu comme il aurait parlé du mauvais temps.

« Quel spectacle allez-vous voir ? demanda Bowman.

– *Pal Joey, la blonde ou la rousse*.

– Oh, c'est excellent, vous verrez. J'aimerais vraiment vous croiser à nouveau un de ces jours.

– Ça me ferait plaisir aussi. »

15
Une maison de campagne

Par un jour brûlant de juin, Bowman quitta New York en direction du nord, longeant l'Hudson pendant plus de quatre heures jusqu'à Chatham, une petite ville autrefois célèbre pour une déesse de l'amour, la poétesse Edna Millay, sirène des années vingt. Il allait passer deux jours à travailler sur le manuscrit d'un écrivain en vue, un homme au visage carré d'environ cinquante ans, aux yeux bleus et aux cheveux clairsemés qui dans sa jeunesse avait abandonné ses études à Dartmouth et pris la mer pendant trois ans. Il s'appelait Kenneth Wells et vivait avec sa troisième femme – il n'avait pourtant pas la tête d'un homme à se marier plusieurs fois, il était plutôt laid et très myope. Elle était avant cela mariée au voisin de Wells, et un beau jour ils étaient partis ensemble au Mexique pour ne plus revenir. Bowman aimait beaucoup leur maison qu'il considérait comme un modèle. C'était une bâtisse en bois toute simple, un peu en retrait de la route, on aurait dit un corps de ferme ou une écurie. On passait par la cuisine pour entrer. Il y avait une chambre d'un côté, et la salle de séjour de l'autre. La chambre principale se trouvait à l'étage. Toutes les portes, pour une raison inconnue, étaient plus larges que d'ordinaire, et plusieurs étaient vitrées dans la partie supérieure. On aurait dit une pension de famille, un de ces petits hôtels qu'on trouve dans l'Ouest.

La journée avait été longue. L'été semblait en avance. Le soleil éclaboussait les arbres avec une force étonnante. Dans les villes qu'il traversa, des filles à la peau déjà bronzée léchaient paresseusement les vitrines de magasins qui paraissaient fermés. Des mères de famille, coiffées de foulards, étaient au volant, et leurs maris, affublés de casques jaunes, se tenaient près de panneaux annonçant des travaux en cours. Le paysage était beau mais un peu dolent. Un sentiment de vide montait comme le chant d'une chorale et rendait le ciel plus bleu et plus vaste qu'il ne l'était en réalité.

À Paris, les longues et vétilleuses négociations pour mettre fin à la guerre du Vietnam se poursuivaient depuis des mois, sans succès. L'Amérique était en proie à un soulèvement violent et interminable, le pays entier était déchiré par la guerre, mais Wells semblait curieusement indifférent. Il s'intéressait davantage au base-ball, tenant à distance toute autre passion. C'était un lecteur avide, comme sa femme. Ses livres à lui et ses livres à elle étaient rangés dans leurs bibliothèques, soigneusement séparés. Sur un vieux buffet au dessus en marbre s'entassaient des piles d'ouvrages, certains encore neufs. Tout près, une carte postale de la Piazza Maggiore de Bologne était accrochée au mur, ainsi que la photo d'une fille en bikini, jouxtant celle d'un plat de pâtes découpée dans un magazine.

« P. P. P., dit Wells.

– P. P. P. ?

– Poitrine, *Palazzi* et *Pasta*. »

Il sourit, dévoilant les espaces séparant ses dents qui ressemblaient à des défenses de morse pointant dans diverses directions. Il y avait aussi un cliché en noir et blanc de femmes allemandes pleurant avec émotion lors d'un défilé nazi, et à l'étage, que personne ne visitait jamais, la photographie encadrée du ventre et des jambes nus d'une femme renversée sur un lit. Il écrivait des romans policiers d'une grande subtilité. L'enquêtrice était une grosse quinquagénaire nommée Gwen Godding qui s'était mariée quatre fois – la deuxième, son record de durée, à un policier californien qui patrouillait les autoroutes. Veuve à deux reprises, elle n'excluait pas de tenter à nouveau sa chance. Elle ne manquait ni de charme ni d'intelligence, et Wells écrivait que son maquillage ressemblait à un masque ou à ceux que réalisent les entrepreneurs des pompes funèbres. Il faisait des recherches méticuleuses et avait la force de travail d'un paysan. D'ailleurs, avec ses mâchoires carrées, il ressemblait assez à un homme de la terre. Il portait des lunettes à monture métallique, de temps à autre deux paires à la fois qu'il remontait sur son front pour examiner quelque chose de près. Ses livres se vendaient très bien, le premier avait d'ailleurs été acheté par une société de production cinématographique pour donner un rôle à une star vieillissante.

Wells aimait écrire et passer son temps à lire à son bureau avant de commencer à taper à la machine. Il ne parlait que rarement du temps où il était marin, sa vie active, comme il se plaisait à le dire, où il rentrait au petit matin, la chemise sortie du pantalon, un pack de bières sous le bras, et dévasté par la chaude-pisse. Il se rappelait un hôtel aux Samoa ; une pancarte annonçait : « Service en chambre restreint, dû à l'éloignement de la cuisine. »

« Ici, on ne pourrait pas dire ça », commenta-t-il.

Ils étaient précisément assis dans la cuisine.

« Pourquoi avez-vous décidé de vivre dans le Nord ? demanda Bowman.

– Je voulais me tenir aussi loin que possible de l'eau, répondit Wells. Quand on a quitté le Mexique – j'en avais tellement assez de ce pays infesté de moustiques, ces *animales*, comme ils les appellent –, on s'est installés à Frederiksted, dans l'île de St Croix. On avait acheté une maison de vieux loup de mer sur le rivage, avec des volets en bois, des hibiscus et des palmiers. Vous connaissez Frederiksted ? La population est presque entièrement noire. Personne ne semble travailler. La banque avait fait poser un écriteau “À louer” sur la maison d'à côté, mais on apercevait des Noires splendides en robes du soir blanches qui sortaient de l'hôtel la nuit venue pour aller faire le trottoir. La bibliothèque était juste en face de chez nous. On voyait ces grandes perches d'écolières affalées sur les tables, les bras pendant du dossier de leurs chaises, et les garçons qui leur chuchotaient à l'oreille toute la journée. Pas difficile de comprendre pourquoi l'esclavage avait si bien réussi. Les livres – personne n'en lisait –... les seuls qui étaient parfois empruntés ne parlaient que de grossesse. »

Son épouse, Michele – qu'il appelait Mitch – était une femme tranquille, d'environ quarante ans, plutôt nonchalante, mais attentive aux besoins de son mari et ouverte d'esprit. Elle savait tout de ses idées et de son caractère. Même s'ils donnaient peu de signes de désaccord, il devait néanmoins en exister, mais du couple se dégageait un sens de l'union, un goût prononcé pour la vie commune dans un coin perdu de campagne, les heures du petit matin, les champs encore embrumés, le serpent dans le jardin, les tortues dans les bois. À l'opposé de tout cela, il y avait la ville avec ses myriades de distractions, l'art, l'omniprésence de la chair, l'exaltation des désirs. Comme un opéra enfiévré, avec des acteurs innombrables et des scènes tumultueuses ainsi que d'autres, plus recueillies.

Bowman ressentait le manque, non pas nécessairement du mariage, mais d'un centre tangible dans sa vie autour duquel les choses auraient pu s'organiser et trouver leur place. Il comprit ce qui le lui avait fait éprouver, ce foyer, celui de Wells, et puis la description de leur maison de marin à Frederiksted. Il se prit à imaginer un lieu où il serait chez lui, même si les contours en restaient vagues. Pour une raison mystérieuse, il se l'imaginait à l'automne. Il pleuvait : les gouttes brouillaient les vitres et il avait allumé un grand feu pour se protéger du froid.

Il prit le temps de chercher.

« Je voudrais une petite maison, avec une ou deux pièces exceptionnelles », expliqua-t-il à l'agent immobilier, une femme revêche, membre du conseil d'administration du club de golf tout proche.

« Je ne sais pas ce que vous entendez par pièce exceptionnelle, répliqua-t-elle.

– Pourquoi ne commençons-nous pas par une petite visite ? Montrez-moi quelques-unes de vos maisons préférées.

– Quelle est votre fourchette de prix ?

– Disons quelque chose à partir de deux mille dollars, proposa Bowman pour l'agacer.

– Je n'ai rien à ce prix. Et puis, je n'ai pas beaucoup de temps à perdre.

– Je m'en doute. Dites-moi, combien faut-il compter pour une maison de trois pièces ?

– Tout dépend de la maison elle-même et de l'endroit où elle est située. Je dirais entre soixante et deux cent mille dollars, au sud de l'autoroute.

– Je ne veux pas d'une maison perdue parmi les arbres, au fond de la forêt. J'en souhaiterais une qui soit bien placée et surtout, très lumineuse. »

Il était difficile de savoir si elle était ou non sensible à ce qu'il disait. Elle ne lui montra aucune affaire digne d'intérêt, jusqu'à ce qu'au bout d'une heure et demie de silence crispé, en traversant des champs bordés d'arbres, elle ralentisse près d'une allée et annonce :

« Celle-ci est un peu plus chère, mais je me suis dit que j'allais tout de même vous la montrer. »

Ce qu'elle souhaitait montrer avant tout, c'était son autorité. Ils empruntèrent une longue allée rectiligne, pas parfaitement entretenue, à l'ombre des frondaisons. L'ensemble avait quelque chose de sépulcral. Les feuillages étaient d'un vert intense. Puis ils s'ouvraient inopinément sur une maison en bois sombre, perchée sur une petite éminence, une sorte de cabane pareille à celles qu'édifiaient les Adirondacks pour leurs dieux, au milieu d'une clairière mais encerclée par de hauts arbres dont la canopée ressemblait à un tapis de nuages. La maison s'appelait Crossways et elle avait été dessinée par Stanford White, dont une autre des grandes réalisations, Flying Point, sur la côte, venait de brûler.

Ils gravirent les marches d'un vaste perron de bois et découvrirent un intérieur paisible, confortablement meublé, à l'éclairage soigneusement calculé. Les planchers quoique cirés ne brillaient pas, les fenêtres étaient larges et claires. L'ensemble formait une croix, chaque branche donnant sur sa propre allée bordée d'arbres qui menait aux champs. Elle avait connu divers propriétaires et son prix s'élevait à plusieurs millions de dollars.

De retour à la voiture, Bowman déclara :

« Ça valait la peine ! »

Mais il ne revint jamais voir cet agent.

Il n'aimait pas beaucoup les femmes qui, pour une raison ou une autre, se montraient méprisantes à votre égard. Dans les limites du raisonnable, il préférait même l'inverse. On trouvait rarement toutes les qualités qu'on recherchait. Il ne passait pas trop de temps à y réfléchir. Il avait eu plusieurs liaisons. À mesure qu'il prenait de l'âge, les femmes aussi vieillissaient, et devenaient de moins en moins enclines aux actes insouciants ou légers. Mais la ville était riche de possibilités, les mouvements féministes l'avaient changée en profondeur. Le plus souvent, il portait un costume. En tout cas, il en portait toujours un pour aller travailler. Sur l'escalator de Grand Central Station, une fille avec un joli visage calme à la peau brune lui adressa la parole :

« Salut. Vous allez quelque part ?

– Je vous demande pardon ?

– Je vous demandais si vous alliez quelque part, pas trop loin d'ici.

– Je vais dans la 41e Rue, répondit Bowman.

– Ah ! C'est votre bureau ? »

Il ne comprenait pas bien ce qu'elle voulait.

« Pourquoi cette question ?

– Je me disais seulement qu'on pourrait échanger nos numéros de téléphone et que vous pourriez m'appeler.

– Mais dans quel but ?

– Pour affaires », répondit-elle simplement.

Il remarqua que son imperméable était d'une propreté douteuse.

« Quelle sorte d'affaires ?

– À votre avis ? »

Elle lui jeta un regard sans ambiguïté. Elle avait une sorte de dignité étrangère, une noblesse d'Afrique occidentale, non sans un soupçon de lassitude.

« Quel est votre nom ?

– Mon nom ? Eunice. »

Il fouilla dans sa poche à la recherche d'un billet. Il en trouva un de dix dollars, et le lui plaça dans la main.

« Non, dit-elle. Ne vous sentez pas obligé.

– Prenez-le, Eunice, c'est une avance.

– Non.

– Il faut que j'y aille », dit-il en s'éloignant.

Pour le vingt-cinquième anniversaire de la maison d'édition, Baum offrit une réception dans un restaurant français. Il y avait foule, presque tous des gens que Bowman connaissait. De l'autre côté de la salle, il aperçut Gretchen, depuis longtemps passée directrice de collection chez un éditeur de livres de poche. Elle était à présent mariée et mère de famille. Il se faufila parmi les convives pour la saluer.

« Quelle joie de vous voir ! » s'exclama-t-il.

Elle avait toujours cette beauté qui faisait oublier les terribles taches qui lui marquaient autrefois la peau et avaient à présent disparu. Sur son front et ses joues lisses, il restait quelques cicatrices presque invisibles, c'était à peine si on les remarquait.

« Alors, comment va la vie ? demanda-t-il.

– Très bien. Et la vôtre ?

– Moi aussi. Vous êtes splendide. Ça fait un sacré bout de temps. Combien ? Six ans ?

– Plus.

– On ne le croirait jamais. Vous nous manquez. Neil est parti, je suppose que vous le savez. Il est allé travailler pour Delovet. Passé à l'ennemi, pour ainsi dire.

– Je suis au courant.

– Il était fou de vous, dit Bowman. Mais vous aviez un petit ami, n'est-ce pas ?

– Je n'avais pas de petit ami.

– Ah, je croyais.

– J'étais mariée.

– Je l'ignorais.

– Ça n'a pas duré très longtemps, lui confia-t-elle.

– Vous aviez l'air si candide.

– Je l'étais. »

Elle avait gardé son innocence. Et, bien qu'il ne s'en soit pas aperçu alors, une certaine timidité.

« Neil me manque, dit-il. Je ne le vois plus très souvent.

– Il m'avait envoyé des poèmes. À l'époque, je veux dire.

– Je ne le savais pas. Il était mordu. Je me rappelle certains poèmes qu'il ne vous a jamais envoyés.

– Vraiment ?

– Oh ! pas de quoi fouetter un chat…

– Vous, je n'étais pas sûre que vous m'appréciiez.

– Moi ? Vous m'étonnez. Je vous aimais beaucoup.

– Ce n'était pas Neil qui m'intéressait. »

Avec la même simplicité, elle poursuivit :

« C'était vous. Mais je n'ai jamais eu l'audace de vous en parler. »

Il se sentit stupide.

« J'étais marié.

– Ça n'avait aucune importance.

– Vous n'auriez pas dû me dire ça maintenant. Je ne sais pas, je me sens tout désorienté.

– Puisqu'on en est aux aveux, je peux aussi bien vous l'avouer : rien n'a changé pour moi. »

On ne pouvait pas dire les choses plus simplement.

« Vous n'avez qu'à m'appeler. Ça me ferait très plaisir de vous voir. »

Elle le regardait droit dans les yeux. Il ne savait pas quoi ajouter. À ce moment précis, son mari, qui était allé leur chercher un verre au bar, s'approcha. Ils bavardèrent tous les trois pendant quelques minutes. Bowman avait l'impression que tout le monde était au courant. Il ne lui reparla pas de la soirée.

Évidemment, il la voyait soudain d'une façon très différente.

Il était tenté de lui téléphoner, mais d'un point de vue moral, ce ne serait pas bien. Et puis, il y avait autre chose. Ils n'étaient plus ceux qu'ils avaient été. Cependant, il l'admirait : la jeune fille à la peau marquée d'autrefois, la femme équilibrée qu'elle était devenue. À son âge, on pouvait encore se montrer nue. Il réussirait sans doute à s'échapper du bureau quelques heures un après-midi, pratiquement n'importe lequel, et elle aussi. Il n'y avait pas de mal à ça et il le lui devait bien.

« Tu es un imbécile », se sermonna-t-il. Il se voyait dans le miroir tous les matins. Il avait moins de cheveux aujourd'hui, mais son visage semblait inchangé. Il en était arrivé au point où il ne doutait plus de ses capacités, il savait donner aux écrivains l'envie d'être publiés par lui, l'envie de le choisir parmi d'autres. Il n'ignorait pas que certains des meilleurs auteurs avaient commencé par être journalistes, et le redevenaient quand la passion de l'écriture déclinait. Il savait aussi qu'il avait le don de se faire détester. Cela faisait partie du lot. Il était capable de parler de livres, d'écrivains et de talents qui fleurissaient dans un pays après l'autre, non pas à travers un seul auteur, mais en évoquant toujours un groupe, un peu comme s'il fallait des provisions de bois pour faire un bon feu, une ou deux grosses bûches ne suffisant pas. Il continua à parler de littérature russe, en insistant peut-être un peu trop sur Gogol, puis de romans français et anglais. Paris et Londres avaient connu leur moment de gloire. Aujourd'hui, c'était indubitablement le tour de New York.

« Est-ce que ce brillant génie accepterait de nous dire son nom ? » demanda un convive assis de l'autre côté de la table.

Bowman s'occupait aussi, bien que de plus loin, de quelques poètes, pas vraiment en tant qu'éditeur – si d'ailleurs le mot convenait, parce que les poèmes par essence ne se laissaient pas facilement éditer. La poésie était généralement le domaine de McCann, engagé plus ou moins pour remplacer Eddins. C'était un homme de la côte Est qui marchait avec une canne. Il avait eu la polio, lui et son compagnon de chambre à Groton avaient aidé le capitaine de leur équipe de football américain soudain victime d'une attaque de cette maladie à l'église, et ils l'avaient tous deux attrapée. À cette époque, dans les années trente, il y avait une épidémie chaque automne – tous les parents vivaient dans la terreur. McCann était marié à une journaliste anglaise qui écrivait dans le *Guardian*, et qui était souvent envoyée aux quatre coins du monde.

Les recueils de poésie se vendaient mal. En publier était un acte de bienfaisance, avait coutume de répéter Baum, surtout pour agacer McCann, alors que les livres en question étaient un fleuron de la maison. Étant donné que peu de gens continuaient à lire de la poésie après avoir fini leurs études, la lutte pour la reconnaissance parmi les poètes était encore plus féroce qu'ailleurs, et l'attribution d'un prix important ou d'un poste universitaire était souvent due à beaucoup d'efforts pour se faire connaître, dont pas mal de flatterie et de petits arrangements avec le diable. Il existait sans doute des poètes dans des villes lointaines qui menaient des existences aussi âpres que Cavafy, mais ceux que connaissait Bowman avaient une vie sociale et même mondaine, ils nageaient dans le sens du courant, se frottant les uns aux autres au passage, lauréats de prix divers, du Yale Younger Poets au Pulitzer en passant par le Bollingen.

Il ne réussit jamais à dénicher une maison à vendre. Il en loua une à la place, sur une route étroite à la sortie de Bridgehampton, qui se terminait par un panneau « Impasse » quand elle atteignait la plage. Le seul voisin à proximité était un homme d'à peu près son âge, nommé Wille, qui se montrait assez sympathique et garait sa voiture sur le carré d'herbe jouxtant la fenêtre de sa cuisine.

Bowman s'y rendait chaque week-end dès la fin du printemps. Une vie sociale intense débutait alors. Il connaissait du monde et était souvent invité à dîner. Il acheta plusieurs caisses de bon vin afin de pouvoir offrir une ou deux bouteilles à ses hôtesses. Jamais il ne fermait sa porte à clé. Il choisissait régulièrement le train doté d'une voiture-bar, et dans lequel on pouvait réserver sa place. Il lui arrivait parfois d'y aller en voiture, ne quittant pas la ville avant treize heures pour éviter les embouteillages, ou attendant jusqu'à vingt et une ou vingt-deux heures que la route soit complètement dégagée.

Tout cela restait un peu de bric et de broc et transitoire par rapport au reste de sa vie, mais il connaissait des moments d'insouciance et découvrait la région pour la faire peu à peu sienne. Quand il tomberait sur la maison de ses rêves, il le saurait et l'achèterait sans hésiter. Il gara sa voiture sur le carré d'herbe sablonneux, exactement comme le faisait Wille, et il se sentit tout à fait chez lui.

16
Summit

Beatrice connaissait des difficultés. En apparence, elle n'avait pratiquement pas changé, elle était la même depuis des années, mais elle avait commencé à perdre la mémoire. Il lui arrivait de ne pas se rappeler son propre numéro de téléphone ou les noms de personnes qu'elle connaissait très bien. Elle les savait pourtant, et ils lui revenaient par la suite, mais c'était franchement gênant de ne pas parvenir à les trouver au bon moment.

« Je dois être en train de perdre la tête. Qui était-ce, dis-le-moi encore ?

– Mr DePetris.

– Bien sûr. Mais que m'arrive-t-il ? »

Rien en vérité. Elle avait plus de soixante-dix ans et était à tous égards en parfaite santé. Son fils venait en visite une semaine sur deux. Elle ne se rendait plus que rarement en ville, elle avait tout ce qu'il lui fallait à Summit, disait-elle. Elle était allée à New York de très nombreuses fois, pour voir des spectacles ou courir les boutiques, mais pas depuis longtemps.

« Cela fait des années.

– Mais non, disait Bowman. On est allés ensemble au musée, tu ne te rappelles pas ?

– Si bien sûr. »

Oui, elle s'en souvenait à présent. Elle avait simplement oublié.

Puis elle se mit à avoir quelques soucis d'équilibre. Il y avait toujours des fleurs à la maison, souvent des jonquilles, et elle s'habillait avec soin, mais en traversant sa salle à manger un après-midi, elle tomba de façon inattendue. Elle avait eu l'impression que le plancher se dérobait sous ses pieds, expliqua-t-elle par la suite. Elle s'était fait une longue estafilade en se cognant le bras contre un coin de la table. Elle se rendit aux urgences et consulta ensuite son médecin traitant comme elle avait coutume de le faire. Il remarqua qu'elle ne clignait pas des yeux et que sa main tremblait légèrement – autant de signes de la maladie de Parkinson.

Elle ne savait pas pourquoi sa main tremblait, confia-t-elle à sa sœur.

« Elle tremblote un peu, d'accord, mais si je la bouge, ça s'arrête. Tu vois ?

– Tends la main, lui demanda Dorothy. Tu as raison, ce n'est rien. »

Mais un peu plus tard, dans la cuisine, Beatrice avait fait tomber un verre.

« Oui, tout va bien, mais tu vois, je ne suis même plus capable de tenir un verre.

– Ce n'est rien, insista Dorothy. Ne bouge pas. Je vais balayer les morceaux.

– Non, Dorothy, laisse-moi faire. Je m'en occupe. C'est le deuxième verre que je casse cette semaine. »

Elle continua d'avoir des problèmes d'équilibre, elle n'avait plus confiance en elle-même, et elle se voûta imperceptiblement. L'âge ne progresse pas aussi lentement qu'on le dit, la vieillesse vous assaille d'un coup. Un jour, rien n'a changé, mais une semaine plus tard, plus rien n'est pareil. Et une semaine, c'est sans doute beaucoup. Tout se produit parfois en une nuit. Vous êtes la même personne, toujours la même personne, et puis un beau matin voilà que deux rides profondes et ineffaçables se sont creusées à la commissure de vos lèvres.

Au bout du compte, cependant, ce n'était pas un Parkinson, bien que le médecin y ait cru pendant assez longtemps. Beatrice était tombée encore deux fois, et avait du mal à s'acquitter des tâches quotidiennes. Finalement, Dorothy vint s'installer chez elle.

Ils avaient vendu le Fiori quand on avait trouvé une tumeur au cerveau à Frank qui était devenu fou. Ensuite, il était parti avec une des serveuses. Dorothy décrivait sa fuite comme de la folie pure.

« Mais il avait bel et bien une tumeur ?

– Oh oui. »

Bowman pensait qu'à la suite d'une prémonition, son oncle avait voulu déployer les ailes qu'il avait si longtemps gardées repliées, quel que soit leur état, une dernière fois. Il se trouvait dans un hôpital d'Atlantic City et s'était enfui avec une femme prénommée Francile.

« Mais tu as eu de ses nouvelles ? demanda Bowman.

– Non, répondit Dorothy. Enfin, tu sais, il est cinglé. »

De fait, ils n'entendirent plus jamais parler de lui.

Avec le temps, Beatrice se mit, comme si c'était la chose la plus naturelle du monde, à avoir des hallucinations ou à prétendre qu'elle en avait. Le soir en particulier, elle voyait des gens qui n'étaient pas là et elle se mettait à converser avec eux.

« À qui parles-tu ? demandait Dorothy.

– À Mr Caruso, répondait Beatrice.

– Où est-il d'après toi ?

– Là. Ce n'est pas lui ?

– Je ne vois personne. Il n'y a personne, Beatrice.

– C'était lui. Mais il n'a pas voulu me parler », expliquait-elle.

Caruso tenait ou avait autrefois tenu le magasin de vins et de spiritueux. Dorothy était certaine qu'il avait pris sa retraite.

Beatrice savait aussi, bien qu'elle n'en ait pas parlé au début, qu'elle n'était pas chez elle. Elle avait vécu durant cinquante ans dans cette maison, mais elle était sûre qu'on l'avait emmenée autre part. Il commença à y avoir des moments où elle ne reconnaissait pas Dorothy, ni même son fils. On détermina finalement qu'elle avait une maladie assez proche de celle de Parkinson et qu'on confondait souvent avec cette dernière. Il s'agissait d'une affection moins connue appelée « maladie à corps de Lewy », les corps en question étant des protéines microscopiques qui attaquent les cellules nerveuses du cerveau, certaines étant précisément les mêmes qu'atteint la maladie de Parkinson. Le diagnostic avait tardé à venir parce que les symptômes étaient similaires dans les deux cas. Les hallucinations, cependant, étaient un trait discriminant.

La cause exacte de la maladie des corps de Lewy n'était pas connue. Les symptômes empiraient rapidement. La fin était inéluctable.

Beatrice était si souvent pareille à elle-même que les épisodes de crise paraissaient accidentels et on pouvait même s'imaginer les voir disparaître, mais ce fut l'inverse qui se produisit. Sa personnalité profonde, cependant, demeurait inchangée.

« Dorothy, demanda-t-elle un jour, tu te rappelles quand nous habitions la baie d'Irondequoit ? Ces vieilles malles dans le grenier, que contenaient-elles, je ne m'en souviens pas ?

– Oh, mon Dieu, Beatrice. Beaucoup de choses, des vêtements, de vieilles photos… Je ne sais plus.

– Et où tout cela est-il passé ?

– Aucune idée.

– Je me le demande. J'ai des clés de malles, mais j'ignore lesquelles ouvrent quoi.

– Elles n'existent pas.

– Mais où sont-elles ? » insista Beatrice.

Elle avait un rêve récurrent ou peut-être une pensée obsédante au sujet de ces malles. Elle était sûre qu'elles avaient existé. Elle les revoyait. Mais ensuite, elle en était moins certaine. Elle avait très bien pu les imaginer. C'était sa mémoire dont elle possédait les clés mais aucune ne semblait être la bonne. Elle ne parvenait pas non plus à convaincre Dorothy qu'un intrus avait réussi à pénétrer dans la maison. Et puis, il y avait tous les soucis de la vie quotidienne. Où étaient donc passés les médicaments qu'elle était censée prendre ?

« Deux fois par jour ? demandait-elle à nouveau.

– Oui, deux.

– Ce n'est pas facile à se rappeler », se plaignait Beatrice.

Bowman était dans le train, il regardait la brume qui couvrait les plaines du New Jersey, des marais en vérité. Il en gardait un souvenir vivace, elles faisaient partie de son sang, ces plaines, tout comme la silhouette grise et solitaire de l'Empire State Building qui flottait tel un rêve à l'horizon. Il connaissait parfaitement le paysage, à commencer par ces rivières désolées et ces bras morts devenus noirs au fil des ans. Comme un antique squelette industriel, la Pulaski Skyway étirait son réseau routier dans le lointain et ses tronçons zigzaguaient au-dessus des eaux. Plus près, ils passèrent à vive allure devant des usines de brique désaffectées aux vitres brisées. Ensuite, ce fut Newark, la lugubre ville perdue de Philip Roth, avec ses églises aux clochers abandonnés et envahis de végétation. D'interminables rues mornes, avec leurs immeubles, leurs asiles, leurs écoles, tout paraissait désert, mais néanmoins traversé par cette joie terne des banlieues avec leurs noms bien tranquilles comme Mapplewood ou Brick Church. La surface lisse des greens du golf, avec son gazon immaculé. C'était lui tout ça, il en venait, et il traversait ces lieux, avec lesquels il n'avait plus de liens.

À l'angle de deux rues se trouvait le petit restaurant où il avait amené Vivian la première fois. Ce n'était en fait pas celui que Hemingway avait utilisé comme décor de sa nouvelle, il le savait maintenant. Il s'agissait d'une autre ville qui s'appelait Summit, dans les environs de Chicago, mais cela n'avait pas été sa seule erreur à l'époque. Il s'était trompé sur de nombreux points. Il se rappela, sous la forme d'une série d'incidents qui étaient autant d'instantanés, à quoi ressemblait Vivian. Il ne se souvenait pas de sa voix et se demandait avec étonnement – enfin, avec un certain étonnement – ce qui l'avait persuadé qu'il devait faire d'elle sa femme.

Il allait à pied au Summit High School, sur Morris Avenue, un excellent lycée, avec une réputation telle que les meilleures universités de la côte Est acceptaient sur-le-champ le moindre candidat recommandé par le proviseur. Avant la guerre, cela ne semblait pas si extraordinaire, c'était tout naturel. À l'époque, on ne connaissait le Japon que grâce aux actualités et aux produits bon marché portant la mention *Made in Japan*. Aucune personne sensée n'aurait pu imaginer que cet étrange pays lointain, qui paraissait droit sorti d'une opérette de Gilbert et Sullivan, était aussi dangereux que le fil d'un rasoir, qu'il aurait la discipline et l'audace nécessaires pour accomplir une mission impensable : traverser en nombre et dans le plus grand secret la partie la plus septentrionale du Pacifique pour surprendre à l'aube, par un matin paisible, la flotte américaine à Pearl Harbor et lui porter un coup presque fatal. Pearl Harbor ! Personne ne savait où ça se trouvait exactement, on n'en avait qu'une vague idée. Quand la terrible nouvelle fut annoncée en Amérique par un paisible dimanche après-midi, elle n'était accompagnée d'aucun détail et elle parut presque incompréhensible. Les Japonais. Une attaque. Totalement inattendue.

Il était lycéen à l'époque. Sa mère avait une trentaine d'années. Il se rappelait à peine son père. On était alors presque honteux d'avoir des parents divorcés. Il ne connaissait qu'un camarade dans le même cas, un étrange garçon avec une grosse tête qui s'appelait Edwin Semmler, extrêmement timide et excellent élève, surnommé le Cerveau. Ce jour-là, toute la classe ou presque s'était rendue à la fête de fin d'année organisée dans un hôtel de la ville – presque tout le monde, à l'exception de Semmler. Personne ne s'attendait à l'y voir. On ne savait pas grand-chose de lui, il détournait toujours la tête quand il passait devant les gens. Bowman avait essayé plusieurs fois de lui parler, sans succès. Au bout du compte, il était mort pendant la guerre. Il servait dans l'infanterie, on avait peine à l'imaginer. Kenneth Keogh, lui, ne s'était pas fait tuer mais c'était presque pire. Il servait aussi dans l'infanterie, avec le grade de sergent, et il était revenu de la guerre sain et sauf. Mais durant l'Occupation, à la caserne, il avait été accidentellement atteint à la colonne vertébrale par la balle d'un soldat qui nettoyait son arme, et il s'était retrouvé paralysé des deux jambes. Il prenait le train tous les jours dans son fauteuil roulant pour aller travailler à New York : Bowman l'avait vu plusieurs fois, c'était le même Kenneth Keogh, mais avec les jambes d'une poupée de chiffon.

Dans une maison blanche d'Essex Road, perchée sur une pelouse escarpée, vivait la fille la plus incroyable de la ville, Jackie Ettinger, d'un an ou deux plus âgée et trop belle pour qu'on ose l'aborder. Elle n'était pas restée, elle avait fait ses études dans le Connecticut et était devenue mannequin. Elle avait alors dix-huit ans, lui seize. Un autre monde. On l'avait déjà invitée au Brook, un cabaret où lui n'avait jamais mis les pieds. Ensuite, elle s'était mariée. Même aujourd'hui, s'il devait la croiser, malgré sa réussite, il aurait eu du mal à trouver ses mots. Elle avait hanté son imagination pendant très longtemps. À l'école des aspirants de la marine, il pensait encore à elle, et même plus tard, quand il vivait dans sa petite chambre miteuse sans salle de bains dans une rue perpendiculaire à Central Park West et qu'il avait appris son mariage. Il s'identifiait au garçon abandonné que décrivait un poème en forme de lettre qu'il avait lu à ce moment-là. La missive était rédigée par une fille partie vivre dans la haute société. Son père était devenu riche et, de retour d'un bal à minuit, elle écrivait à un jeune homme qu'elle avait autrefois connu, dont elle avait suivi la trace et auquel elle gardait son cœur.

Qu'étaient devenus ses camarades ? Ils faisaient des affaires. Plusieurs étaient avocats. Richter, chirurgien. Il se demanda ce qui avait pu arriver à son professeur préféré, le si sérieux Mr Boose, plus jeune que tous les autres, dont tous se moquaient dans son dos. Ils l'appelaient Boozie[1]. Même s'il était resté au même lycée, il serait aujourd'hui en retraite. Il avait écrit à Bowman plusieurs fois pendant la guerre.

Un après-midi, sa mère ne le reconnut pas. Elle lui demanda qui il était.

« Je suis Philip. Ton fils. »

1. L'alcoolo.

Elle le regarda puis détourna les yeux.

« Vous n'êtes pas Philip, protesta-t-elle, comme si elle refusait d'entrer dans un jeu.

– Maman, c'est moi, je te jure.

– Je ne vous crois pas. Je voudrais voir mon fils », dit-elle en se tournant vers Dorothy.

L'incident, bien que proprement irréel, n'en était pas moins déstabilisant. Il semblait couper les liens qui les unissaient, comme si elle l'avait renié. Pas question de la laisser faire.

« Je ne suis peut-être pas Philip, mais je suis un très bon ami à toi. »

Elle parut l'accepter. C'était à lui qu'il appartenait de comprendre l'état de confusion où elle se trouvait. Elle devenait étrange, lointaine, et manifestement, elle se sentait seule. Il songea à Vivian, et à sa loyauté envers sa mère pour qui il avait eu de l'affection. Il avait trouvé cela touchant. Il pensa aussi à sa propre mère, à combien il l'avait aimée, à son image au fil des innombrables matins, aux repas qu'ils avaient partagés et qu'elle avait préparés pour lui. Ce n'était pas le moment de l'abandonner, ils devaient prendre soin d'elle.

Mais en novembre, Beatrice glissa et tomba dans la baignoire, se cassant le poignet et la hanche. Dorothy n'ayant pas réussi à la tirer hors de l'eau, elle avait dû appeler une ambulance. La chute avait été spectaculaire. Beatrice souffrait et comprenait ce qu'il s'était passé. Elle supporta la routine de l'hôpital avec confusion mais sans se plaindre. Les infirmières se montraient patientes.

Bowman se rendit aussitôt auprès d'elle. Les couloirs bruissaient de murmures et les portes de nombreuses chambres restaient fermées en permanence. Il trouva sa mère paisible mais affaiblie. Elle craignait de ne plus pouvoir rentrer chez elle.

« Mais bien sûr que tu vas rentrer, lui assura-t-il. J'ai parlé au médecin. Tout ira bien.

– Oui. »

Ils gardèrent le silence pendant quelques minutes.

« J'ai de grandes difficultés. On dirait que je ne peux plus faire les choses, je ne sais pas pourquoi. Quand on meurt, que crois-tu qu'il arrive ?

– Tu ne vas pas mourir.

– Je sais, mais dis-moi ce qui arrive.

– Quelque chose de merveilleux.

– Oh, Philip ! Il n'y a que toi pour dire une chose pareille. Sais-tu ce que je pense ?

– Quoi donc ?

– Je pense qu'il arrive exactement ce en quoi on croit. »

Il se dit qu'elle n'avait pas tort.

« Oui, tu as raison. Que crois-tu qu'il va arriver, toi ?

– Oh, j'aimerais me dire que je vais me retrouver dans un très bel endroit.

– Comme ? »

Elle hésita.

« Comme Rochester », dit-elle en riant.

Ses moments de lucidité devinrent plus rares après sa sortie de l'hôpital et elle ne demeurait consciente de la réalité qu'une partie du temps. Elle était aussi devenue plus craintive. Dorothy avait déjà du mal à s'occuper d'elle à la maison, et la situation ne manquerait pas d'empirer.

Bowman trouvait l'idée d'une maison spécialisée détestable, il aurait eu l'impression de l'abandonner. Ces maisons de retraite étaient pour les personnes âgées dont personne ne voulait plus. Que leur restait-il alors qu'elles passaient leurs jours à attendre ou à traîner les pieds dans les couloirs, à moins qu'on ne les pousse dans un fauteuil roulant d'un endroit à l'autre ? Elles pouvaient vivre comme cela pendant de nombreuses années. Beatrice était sans doute fatiguée, déprimée, mais elle n'était pas comme eux. Elle n'avait pas vieilli pour se retrouver dans cet état. C'était pire que la mort. Comme elle l'avait dit, il arrivait ce qu'on croyait qu'il arriverait. On restait soi-même jusqu'à la fin, jusqu'à l'ultime instant. À la maison de retraite, on avait déjà laissé derrière soi tout ce à quoi on croyait.

17
Christine

À Londres, Bernard Wiberg posait de plus en plus au lord, et dans les cercles autorisés on chuchotait qu'il serait sans doute bientôt anobli. Il était superbe dans ses costumes sombres sur mesure, et l'admiration qu'il se vouait, certes considérable, l'était moins que ses succès. Pour les livres sérieux, il était l'éditeur qu'espéraient pour eux-mêmes les écrivains, et pour les publications destinées à rapporter gros, il avait un flair infaillible. S'il achetait un livre, c'était toujours à un prix avantageux, quel qu'il soit. Les manuscrits pour lesquels il offrait peu finissaient par se trouver un lectorat, et ceux qu'il était obligé de payer cher rapportaient davantage au bout du compte. Peu lui importait le prix, pour lui c'était la valeur qui comptait.

On racontait qu'il allait bientôt épouser une ancienne ballerine dont on voyait souvent les photos dans les magazines glamour, prises lors de réceptions ou de dîners mondains. Elle semblait mener une existence hors du commun et, en tant que lady Wiberg, rien ne l'empêcherait de continuer ainsi. À l'opéra ou au ballet, Wiberg était l'image même de l'élégance, nœud papillon blanc quand l'occasion l'exigeait, et sa maison conservait tout son raffinement. Il avait dîné avec le duc et la duchesse de Windsor en France – une réception régie par un protocole inflexible, les invités, par exemple, ayant dû arriver avant le couple royal. L'ex-ballerine, Catarina, l'encourageait à offrir de temps à autre des soupers après le spectacle, qu'elle se plaisait à appeler *soirées**, la table du dîner regorgeant d'assiettes de rosbif froid, de pâtés et de pâtisseries, ainsi que de grands crus. Dans l'intimité, elle l'appelait *mon cochon**. Lorsque, en peignoir de bain ou bretelles blanches, il lui chantait *Falstaff* ou *Figaro*, le rire de sa danseuse était irrésistible.

Enid continuait d'être son amie, surtout quand la danseuse de Wiberg rendait visite à ses proches à Bolzano ou bien participait à un spectacle quelque part. Elle ne dansait plus, mais on faisait de plus en plus appel à elle comme conseillère artistique et même comme chorégraphe. Enid, elle, s'était mise à travailler dans le cinéma, d'abord comme assistante, réservant pour le producteur des tables au restaurant et des billets d'avion, et participant aux dîners. Elle passait aussi un certain temps sur les lieux de tournage, apprenant les ficelles des raccords et de tout ce qui constitue la tâche d'une script-girl. Les équipes l'accueillaient de façon sympathique, mais elle demeurait une sorte d'élégante étrangère, et il en allait de même le soir quand tous se retrouvaient pour prendre un verre. Lors d'un blanc dans la conversation, un réalisateur américain, devant tout le monde et à brûle-pourpoint, lui demanda :

« Alors dis-moi, Enid, est-ce que tu baises ?

– J'aurais bien tort de m'en priver », répondit-elle froidement, d'une façon qui semblait exclure le goujat des possibilités.

Il n'insista pas. La réplique d'Enid fut souvent citée.

Bowman était venu à Londres pour la foire du livre, et son avion de retour avait été retardé. Il atterrit à New York à vingt et une heures. Il mit une demi-heure à récupérer ses bagages, puis entreprit de trouver un taxi. Comme il y avait foule, il dut partager son véhicule avec une inconnue qui allait aussi dans le West Side, une femme chargée de trois ou quatre valises. Elle recula ses jambes pour lui faire un peu de place. Assise au fond de la banquette, elle portait ce qui ressemblait à un manteau, mais elle gardait les bras hors des manches, comme s'il s'agissait d'une cape. Ils n'échangèrent d'abord pas un mot. Bowman était décidé à rester sur son quant-à-soi sans lui accorder le moindre regard. À New York, les femmes pouvaient vous réserver des surprises. Certaines se sentaient victimes d'injustices, d'autres étaient profondément perturbées, d'autres encore recherchaient avidement un homme.

Quand ils atteignirent la voie rapide, elle lui demanda :

« D'où arrivez-vous ? »

Il y avait quelque chose d'insolite dans sa façon de poser la question. On aurait dit qu'elle le connaissait.

« De Londres, répondit-il, en la regardant attentivement pour la première fois. Et vous ?

– D'Athènes.

– Un bien long vol, commenta-t-il.

– Oh, ils me semblent tous longs. Je n'aime pas l'avion. J'ai toujours peur qu'il s'écrase.

– Je ne pense pas qu'il y ait quoi que ce soit à craindre. Un accident d'avion, c'est très rapide. Tout est fini en une seconde.

– C'est ce qui se passe avant qui m'effraie. Le moment où on comprend que c'est la fin.

– Vous avez sans doute raison, mais comment préféreriez-vous mourir ?

– D'une autre façon », répondit-elle.

À la lumière des phares des véhicules qu'ils croisaient, il voyait ses cheveux noirs et son rouge à lèvres qui le firent la prendre pour une Grecque. La voie rapide longeait Manhattan, tel un long collier d'ambre de l'autre côté du fleuve. À l'extrémité se trouvait le quartier financier, et de là on découvrait, en remontant, les gratte-ciel innombrables, pareils à d'immenses rectangles de lumière. Tenter d'imaginer tout cela, c'était comme un rêve, les fenêtres et les étages entiers qui jamais ne s'éteignaient, comment aurait-on pu vouloir vivre ailleurs ?

« Vous habitez Athènes ? demanda-t-il.

– Non, répondit-elle, désinvolte. J'accompagnais ma fille qui allait voir son père.

– Je ne suis jamais allé en Grèce.

– Quel dommage ! C'est un pays merveilleux. Si vous y allez un jour, visitez les îles.

– Vous pensez à laquelle en particulier ?

– Oh, il y en a tellement…

– Oui.

– Certains endroits semblent n'avoir jamais été touchés par le temps : comme au premier jour. »

Ils se regardèrent sans parler. Il ne savait pas ce qu'elle voyait à ce moment-là. Elle avait des traits bien dessinés et lisses.

« Là-bas, les gens ont quelque chose qu'on ne trouve pas ici. Une sorte de joie de vivre.

– Absurde », dit-il.

Elle fit comme si elle ne l'avait pas entendu.

« Vous étiez à Londres pour affaires ?

– Oui, pour affaires. La foire du livre.

– Vous avez une maison d'édition ?

– Pas exactement. Je suis éditeur. Un patron a d'autres responsabilités.

– Et quelle sorte de livres publiez-vous ?

– Surtout des romans !

– L'amie chez laquelle j'habite en ce moment s'est retrouvée dans un roman. Elle en est très fière. Elle s'appelle Eve dedans. Ce n'est pas son vrai nom.

– Il s'agit de quel livre ?

– Je crains d'avoir oublié le titre. Je n'ai lu que les parties qui la concernent. Elle connaissait l'auteur. Dites-moi comment vous vous appelez », reprit-elle, après une pause.

Elle s'appelait Christine, Christine Vassilaros. Elle n'était pas grecque, mais son mari oui, un homme d'affaires dont elle vivait séparée. Son amie, Kennedy, celle dont on parlait dans ce livre, était divorcée, et habitait dans un appartement à loyers plafonnés, vestige d'un système antérieur à 1914 et de l'entre-deux-guerres. « Je ne lâcherai jamais ce logement », avait-elle expliqué. On se serait cru à La Havane, c'était un appartement démodé et à peine meublé, dans la 85ᵉ Rue.

Le taxi s'arrêta d'abord chez Bowman. Il lui tendit un peu plus d'argent que sa part de la course.

« C'est très aimable à vous d'avoir partagé ce taxi, dit-il. Je peux vous appeler un de ces jours ? » demanda-t-il sans hésiter.

Elle nota son téléphone au dos d'une souche de carte d'embarquement.

« Voilà ! »

Et elle la lui glissa dans la main.

Alors que le taxi disparaissait, il éprouva un sentiment d'exaltation. Les feux arrière s'éloignaient dans la rue, emportant l'inconnue loin de lui. On se serait cru au théâtre : un premier acte mené tambour battant. Le portier le salua.

« Bonsoir, monsieur.

– Oui, bonsoir. »

J'ai rencontré une femme tout à fait extraordinaire, avait-il envie de dire. Et par hasard. Il y repensa avec excitation dans l'ascenseur et en rentrant chez lui. Elle était mariée, certes, mais c'était normal – à un certain stade de la vie, chacun semblait l'être. À un moment donné aussi, on commençait à se dire qu'on connaissait tout le monde, qu'il n'y avait plus personne à rencontrer et qu'on allait passer le reste de sa vie au milieu de visages familiers, des femmes en particulier. Ce n'était pas seulement qu'elle s'était montrée chaleureuse. C'était cela, mais plus encore. Il eut envie de l'appeler, mais c'était ridicule. Elle n'était sans doute même pas encore arrivée dans sa rue. Il se sentait déjà impatient. Il allait falloir le cacher d'une façon ou d'une autre.

Quand elle accepta de venir déjeuner, un jour plus tard, il comprit que tout effort de dissimulation serait vain. Elle paraissait plus jeune qu'il ne l'avait cru, mais comment en être sûr ? Ils étaient assis face à face. Elle avait le cou d'une femme de vingt ans, et son visage n'était marqué que par quelques légères rides d'expression, dues à son sourire. Il émanait d'elle un charme presque électrique.

Il n'aurait pas voulu y succomber, mais comment résister au spectacle de sa gorge et de ses bras nus ? Elle s'en rendait sûrement compte. Ne te laisse pas enivrer, semblait-elle dire. Il avait tout loisir de l'admirer de près. Sa chevelure noire et lustrée. La courbe de sa lèvre supérieure. Elle tenait sa fourchette avec une sorte de langueur, comme si elle s'apprêtait à la lâcher, mais elle mangeait de bon appétit tout en parlant, sans se laisser distraire. Son autre main était levée, et à demi repliée, comme si elle avait voulu se sécher les ongles. De longs doigts aristocratiques. Il se trouvait qu'elle avait vécu à New York, Waverly Place exactement, avec son mari pendant un certain nombre d'années.

« Six », précisa-t-elle. Elle avait travaillé comme agent immobilier.

Il la regardait. Comment s'en empêcher ?

« Dans un joli quartier de la ville.

– Vous connaissez bien New York, alors, dit-il, un peu envieux.

– Très bien. »

Elle n'en dit pas beaucoup plus sur son mari. Il travaillait à Athènes, voilà tout. Ils avaient vécu en Europe.

– À Athènes ?

– Mais nous sommes séparés.

– Vous êtes en bons termes ?

– Eh bien…

– Vous êtes encore proches ? » s'entendit-il demander.

Elle sourit.

« Plus vraiment. »

Il avait l'impression qu'il pouvait tout lui dire, tout lui raconter. Il existait entre eux, déjà, une complicité naissante.

« Quel âge a votre fille ? » demanda-t-il.

Elle avait quinze ans. Il en fut stupéfait.

« Quinze ans ! Vous n'avez pas l'air de quelqu'un qui pourrait avoir une fille de quinze ans ! » Et avec désinvolture, il ajouta : « Quel âge avez-vous ? »

Elle fit une petite grimace de désapprobation.

Trente-deux ?

– Je suis née pendant la guerre. Pas au début, cependant. »

Il songea à son âge à lui, mais elle ne prit pas la peine de le lui demander. Sa fille s'appelait Anet.

« Comment l'écrivez-vous ? »

Un bien joli prénom.

« C'est une enfant merveilleuse. Je l'adore.

– Évidemment, quand on a une fille…

– Ce n'est pas seulement ça. Vous avez des enfants ?

– Non. »

Il eut presque l'impression d'avoir chuté dans son estime. Il était clairement plus vieux, célibataire et sans famille.

« Mais c'est un très joli prénom, répéta-t-il. Certains noms ont quelque chose de magique. On ne peut plus les oublier.

– C'est vrai.

– Vronsky, par exemple.

– Pas très évident, comme prénom de fille.

– Non, bien sûr. Inoubliable, mais pas très facile.

– J'aimerais presque avoir un autre enfant, rien que pour le plaisir de lui donner un prénom. Si vous en aviez un, comment l'appelleriez-vous ?

– Je n'y ai jamais vraiment songé… Si c'était un garçon…

– Oui, dit-elle. Un garçon.

– Eh bien, Agamemnon.

– Ah ! Oui. Bien sûr. Achille, ce n'est pas mal non plus. Agamemnon ressemblerait presque à un nom de cheval.

– Ce serait un merveilleux petit garçon, dit Bowman.

– J'en suis sûre. Comment faire autrement avec un prénom pareil. Et une fille ? J'ai presque peur de vous poser la question.

– Une fille ? Quisqueya.

– Je vois que vous êtes un homme de tradition. Quel nom avez-vous dit, déjà ?

– Quisqueya.

– Un personnage historique, ou une héroïne de roman, sans doute.

– C'est un nom péruvien.

– Péruvien ? Vraiment ?

– Non, je l'ai inventé, confessa-t-il.

– En tout cas, ça irait bien avec Bowman.

– Quisqueya Bowman. Eh bien, gardons l'idée en tête.

– Et sa sœur, Vronsky.

– Oui. »

Entendu. Laisse-toi griser. C'était toujours au premier mot, au premier regard, au premier baiser, à la première danse fatale. C'était toujours là, en attente. Christine, je te connais, pensa-t-il. Elle lui souriait.

Il lui fallut en parler tout de suite à quelqu'un, c'était indispensable, il ne pouvait pas le garder pour lui. Alors il se confia au portier :

« Je viens de rencontrer une femme absolument merveilleuse.

– Vraiment ? Content pour vous, Phil. »

Il ne l'avait jamais auparavant appelé par son prénom, même s'il leur arrivait de temps à autre de bavarder ensemble. Il se nommait Victor.

Vous ferez sa connaissance avant peu, eut envie d'ajouter Bowman, mais il se rendit compte que cela aurait eu l'air d'une parole de séducteur patenté, et puis il n'était pas sûr que cela se produirait. Il regrettait presque d'avoir fait cette confidence, il n'avait cependant pas pu s'en empêcher. L'appartement paraissait lumineux, accueillant. C'était la présence de Christine, le début de sa présence dans sa vie.

Ils se rendirent ensemble à un dîner offert par un couple qui publiait des livres d'art, une branche à part dans le monde de l'édition – des livres d'art, mais aussi de gros volumes consacrés à l'architecture, comme les hôtels de l'Amazonie, par exemple. Jorge et Felice Arceneaux – c'était elle qui possédait les fonds. Ils étaient huit à table, y compris un jeune journaliste français qui écrivait une biographie d'Apollinaire, le poète si sérieusement blessé durant la Première Guerre mondiale. Christine fut parfaite. Sa beauté, d'abord. Tous étaient très conscients de sa présence : elle se montra charmante tout en restant discrète. Elle ne connaissait personne et ne voulait surtout pas s'imposer. Le biographe, qui travaillait à ce projet depuis plusieurs années, avait eu un jour la chance de rencontrer la vieille maîtresse d'Apollinaire, non pas celle qui s'était jetée par la fenêtre à la mort du poète, mais une autre, qui était russe. Apollinaire lui avait consacré un poème.

« C'était une chance extraordinaire pour moi de faire sa connaissance. Je lui ai parlé du poème. Elle était déjà assez âgée à l'époque. Savez-vous ce qu'elle m'a répondu ? Elle m'a dit : *Oui, je mourrai en beauté** : à la fois "je veux que ma fin soit belle" et "je serai encore belle quand je mourrai". »

À partir de là, la conversation s'engagea sur la question de la mort, puis celle du paradis.

« Je n'aime pas beaucoup l'idée du paradis, déclara leur hôtesse. À commencer par ceux qui iraient. De toute façon, ça n'existe pas.

– En êtes-vous si sûre ? demanda un convive.

– Raisonnablement. Et si je me trompe, eh bien on ferait mieux de pécher autant que possible sur terre, parce que cela risque de ne pas être possible au paradis.

– Êtes-vous mariés ? demanda le journaliste à Bowman et Christine.

– Non. Pas exactement », répondit Bowman pour couper court à l'interrogatoire.

Il n'avait jamais songé au mariage : rien qu'aux étapes qui pouvaient y conduire. Il pensait sans arrêt à Christine. Il savait qu'il allait devoir faire quelque chose d'ordinaire, comme prendre un cocktail ou un dernier verre chez lui, même si tout cela semblait terriblement démodé et ridicule. Il était certain qu'il ne lui était pas indifférent, mais en même temps, il se sentait nerveux à l'idée de lui en demander confirmation. Il détestait la perspective de se montrer maladroit. Toutefois, il savait que cela lui paraîtrait dérisoire dès qu'ils auraient franchi ce cap, et que les gaucheries seraient alors oubliées. Mais rien de ce qu'il savait ne lui était d'aucun secours, à moins qu'il n'ait tout oublié. Le journaliste rapportait le cas d'un meurtre célèbre – le lieu où il s'était produit restait obscur – qu'on avait résolu grâce aux traces de « liqueur spermatique » trouvées sur une cigarette. Il se complut à répéter ces mots trois fois. Aucun convive ne lui fit remarquer que plus personne ne disait cela.

En quittant la table, Christine lui murmura :

« Liqueur spermatique ?

– C'est sans doute une traduction littérale, répondit Bowman.

– Liqueur… liqueur, musarda Christine.

– Ça ressemble au titre d'une chanson.

– En tout cas, j'y goûterais volontiers, dit-elle comme si elle parlait d'une boisson inconnue sur un menu. » Et elle ajouta : « Y en a-t-il chez vous ? »

Était-elle encore en train de plaisanter ? Elle ne le regardait pas.

« Oui. Beaucoup.

– Je pensais bien que c'était ce que vous alliez répondre. »

Dans le taxi qui les raccompagnait, ils demeurèrent silencieux, comme s'ils allaient au théâtre. Puis il l'embrassa fougueusement. Ses lèvres étaient fraîches. Il sentit son parfum. Il lui prit la main dans l'ascenseur.

« Est-ce que vous voudriez boire quelque chose ?

– Pas vraiment.

– Moi, je vais prendre un petit verre. »

Il se servit un doigt de bourbon. Il sentit qu'elle l'observait. Il se hâta de vider son verre. Puis il se remit à l'embrasser, en la tenant par les bras.

Dans la chambre, il lui retira ses chaussures. Puis, à la lumière de la lampe laissée allumée au salon, ils se dévêtirent de part et d'autre du lit.

« Beaucoup, disais-tu.

– Oui. »

Elle passa dans la salle de bains. Quand elle revint, il lui dit :

« Reste là un instant. »

Il tenta de la découvrir lentement mais n'y parvint pas. La première fois avait toujours quelque chose d'aveuglant.

« Approche », dit-il.

Elle s'étendit près de lui pendant quelques minutes, les premières minutes, comme une nageuse s'allonge au soleil. Il la voyait nue, presque tout son corps nu, dans la pénombre. Ils firent l'amour simplement, sans fioritures – elle regardait le plafond, lui, les draps, comme des lycéens. Le silence était total mis à part le bruit de la circulation dans le lointain. Et encore. Le silence était partout, et il jouit comme un cheval qui se désaltère à grands traits. Il demeura longtemps couché sur elle, perdu dans ses rêves, épuisé. Elle n'avait pas fait l'amour depuis plus d'un an, et elle aussi se laissa aller à ses songes avant de sombrer dans le sommeil.

Ils s'éveillèrent dans la lumière d'un monde neuf. Elle était exactement telle qu'elle s'était endormie la veille, mais ses lèvres paraissaient plus pâles et ses yeux moins brillants. Ils firent de nouveau l'amour, il avait l'impression d'avoir dix-huit ans, invinciblement vigoureux. L'appartement était plus beau qu'il ne l'avait jamais été, inondé de lumière, la lumière de sa présence. Ils ne s'étaient pas précipités pour coucher ensemble, et ils n'avaient pas non plus trop attendu. Ils connaissaient maintenant la période d'initiation. Ils savaient qu'il leur en restait beaucoup d'autres à traverser.

Ils burent un jus d'orange et firent du café. Il devait aller travailler.

« Est-ce qu'on peut se voir pour dîner ?

– Non, je suis désolée… je ne peux pas ce soir… mon chéri. Il est trop tôt pour t'appeler mon chéri, n'est-ce pas ?

– Je ne trouve pas.

– Juste une fois, alors.

– Vas-y.

– Mon chéri », répéta-t-elle.

18

Avec toi, oui avec toi

Toujours un peu inquiet, l'œil farouche, Tim Wille était designer de meubles. Quand il vous parlait, il regardait ailleurs, souvent vers le mur. Il ne buvait plus. Il s'était fait arrêter avec un taux d'alcoolémie trois fois supérieur à la limite autorisée. Il avait passé la nuit au poste et dépensé des milliers de dollars en honoraires d'avocat au cours de l'année suivante. C'était sans doute la meilleure chose qui lui soit arrivée – il avait complètement cessé de boire, disait-il, même s'il avait parfois encore l'air d'un alcoolique.

Quelqu'un chantait chez lui, on aurait eu du mal à dire quoi. Cela ressemblait à une fête. La musique flottait jusque chez Bowman, de façon légère et romantique. Elle aimait sa maison, lui dit Christine. Bien qu'elle ait longtemps vécu à New York, elle n'était jamais venue là.

« On dirait le vent dans un champ de cannes à sucre, ou quelque chose du genre. »

Ils entendaient la mer, le murmure grave et continu des vagues qui déferlaient sous le vent.

Il la conduisit dans un restaurant à quelques kilomètres, une ancienne ferme, en retrait de la route et tenu par une famille grecque, une mère et ses deux fils. L'aîné, George, travaillait aux cuisines. Steve, moins taciturne, s'occupait du service, et la mère tenait la caisse et le bar. Le restaurant était célèbre pour ses grillades au feu de bois et plusieurs spécialités grecques comme la moussaka. Quand Steve s'approcha de la table, Christine s'adressa à lui dans sa langue :

« Alors, que pouvons-nous manger ? »

Il la regarda en hochant légèrement la tête.

« Qu'est-ce qui vous ferait plaisir ? demanda-t-il, en grec, lui aussi.

– *Skordhalia.* Et puis, *kaseri* grillé. Agneau et riz. Enfin, un *metrio.* »

Pour toute réponse, il sourit. Elle portait un chemisier de soie couleur abricot. Elle avait les dents aussi blanches que des cartes de visite. Plus tard, le frère aîné s'avança jusqu'au seuil de la cuisine pour regarder ses clients.

« Je suis très impressionné, dit Bowman. Combien de temps as-tu mis à apprendre le grec ?

– Combien de temps ? Un mariage. »

Le restaurant était bondé, presque toutes les tables étaient occupées. Une naine entra avec sa mère. Elle ne devait pas mesurer plus d'un mètre vingt, et elle avait une jambe rachitique. Elle portait une sorte de sweat-shirt et du vernis à ongles bleu. C'était douloureux de la voir se contorsionner pour marcher, mais son visage restait serein.

« On se croirait en Grèce. Tout le monde va au restaurant.. la ville entière. »

Il y avait une femme plutôt corpulente, corpulente mais sûre d'elle et assurément séduisante dans sa robe à fleurs, à une table près de la porte. Elle s'appelait Grace Clark. Elle était en compagnie d'une autre femme et d'un homme, tous manifestement éméchés. Elle avait assassiné son mari, expliqua Bowman.

« Vraiment ?

– Je ne sais pas si elle l'a effectivement tué, mais on l'a retrouvé avec cinq balles dans la peau. Elle était à New York à ce moment-là, a-t-elle déclaré. Elle était allée voir son dentiste mais elle s'était trompée de jour. La police n'a pas réussi à démonter son alibi. Son mari était un homosexuel qui ne s'assumait pas. Il avait coutume de ramener des garçons portoricains à la maison en l'absence de sa femme. Très peu de gens étaient au courant. Elle, elle devait le savoir. Trois témoins pourraient jurer qu'elle ne l'avait pas tué, dit-elle. Elle en était un, son mari un autre, et Dieu le troisième.

– A-t-elle réussi à prouver qu'elle était à New York à ce moment-là ?

– Je ne crois pas. C'est là toute l'histoire. Personne n'a jamais été accusé et l'affaire a dû être classée. »

Ils avaient entamé leur seconde bouteille de retsina.

« Elle avait déjà été mariée deux ou trois fois. Ça ne doit finalement pas être si difficile de tirer à cinq reprises sur son mari et ensuite de jurer qu'on n'était pas là quand ça s'est produit ! Je l'ai rencontrée ; de fait, c'est une femme intéressante.

– Je n'ai jamais connu de meurtrier. Du moins, je ne crois pas. Je connais tout de même quelques voleurs. »

Il était intensément conscient de ce moment, et du plaisir qu'il avait à le partager. Il se voyait assis face à elle. Rien qu'eux deux. Cela contribuait à sa joie.

Ce soir-là, on entendait l'océan mugir à proximité. Le fracas des vagues était régulier et interminable. Ils se rapprochèrent de la grève. Il était plus de vingt-trois heures, la plage était complètement déserte, pas même une fenêtre éclairée dans les maisons toutes proches. L'eau était noire, elle se soulevait et, dans un rugissement, vous montrait les crocs. Ils restèrent quelque temps à contempler le spectacle. Il était un peu ivre. Christine gardait les bras serrés contre sa poitrine.

« Ça te dirait un petit bain de minuit ? demanda-t-il, mi-figue, mi-raisin.

– Non. Pas vraiment. »

Il ressentit soudain une bouffée de désir, une sorte de folle audace : il revoyait la mer à Tahiti avec ces marins intrépides qui se jetaient à l'eau du pont de leurs bateaux, l'océan au large d'Oahu ou de la côte de Californie soulevé par une tempête qui menaçait. Léandre n'avait-il pas traversé l'Hellespont ?

« Ce serait magnifique. Allons-y !

– Es-tu fou ? »

Il était transporté, presque fanfaron. Il était déjà allé nager la nuit, mais jamais dans les brisants. Les grosses vagues roulaient sur un rythme régulier, elles se soulevaient avant de se fracasser. Il se pencha pour retirer ses chaussures.

« Tu ne comptes pas vraiment y aller ?

– Rien qu'une minute. »

Déjà, il se débarrassait de sa chemise et de son pantalon. Elle le regardait, incrédule.

« Je veux juste voir si elle est froide. »

Il avait conscience de tout ce que cela avait d'irréel, de bravache, mais il se tenait néanmoins en caleçon au bord de l'eau en pleine nuit. Il ne pouvait plus reculer désormais.

« Philip, dit-elle. Ne fais pas ça.

– Ne t'inquiète pas, je ne risque rien.

– Non ! »

Le premier contact autour de ses chevilles fut moins froid qu'il ne l'aurait cru. Alors qu'il avançait, une vague déferla et il se retrouva dans l'eau jusqu'à la ceinture. Soudain, une autre vague approchait, et il plongea dedans, s'enfonçant dans l'abrupte paroi de liquide noir, avant de devoir faire face à une autre qui s'apprêtait à se briser. Il plongea de nouveau, émergeant cette fois un peu plus loin. Les vagues devenaient plus hautes à cet endroit et l'eau plus profonde. Il n'avait déjà plus pied. Il lutta contre la panique. Il était ballotté par la houle, les vagues se fracassaient avec un bruit de tonnerre. Il tenta de comprendre leur rythme. L'une d'elles le souleva plus haut encore et il regarda du côté de la grève. Christine était hors de vue. Les vagues s'avançaient par cinq ou six, il ne parvenait pas à compter. Il lui fallut attendre que la mer se calme un peu, alors qu'il pensait que cela ne se produirait jamais. Il nagea en tentant de contrôler sa respiration. Soudain son cœur fit un bond. Il distinguait une forme dans l'obscurité. C'était la tête d'un nageur. Christine !

« Mais qu'est-ce que tu fais ? » s'écria-t-il.

Il eut peur de la savoir là. Les choses étaient bien assez difficiles comme ça.

« Est-ce que tu as pied ? demanda-t-elle.

– Non. Tu vois comment rentrer ?

– Non.

– Alors, reste à côté de moi. Attention, en voilà une ! Plonge ! »

Ils émergèrent ensemble. Elle était livide, effrayante à voir.

« Quand la vague s'apprête à te soulever, nage dans le sens où elle te porte, de toutes tes forces, allonge-toi dans l'eau, comme une lame de couteau. »

Ils étaient littéralement hissés en l'air.

« Maintenant ! » cria-t-il.

Ils se mirent à nager côte à côte, mais une vague les dépassa. Puis il en arriva une autre. Trop tard… ils s'enfoncèrent dans le creux. Ils disparurent tous les deux mais ressortirent juste à temps pour s'élancer sous un nouveau rouleau. Ils commençaient à se rapprocher du bord.

« Maintenant ! cria-t-il de nouveau. Vas-y ! »

Elle tenta de courir pour échapper à l'eau qui lui montait encore jusqu'à la taille mais fut happée en arrière et tomba dans le ressac. Elle réussit à se relever et gagna le rivage en titubant. Il la suivit.

« Oh, mon Dieu ! » dit-elle.

Elle serrait les bras autour de sa poitrine et tremblait de tous ses membres.

« Drôlement impressionnant ! s'exclama-t-il.

– Oui ! » Elle avait du mal à parler.

Une dernière vague vint leur lécher les pieds. Admiratif, il prit Christine dans ses bras. Il sentait sa poitrine se soulever à chaque inspiration.

« Qu'est-ce qui t'a poussée à y aller ?

– Je ne sais pas. La folie de l'amour.

– Tu ne l'avais jamais fait ?

– Pas dans une eau comme celle-ci. »

Ils reprirent le chemin de la maison. Ils tremblaient encore mais ils étaient fous de joie. Elle s'enroula dans un peignoir.

« Tu as froid ?

– Un peu.

– Tu veux boire quelque chose ?

– Non.

– Tu es sûre ?

– Oui. Je commence à me réchauffer.

– Quand je t'ai vue au milieu de l'eau, je n'arrivais pas à le croire. Tu n'as pas eu peur ?

– Si.

– Alors pourquoi l'as-tu fait ?

– Je ne sais pas. Il le fallait. »

Il s'installa sur le lit tandis qu'elle se douchait. Il avait acheté deux oreillers supplémentaires et il s'y blottit en l'attendant. L'anticipation était un sentiment qui ne ressemblait à aucun autre. Il entendit l'eau cesser de couler, et finalement elle sortit de la salle de bains, après s'être sommairement séché les cheveux. Elle retira son peignoir avant de se coucher sous les draps à ses côtés. Personne n'avait jamais été autant désiré. Il l'attira vers lui pour la serrer plus fort. Elle avait glissé une main entre ses jambes.

« Oh, mon Dieu, murmura-t-elle.

– Oui… »

Il se sentait fort comme un dieu. Et ils n'en étaient qu'au début.

Il se réveilla à l'aube. Tout était étrangement silencieux. Les vagues s'étaient apaisées. Une longue veine verte parcourait la mer. Sur le carreau, un pâle papillon de nuit attendait le matin.

« Christine, murmura-t-il doucement à son oreille. Ne te réveille pas. Est-ce que tu peux le faire encore endormie ? »

Ensuite, ils retombèrent, comme des pantins désarticulés. Une jambe, dans un pyjama blanc, se retrouva sur les oreillers près de sa tête et elle caressa le pied à portée de main. Les draps, auparavant d'une infinie douceur, étaient tout chiffonnés. Plus loin sur la plage, invisible de leur chambre, un drapeau américain, accroché à un haut poteau, battait au vent comme un symbole de bienséance et de droiture.

« Et voilà comment on tombe amoureux, dit-il.

– C'est de cette façon que ça t'était arrivé ?

– Oh, mon Dieu, non. »

Il garda le silence durant quelques instants.

« J'avais été frappé par la foudre. Comme aveuglé. Je ne savais plus rien de rien. Évidemment, elle non plus. C'était il y a très longtemps. Ensuite, on a divorcé. On était tout simplement trop différents. Elle avait eu le courage de me le dire. Enfin, de me l'écrire.

– Et cela t'avait semblé aussi simple que ça ?

– Oh non, pas sur le moment. Les choses ne sont jamais aussi simples sur le moment.

– Je le sais, dit-elle. Moi je me suis mariée pour le sexe.

– C'est bien ce que j'avais espéré, moi aussi.

– Les femmes sont faibles, soupira-t-elle.

– Bizarre, moi, ce n'est pas l'expérience que j'en ai.

– Mais si, elles sont faibles. Un bracelet, une babiole, une bague…

– Je m'aperçois que tu portes toujours ton alliance, remarqua-t-il.

– C'est sentimental. Mais je suis impatiente de la retirer.

– Laisse-moi faire, dit-il sans esquisser un geste.

– On peut dire que tu l'as mérité ! »

Il ne voulait rien ajouter à ces paroles qui avaient résonné comme un point d'orgue. Au bout d'un instant, il reprit :

« J'ai été très impressionné de t'entendre parler grec. Le serveur aussi l'était.

– Je ne parle pas si bien que ça.

– On dirait que tout est facile pour toi.

– Mon problème est qu'il me faut un endroit où vivre. Je dois gagner de l'argent, j'ai besoin d'un endroit à moi.

– Je t'aiderai.

– Tu es sérieux ?

– Absolument. Une femme comme toi peut obtenir tout ce qu'elle veut.

– Une femme comme moi… », répéta-t-elle.

Oui, comme elle. L'idée de voyager avec elle, seuls tous les deux en Grèce – peu importait que son mari s'y trouve –, la Grèce dont elle lui avait parlé. Il se l'imaginait : Salonique, Cythère, les femmes vêtues de noir, les bateaux blancs qui reliaient les îles. Il n'y était jamais allé. Il avait lu *Le Colosse de Maroussi*, un livre fou et plein de démesure, et Homère bien sûr, vu des représentations d'*Antigone* et de *Médée*, et il connaissait la fabuleuse voix de Nana Mouskouri, si intense. Pas immédiatement mais en lien avec tout cela, il pensa à Aleksei Paros qui avait plus ou moins disparu, puis il songea à Maria Callas, aux armateurs, à ce vin blanc avec son goût de résine de pin, à la mer Égée, aux dents blanches et aux cheveux noirs. C'était comme un rêve éblouissant, les Grecs avaient leur pays dans le sang, on gémissait devant les tombes, on lavait le corps des morts… Mais ce n'était pas la mort qui l'attirait : c'était l'inverse. Avec Christine, ce serait magnifique de vivre au soleil, au bord de l'eau, sur des terrasses ombragées par la vigne, dans des chambres d'hôtel monacales. Elle lisserait d'un coup sec les pages d'un journal grec avant de le lui lire au lit, elle le ferait sans doute, il l'imaginait capable de tout. Il voulait apprendre les mots grecs pour « matin », « nuit », « merci », « amour ». Et aussi quelques mots salaces pour les lui murmurer. Le mot qui signifie « nu » est le même dans toutes les langues, mais sans doute pas en grec. Il aimait la voir nue, et même seulement l'imaginer nue. À cet instant précis, le désir s'était éteint en lui, mais pas au sens large du terme.

Au-dehors, le jour était tissé de nombreux silences. Le temps s'était arrêté. Elle se taisait, l'esprit sans doute occupé ou peut-être pas. Elle ne pouvait absolument pas soupçonner combien elle était séduisante. Il était étendu auprès d'une femme à la peau douce, ravie à son mari. Aujourd'hui, elle lui appartenait, ils vivaient ensemble. Il était transporté de joie. L'audace de cette femme, lui qui s'en savait dépourvu, venait compléter ce qu'il manquait à son caractère.

Le train qui conduisait Dena et son fils Leon au Texas pour aller rendre visite à ses parents s'arrêtait à Dallas; ces derniers vivaient près d'Austin et ils viendraient donc les chercher en voiture. Dena voulait voir le paysage, et Leon était tout excité à cette idée. Dans le hall inférieur si sombre de Penn Station, là où les trains arrivaient et quittaient la gare, un brouhaha de voix indistinctes annonçant les départs emplit l'air, comme un message divin, impérieux et définitif. Eddins s'arrêta pour demander à un porteur où se trouvait leur voiture, dans laquelle ils montèrent quelques minutes plus tard. Tous trois portèrent les bagages le long du couloir jusqu'à leur compartiment, et Eddins les aida à les hisser dans les filets puis resta un moment à bavarder. Il n'avait pas eu le temps de les emmener déjeuner comme il avait compté le faire, Leon commençait à s'agiter, le train allait partir, dit-il. Il était désormais aussi grand, voire plus grand que Dena.

Eddins consulta sa montre.

« Il reste encore trois ou quatre minutes.

– Ta montre n'est peut-être pas à l'heure.

– Répète-leur que je suis vraiment désolé de ne pas pouvoir venir, dit-il à Dena.

– Prends soin de toi. »

Il les embrassa tour à tour.

« Bon voyage. »

Sur le quai, il resta devant la fenêtre à attendre le départ. Il ne l'entendit peut-être pas, mais dans le compartiment il y eut une sorte de grondement étouffé et un tremblement électrique quand le train s'ébranla, rigoureusement à l'heure. Ils agitèrent tous trois la main. Il leur envoya un baiser et suivit leur voiture sur quelques mètres jusqu'à se laisser distancer quand le train prit de la vitesse. Le visage pressé contre la vitre, Dena lui adressa un nouveau signe d'adieu. Il était quinze heures quarante-cinq. Ils atteindraient Chicago le lendemain matin, et de là, ils prendraient le Texas

Eagle vers Dallas. C'était la première fois qu'ils allaient au Texas en train. Jusque-là, ils avaient toujours pris l'avion.

Ils roulèrent d'abord dans l'obscurité des tunnels souterrains, mais ils émergèrent ensuite dans la lumière, entre des rampes de béton qui les conduisirent jusqu'à l'Hudson, le train roulant en douceur puis tanguant légèrement au fur et à mesure que leur allure s'accélérait. Ils entendaient le son familier du sifflet qui résonnait loin devant. Comme aiguillonnés par lui, ils allaient de plus en plus vite.

Ils longèrent le fleuve. Sur la rive opposée, les falaises de granit sombre étaient couvertes de végétation. C'était un jour bleuté et les nuages ressemblaient à des volutes de fumée. Les gares, étrangement vides à cette heure de la journée, défilaient. Hastings. Dobbs Ferry. Peu de temps après, dans le lointain, ils aperçurent leur propre ville, Piermont, presque complètement cachée par les arbres.

« Regarde, dit Dena. C'est Piermont.

– J'essaie de voir notre maison.

– Je crois que je la vois.

– Où ça ? »

Ils tentèrent de la repérer mais leur rue entière disparaissait sous le feuillage, et quelques instants plus tard ils passaient sous les arches obscures du pont métallique de Tappan Zee.

Longtemps encore, ils longèrent le fleuve paresseux. Ils passèrent devant Ossining, et le pénitencier de Sing Sing, qu'elle lui montra du doigt. Leon en avait entendu parler mais ne l'avait jamais vu. Il savait qu'y avaient eu lieu plusieurs exécutions.

Alors que la voie ferrée s'éloignait du fleuve pour rouler davantage à l'intérieur des terres, le paysage devint marécageux et boisé. Ils traversèrent à toute allure la gare de Peekskill. Puis, le soleil surplombant encore les collines, ils découvrirent les hauts murs silencieux de West Point qui paraissaient encastrés dans la roche de la falaise. Ils aperçurent les ruines désertes d'un vieux château sur une petite île, et ensuite deux enfants qui se plaquèrent contre un remblai rocheux tandis que le train fendait l'air s'exhalant de leurs poitrines. Le fleuve devint moins large et plus bleu. Des oies suivaient son cours à tire-d'aile, de leur vol puissant et libre, en effleurant presque la surface. Une lumière éclatante se déversait des nuages qui se pressaient autour du soleil. Le sifflet strident de la locomotive résonnait dans le lointain.

Leon était assis du côté fenêtre et Dena voyait son profil se découper sur le paysage qui défilait tandis que le soir approchait peu à peu. Elle regretta que Neil ait décidé de ne pas venir. Tout était si beau. Il aurait réclamé de la glace et ils auraient partagé un verre. Elle s'imaginait le tintement des glaçons. Ils iraient peut-être à Chicago une autre fois pour visiter la ville, aussi grande que New York, à ce qu'on disait. Le fleuve avait mystérieusement disparu en contrebas alors qu'ils entraient lentement dans Albany, avec ses sombres édifices officiels et ses vieilles rues. On apercevait la silhouette sombre de quelques clochers isolés et rassurants dans le crépuscule.

Peu après dix-neuf heures, ils se dirigèrent vers le wagon-restaurant pour dîner.

« Ça va être génial », annonça Dena.

Elle se mit à chanter joyeusement une vieille chanson des années vingt, « *nothing could be finer than to be in Carolina* », même si la voie ferrée longeait le lac Érié et que le Texas Eagle ne passait ni de près ni de loin par la Caroline du Nord ou du Sud.

Le train fit une embardée. Ils faillirent perdre l'équilibre. Elle avait raison, le wagon-restaurant ressemblait à la scène d'un théâtre, vivement éclairée, avec des serveurs en veste blanche qui se faufilaient en douceur entre les tables malgré les secousses et les vibrations du plancher.

« On dirait qu'on descend des rapides en kayak ! » s'exclama Leon.

Le chef de rang leur désigna une table pour deux. Au menu, il y avait du cœur d'aloyau grillé et des pommes au four. De l'autre côté de la vaste vitre noire, des lumières jaunes qui ressemblaient à des lanternes flottaient dans les ténèbres de la campagne, et parfois en surgissaient d'autres, rouges, ou bien un unique éclair blanc qui filait comme une comète. Ils commandèrent un verre de vin.

L'employé des wagons-lits avait fait leurs lits tandis qu'ils dînaient : les draps blancs étaient repassés de frais et les couvertures bien tirées. Leon grimpa aux environs de vingt et une heures trente sur la couchette du haut. Il retira ses chaussures et les rangea dans un filet accroché sur le côté du lit, bientôt rejointes par sa chemise et son pantalon qu'il enleva une fois allongé. Le train entre-temps s'était arrêté et resta immobilisé durant de longues minutes.

« Pourquoi on s'est arrêtés ? demanda Leon. Où on est ?

– Nous sommes à Syracuse, lui répondit Dena. Encore dans l'État de New York. Tout là-haut. »

Ils entendaient des voix, des gens qui montaient à bord en retard, certains passaient dans le couloir.

« Où est-ce qu'on sera demain matin ? demanda-t-il.

– Je ne sais pas. On verra. »

Finalement, le train se remit en marche. Le paysage défilait comme un tableau sombre, les arbres plongés dans la nuit, éclairés par les vitres du train. Des chapelets de maisons solitaires et endormies, noires et silencieuses. Les lumières d'une ville aux rues désertes. Dena se sentait étrangement heureuse dans la quiétude du compartiment.

Au bout d'un moment, elle demanda : « Tu dors ? »

Aucune réponse. Elle vit les gouttes de pluie qui commençaient à marteler la vitre et, petit à petit, elle s'endormit elle aussi, rouvrant les yeux un peu plus tard pour découvrir un entrelacs de voies ferrées qui se rapprochait de leurs rails. C'était Buffalo. Ensuite ils franchirent une rivière et longèrent le lac Érié, traversant des gares désertes sans apercevoir âme qui vive.

À environ une heure du matin, sans qu'on puisse en déterminer la cause, un incendie d'origine électrique se déclara au bout de la voiture, et le couloir s'emplit de fumée. L'odeur âcre réveilla Dena. Quelque chose se glissait sous la porte du compartiment. Elle dormait encore à moitié mais elle se leva d'un bond pour voir ce que c'était. La fumée passait par le montant de la porte, et quand elle l'ouvrit les volutes l'assaillirent. Elle referma le battant en toussant et cria pour réveiller Leon. Personne n'avait actionné le frein d'arrêt d'urgence ou le signal d'alarme. Le train n'avait pas ralenti. Dans le compartiment voisin, un employé finit par remarquer ce qu'il se passait. Ils forcèrent les portes mais ne purent pénétrer à l'intérieur à cause de la fumée. Quand le train s'arrêta et qu'on brisa les vitres, sept passagers, dont les compartiments se trouvaient les plus proches du foyer de l'incendie, étaient morts par asphyxie. Parmi eux, Dena et son fils Leon.

19

Pluie

Les chemins se séparent.

Dans la maison surplombant la rivière à laquelle on avait ajouté une pièce, une petite pièce avec une fenêtre sur tout un côté, et d'une taille à vous inviter à prendre un livre ou à contempler le petit jardin, mal entretenu mais néanmoins intime à cause de la sculpture qui s'y trouvait – un exemple d'œuvre d'art naturelle qui avait autrefois fait partie d'un arbre désormais abattu et découpé en tronçons d'environ soixante centimètres, dont l'un d'eux, épais et bien droit, se trouvait avoir la forme d'un corps de femme, depuis la taille jusqu'à l'aine, une sorte de retable primitif, néo-africain, incurvé, sombre et résistant aux intempéries – dans cette maison où Eddins, sa femme et son fils avaient vécu heureux, à l'abri, avec pour voisins de braves gens, dans un quartier paisible, où les policiers, une fois passée la terrible querelle qui les avait opposés au maire, s'étaient révélés plutôt sympathiques, connaissaient chacun par son nom. C'était pourtant là, parmi les arbres, dans cette bourgade calme, que, comme quelque chose qui serait soudain tombé du ciel, un moteur détaché d'un avion passant dans les hauteurs du ciel, invisible et silencieuse, la mort avait œuvré, la destruction avait frappé au cœur de la vie telle une lance acérée.

Les chemins se séparent.

La vie d'Eddins s'était brisée en deux. Les morceaux n'étaient pas de taille égale. Tout ce qui était en train de se passer et pourrait se passer à l'avenir lui paraissait plus léger, sans importance. La vie était vide, comme un lendemain matin. Il ne parvenait pas à accepter l'accident. Des funérailles, il se rappelait qu'elles avaient été insupportables. Ils étaient enterrés dans le cimetière d'Upper Grandview, au-dessus de la route, dans des tombes voisines. Le père et la mère de Dena étaient là. Neil pouvait à peine les regarder en face. Il ne parvenait pas à chasser un sentiment de culpabilité. Il était un homme du Sud, on lui avait appris à respecter les femmes, à les protéger et à les défendre. C'était un devoir. S'il avait été avec eux dans ce train, les choses se seraient sans doute passées différemment. Il les avait trahis, comme ce professeur de philosophie de Valley Cottage dont la maison avait été cambriolée et l'épouse âgée agressée. Il n'avait plus jamais été le même après cela. Ce n'étaient pas tant les blessures et la peur persistante, mais la honte qu'il ressentait. Il n'avait pas été capable de protéger sa femme.

Eddins, lui, paraissait semblable à lui-même, il restait aussi désinvolte, peut-être même un peu plus désinvolte qu'auparavant. Il portait une fleur à la boutonnière, bavardait volontiers, plaisantait, mais l'essentiel demeurait invisible. Il les avait trahis. Il était marqué par cette faute.

Pendant un certain temps, il continua à vivre chez eux, même s'il détestait rentrer le soir pour retrouver ce vide et la conscience que tout le monde avait de sa solitude. Il loua un petit appartement à New York, non loin de Gramercy Park où, le soir, il regardait les informations en buvant un verre, parfois deux ou trois, et décidait tout bonnement de ne pas se faire à dîner. Il n'était pas déprimé, mais vivait avec un sentiment d'injustice. Parfois, il lui arrivait presque d'éclater en sanglots en songeant à sa solitude et à ce qu'il avait perdu. Il revoyait aujourd'hui ce qu'avaient été les grands moments de son amour. Dena demandait et exigeait si peu. Elle s'était donnée à lui si complètement : ses sentiments, son sourire radieux, ses dents, son insouciante légèreté. Je t'aime si fort – qui pouvait prononcer ces mots que la vérité criante d'innombrables actes d'amour venait confirmer ? Il n'avait pas fait tout ce qui était en son pouvoir, il aurait dû donner davantage. Aujourd'hui, je le ferais, pensa-t-il avant de le répéter à haute voix, je voudrais tellement tout donner! Ah, mon Dieu, dit-il, et il se leva pour remplir son verre. Pas question de devenir alcoolique. Pas question de devenir un objet de pitié, pensa-t-il cependant.

Bowman avait choisi un autre chemin. Sans femme ni compagne, il pensait s'être installé dans une vie de célibataire, rangée et confortable, fréquentant restaurants et lectures publiques, vêtu d'un complet bleu marine, parfaitement à l'aise dans ce monde familier des apparences.

En réalité, les choses ne devaient pas se passer ainsi.

Il ne partageait pas complètement l'existence de Christine, elle avait refusé en attendant que sa vie, expliqua-t-elle, trouve son équilibre. Elle continuait de passer la nuit chez lui deux ou trois fois par semaine. Elle le retrouvait à la fin de la journée, parfois avec un bouquet de fleurs ou un magazine de mode – l'édition européenne, avec ses relents de vie brillante et mondaine sur le vieux continent.

Ils n'étaient pas mariés, mais ils partageaient les plaisirs d'un amour exempt de culpabilité. Comment se lasser jamais d'elle? Tchekhov avait écrit que faire l'amour une fois par an avait un pouvoir stupéfiant, la puissance d'une expérience mystique, alors que plus souvent, ce n'était que de l'entretien; mais si tel était le prix de la fréquence, Bowman était prêt à le payer.

Au matin, ses vêtements étaient éparpillés dans toute la maison, ses chaussures, qu'il aimait particulièrement, jetées près d'une chaise. Elle était occupée à faire du café dans l'étroite cuisine. Ils pourraient vivre en harmonie, il le savait à la façon dont elle parlait et se comportait, à leur façon de partager l'intimité. Il était déjà tombé amoureux auparavant, très amoureux même, mais toujours de quelqu'un de différent, de quelqu'un qui ne lui ressemblait pas. Christine, il avait le sentiment de l'avoir toujours connue. Si elle parvenait à se débarrasser de son mari, il l'épouserait.

Il était absorbé dans ces pensées en traversant l'immense étendue verdoyante de Central Park, bordé par les hauts immeubles qui brillaient dans la lumière du matin. Malgré toute son assurance et son équilibre personnel, Christine recherchait la stabilité, et il pouvait la lui offrir, et bien plus encore. Il remarquait malgré lui combien les gens qu'il croisait étaient jeunes. Il avait atteint le milieu de sa vie, et pourtant tout ne faisait que commencer.

Pendant le week-end, il plut. Ils restèrent à la maison, paresseusement étendus sur le lit dans la tranquillité de l'après-midi, alors que la pluie obstruait les vitres comme un brouillard. Christine regardait à la télévision un vieux film qui se trouvait être italien, et lui lisait Verga, un auteur sicilien. Une femme au décolleté profond se limait les ongles pendant que deux hommes parlaient. Le film était en noir et blanc, chemises immaculées, visages latins, cheveux sombres. Les sous-titres étaient à demi effacés, Christine ne les lisait pas vraiment. Alors qu'il était plongé dans son roman, elle glissa la main sous son peignoir et se saisit de son sexe, presque distraitement, et tandis qu'il enflait à vue d'œil, elle entreprit de le caresser lentement du pouce. Le son avait été coupé. Il s'entendit déglutir. Du coin de l'œil, il voyait la joue veloutée de Christine. Elle aimait manifestement ce film. Son sexe était dur, lisse comme une cicatrice. Sur la rive d'un lac, une femme en combinaison noire luttait contre un homme. Elle parvint brusquement à se dégager mais, pour une raison mystérieuse, elle renonça à s'enfuir et affronta son destin. Un gros plan montrait son visage résigné mais empreint de mépris.

Il avait abandonné sa lecture, il ne comprenait plus ce qu'il lisait. Le film continuait. La femme allait se faire tuer. Il n'oublierait jamais son visage baigné de larmes et ses bras nus qui s'élevaient pour étreindre son assassin. Il ressentait un plaisir intense. Le film durait encore et encore. De temps à autre, la main de Christine exerçait une douce pression comme pour se rappeler à lui. Finalement, le générique défila.

Il était libre d'agir à sa guise. Il n'avait jamais connu cela, pas avec Vivian, certainement pas avec Vivian, et pas même avec Enid. Elle était nue de la taille aux pieds, il la fit mettre à plat ventre et, s'emparant à nouveau de son roman, il reprit sa lecture, une main posée en conquérant sur sa fesse. Elle restait immobile, le visage tourné. En cet instant précis, ils n'étaient pas des égaux. Toute sa vie, il s'était préparé à un moment pareil. Quelques secondes plus tard, ils entamèrent les hostilités. La ville était plongée dans le silence. Il frotta son sexe le long du sien, soulevé vers lui, comme s'il voulait le baigner sur toute sa longueur. Finalement, il se logea en elle. Ils firent l'amour avec lenteur et son esprit se vida complètement. Ni l'un ni l'autre ne voyait ni n'entendait plus la pluie.

Ensuite, ils s'échouèrent sur le dos, comme des victimes, incapables de bouger.

« Rien de meilleur au monde. Je ne peux rien imaginer d'aussi… fort, dit-il.

– L'héroïne, murmura Christine.

– Tu en as déjà pris ?

– Quatre fois plus intense que le sexe. Un plaisir qui ne se compare à rien d'autre. Crois-moi.

– Donc, tu as essayé.

– Non, mais je le sais.

– Je n'ai pas envie que tu penses que je suis juste un gentil garçon.

– Tu n'es pas un gentil garçon. Tu es un homme, un vrai. Et tu le sais. Ce soir-là dans le taxi, je m'en suis rendu compte immédiatement. »

Tout ce qu'il avait toujours voulu être, elle le lui offrait. Elle était entrée dans sa vie comme une bénédiction, une preuve de l'existence de Dieu. Avant elle, il n'avait jamais été payé en retour, n'avait jamais été récompensé de rien. Elle l'avait pris dans sa main avec désinvolture et il avait deviné ce qu'elle pensait. Ils auraient pu rester comme ça pendant des jours à parler ou à se taire. Cet après-midi avait été inoubliable.

« Pourquoi sommes-nous toujours aussi fatigués après ? Ça ne demande tout de même pas un tel effort !

– Oh mais si ! » répondit-elle.

Eddins se remit peu à peu. Il avait fini par accepter ce qu'il était advenu, mais il en demeurait irrémédiablement blessé. Il avait moins goût à la vie et était plus passif. Il avait changé : il pouvait maintenant rester paisiblement à écouter les autres. Par exemple, ce soir-là, il écoutait deux femmes assises à côté de lui au théâtre avant le lever de rideau qui parlaient avec enthousiasme d'un film qu'elles avaient vu, ce qu'il s'y passait et combien il était fidèle à la vraie vie. La quarantaine, sans doute, et pas si différentes de femmes auxquelles il aurait pu s'intéresser, mais il n'avait aucune envie de les aborder. Non plus d'ailleurs que la femme du couple assis deux rangées devant lui. Il avait été frappé par sa magnifique et opulente chevelure et par le col en fourrure de son manteau. Sa tête touchait presque celle de l'homme, et de temps en temps elle se tournait pour lui dire quelque chose. Elle avait de hautes pommettes slaves et un long nez qui descendait en droite ligne de son front, un nez romain, signe d'une autorité naturelle. Il était capable en regardant une femme, se disait-il, de deviner son caractère. La maîtresse de Delovet, actrice ou ex-actrice mais plutôt de petite taille pour l'emploi, lui était immédiatement apparue comme une alcoolique qui devait mal supporter qu'on ne lui fasse pas l'amour. Delovet peinait à mettre fin à cette liaison. Elle l'ennuyait, l'irritait, mais en même temps il aimait se montrer avec elle en public. Elle s'appelait Diane Ostrow, plus connue sous le surnom de Dee Dee. Eddins n'avait jamais croisé personne qui l'ait vue sur un tournage. Elle avait les cheveux noirs et un rire carnassier. Et puis suffisamment de bon sens pour éviter de tomber plus bas. On pouvait la persuader sans trop d'efforts de citer plusieurs acteurs célèbres avec lesquels elle avait couché. Elle aimait particulièrement qu'ils fassent le poirier tout nus pour elle.

« Et ils ont été nombreux à accepter ?

– Deux, répondit-elle, sans y attacher d'importance. Et vous, quelle est votre spécialité ? demanda-t-elle à Eddins.

– Moi, j'aime les sports de combat.

– Vraiment ?

– À l'université, je faisais de la lutte. J'étais champion.

– Quelle université ?

– Toutes. »

Un jour, dans un taxi qui roulait vers le sud sur Park Avenue, il aperçut à un coin de rue une femme qui portait des chaussures de prix et un manteau retenu à la taille par une ceinture en tissu, une femme qui fleurait la grande bourgeoise à chaque détail de sa tenue. Elle vivait manifestement sur cette élégante artère, et avait sans doute des soucis ordinaires, mais elle l'impressionna par la tranquille assurance et même, d'une certaine façon, la grâce qui émanait d'elle.

Il se mit à accorder plus d'attention à ses propres vêtements et à son apparence. Il acheta des chemises en popeline et un foulard de soie bleue. Quand il faisait beau, il résolut d'aller travailler à pied.

C'est à cette époque à peu près qu'il fit la connaissance d'une femme divorcée, Irene Keating, à la bibliothèque publique de New York. La conférence à laquelle il avait assisté venait de se terminer, et les gens prenaient un verre de vin dans le grand hall. Elle était seule, manifestement pas tout à fait à l'aise, mais elle portait une jolie robe. Elle vivait dans le New Jersey, à quelques minutes de là, expliqua-t-elle.

« Un peu plus de quelques minutes, dit-il.

– Vous demeurez en ville ?

– J'ai une maison à Piermont.

– Piermont ?

– Au pied des Ngong Hills.

– Au pied de quoi ?

– Des collines pas très connues. »

Elle n'était pas vraiment amatrice de littérature, mais son visage lui plaisait et annonçait une heureuse nature.

« J'ai trouvé cette conférence… Qu'en avez-vous pensé ? Moi, je me suis un peu ennuyé, dit-il.

– Je suis ravie que vous disiez cela. Moi, je me suis presque endormie.

– Une sensation qui peut être agréable. Enfin, parfois. Vous venez souvent ?

– Eh bien, oui et non. Je viens habituellement dans l'espoir de rencontrer quelqu'un d'intéressant.

– Vous auriez plus de chance dans n'importe quel bar.

– Pourquoi ne vous y trouvez-vous pas, dans ce cas ? »

Il l'invita à dîner quelques jours plus tard, et il finit par lui raconter des anecdotes au sujet de Delovet, son yacht sans moteur à Westport, son ancienne petite amie roumaine dont il aimait dire : « Quand je pense que je pourrais la faire expulser du territoire ! » et à propos de Robert Boyd, cet ancien pasteur qu'Eddins n'avait jamais rencontré mais qu'il aimait tellement. Le père de Boyd était mort, et il vivait seul à la campagne, aussi désespérément en mal d'argent que toujours.

« Il vous plairait. Ses lettres ont une telle dignité. »

Elle l'écoutait, éblouie. Elle l'invita à dîner chez elle.

« Je vous préparerai quelque chose de bon. »

Il accepta de venir ce même vendredi. Puis, dans le train qui le conduisait dans le New Jersey au beau milieu de la foule du soir, il se surprit à le regretter. Tous rentraient à la maison. Leur vie leur était tellement familière.

Elle vint l'attendre à la gare et le conduisit en voiture jusque chez elle, cinq ou six rues plus loin. C'était une maison mitoyenne, avec un perron en brique et une balustrade en fer. L'intérieur cependant était davantage accueillant. Elle proposa de suspendre son manteau mais il refusa, préférant le poser sur une chaise. Elle servit du champagne et le fit entrer dans la cuisine, où, après avoir enfilé un tablier par-dessus sa robe, elle continua de préparer le repas tandis qu'ils bavardaient. Elle lui parut soudain plus jeune et très agitée.

« Comment est le champagne ? demanda-t-elle. Je me fie seulement au prix.

– Très bon.

– Je suis heureuse que vous ayez accepté de venir.

– Vous vivez ici depuis longtemps ?

– Goûtez-moi ça », dit-elle en lui tendant une cuiller de ce qui semblait être un consommé.

C'était délicieux.

« Je l'ai fait moi-même. Avec trois fois rien. »

Le couvert était dressé pour deux. Elle alluma les bougies et sembla se détendre un peu quand ils se furent assis. La lumière de la pièce était douce, sans doute tamisée par le champagne. Elle remplit leurs coupes. Soudain, elle se releva – elle avait oublié de se débarrasser de son tablier, qu'elle retira avant de faire bouffer ses cheveux. Elle se rassit puis se leva de nouveau, et se pencha résolument par-dessus la table pour l'embrasser. C'était leur premier baiser. Le consommé les attendait. Elle leva doucement son verre.

« À la plus belle des soirées ! » dit-elle.

Ils mangèrent des pigeons rôtis, les petites volailles succulentes et bien dorées sur leur lit de riz blanc au beurre. Il ne se rappela pas par la suite comment les choses s'étaient enchaînées. Le lit était large, et elle se montrait aussi nerveuse qu'un chat. Elle tentait de lui échapper tout autant qu'elle l'attirait à elle, ne semblant pas avoir pris de décision, à moins qu'elle n'ait changé plusieurs fois d'avis. Elle se débattit et détourna le visage, et il eut l'impression qu'il était en train de la harceler. Ensuite, elle s'excusa en expliquant qu'elle n'avait pas fait l'amour depuis trois ans, depuis son divorce en fait, même si cela lui avait beaucoup plu. Elle lui embrassa les mains comme celles d'un prêtre.

Le lendemain matin, elle n'était pas encore maquillée. Pour une raison ou une autre – la pureté de ses traits nus, sans doute – elle lui fit penser à une Suédoise. Elle lui parla de son mariage. Son ex-mari était dans les affaires, directeur des ventes. À la lumière du jour, la maison se révélait terne et triste. Pas la moindre bibliothèque. La salle à manger enchantée, remarqua-t-il, était tapissée d'un papier à rayures. Il était déjà là quand ils avaient emménagé, dit-elle.

20

La maison au bord de l'étang

Tout dormait encore, rien n'avait encore été touché par la baguette magique. Au long de la route, des fermes, certaines entourées de terres, dont l'une, vieille et blanche, avait été transformée en pension de famille. On pouvait y louer une chambre à la semaine ou à la saison, et profiter du paysage de ces champs qui s'étendaient à perte de vue, s'y promener en méditant ou enfourcher une bicyclette à moitié démantibulée pour vous rendre à la plage à moins de deux kilomètres de là. Un peu plus loin se trouvaient un cimetière que la route enserrait comme la mer une épave, et plus loin encore, sous les arbres, une triste bâtisse aux murs nus, louée à un jeune couple qui organisait parfois des fêtes dans la cour à la fin de la journée et jusque tard dans la nuit. Les voitures se garaient là où il y avait de la place et le vin bon marché coulait à flots.

Des années auparavant, les peintres avaient afflué de toutes parts, parce qu'on se logeait pour rien et que la lumière claire et transcendante semblait venir de très loin durant les longs après-midi. La vie y était insouciante. Il y avait de grandes maisons cachées derrière les haies ou en retrait des routes, certaines très anciennes. Le raz de marée de la conquête n'avait pas encore tout balayé. De simples bungalows, dont certains appartenaient aux fermiers, étaient bâtis sur la dune.

Ce pays plaisait à Christine, elle le disait elle-même. Il était beau et ouvert. La lumière y était incomparable, elle aimait le grand air et le vent qui venait de la mer. Elle évitait New York, et

Bowman rentrait pour des week-ends prolongés. Il était accueilli par son bonheur contagieux. Par son sourire éclatant. À l'éventaire en bord de route, avec ses camions emplis de produits frais, maïs, tomates et fraises cueillis dans les champs tout proches. Les maraîchers, d'ordinaire peu aimables, s'adoucissaient et souriaient quand elle s'approchait du comptoir les bras chargés.

Elle avait décidé de renouveler sa licence d'agent immobilier, et elle s'adressa à Evelyn Hinds, dont elle avait lu le nom sur les panneaux « À vendre ». Le bureau de Mrs Hinds était installé dans sa propre maison au bord de New Town Lane, toute blanche avec une clôture de piquets blancs eux aussi et une pancarte aux lettres soigneusement dessinées.

Evelyn Hinds était une petite femme boulotte au rire facile et aux yeux brillants qui comprenaient les choses immédiatement. Elle se sentait à l'aise avec tout le monde. Son premier mari avait sombré en mer – du moins, c'est ce qu'on croyait, personne ne l'avait jamais revu –, mais elle s'était remariée deux fois par la suite et était restée en bons termes avec ses deux ex-maris. Christine vint la voir vêtue d'un pantalon noir et d'une courte veste en lin.

« Chris, vous permettez que je vous appelle Chris ? demanda Mrs Hinds. Quel âge avez-vous, si vous pardonnez ma curiosité ?

– Trente-quatre ans, répondit Christine.

– Trente-quatre ans. Vraiment ? Vous ne les faites pas.

– C'est même pire que ça. Parfois je mens et je m'enlève quelques années.

– Vous vivez dans le coin ?

– Oui. J'habite ici désormais. J'ai une fille de seize ans, et j'ai travaillé comme agent immobilier à New York pendant sept ans. »

En fait, c'était moins, mais Mrs Hinds ne posa pas de questions.

« Vous travailliez pour qui ?

– Une petite agence à Greenwich Village, Walter Bruno.

– Vous vous occupiez de ventes ou de locations ?

– Surtout de ventes.

– J'adore apparier les clients et les maisons.

– Moi aussi.

– C'est un peu comme un travail de marieuse. Vous êtes mariée ?

– Non, séparée, dit Christine. Je ne cherche pas de mari.

– Dieu merci.

– Pourquoi dites-vous ça ?

– Parce que personne d'autre n'aurait la moindre chance à côté de vous », dit Mrs Hinds.

Christine lui plaisait et elle l'engagea.

C'était une petite agence, avec seulement quatre collaborateurs. Elle déclara à Bowman qu'elle allait s'y plaire.

« Je connais le nom de cette dame. À quoi ressemble-t-elle ?

– Très directe. Mais il y a une autre chose importante : maintenant que je m'y suis remise, je vais te trouver une maison. »

Anet, qui venait de rentrer du lycée, attendait à la gare avec sa mère, et Bowman fit sa connaissance à sa descente du train. Elle avait un visage juvénile et frais, et se cachait un peu derrière Christine. Des portières claquaient et des familles s'interpellaient.

« Il a fait absolument superbe, lui dit Christine tandis qu'ils se dirigeaient vers la voiture. Et ils annoncent que ça va durer tout le week-end.

– Quand es-tu arrivée ici ? » demanda-t-il à Anet.

Il voulait que les choses se passent le plus simplement possible avec elle.

« Quand est-ce que je suis arrivée ? répéta-t-elle en se tournant vers Christine.

– Mercredi.

– Je suis ravi de t'accueillir ici », dit-il.

Ils réussirent à quitter le quartier de la gare malgré la circulation et s'engagèrent sur la route dans le jour qui tombait, les phares déjà allumés inondant la chaussée comme une invite à une soirée mémorable.

« Où veux-tu qu'on aille ? demanda-t-il à Christine. Tu as préparé un dîner ?

– J'ai quelques trucs à la maison.

– Et si on allait chez Billy's ? C'est une bonne idée, non ? Est-ce que ta mère t'a déjà emmenée dans un des restaurants du coin ? demanda-t-il sans réfléchir à Anet.

– Non.

– Je préférerais cet endroit où nous avions dîné la première fois. Chez les deux frères, dit Christine.

– Tu as raison, c'est une meilleure idée. »

En gravissant le perron, puis en passant le seuil, Bowman ressentit une joie profonde, conscient de l'aura que les deux femmes dégageaient. Anet parla pendant le repas, ne s'adressant toutefois qu'à sa mère. Bowman prit néanmoins plaisir à la conversation. Les choses lui paraissaient aller de soi. Sur le chemin du retour, la nuit était d'un superbe bleu outremer, et ils entrevirent les lumières rassurantes de quelques maisons.

Anet n'était pas timide, mais elle entendait le tenir à distance. Elle était la fille de sa mère et, assurément, de son père. Elle voulait rester loyale envers ses deux parents. Ce ne serait pas facile pour Bowman de se faire accepter. Il sentait aussi une frustration en elle à l'idée qu'il soit l'amant de sa mère – un mot qu'il n'employait jamais –, une sorte de jalousie innée. Elle l'exprimait en affectant d'oublier sa présence alors même qu'ils passaient du temps ensemble à écouter de la musique ou à regarder la télévision. Ses gestes de femme ressemblaient tellement à ceux de sa mère. Malgré lui, il restait conscient qu'elle était dans la maison, parfois terriblement conscient. Il lui arrivait de repenser à Jackie Ettinger, cette fille de Summit au temps du lycée, cette demi-déesse. Il n'avait jamais vraiment connu Jackie. Il semblait qu'il ne connaîtrait jamais Anet non plus.

Quand il était à New York, durant la semaine, il parvenait à réfléchir plus posément au rôle qu'il voulait jouer, le conjoint de longue durée – ce n'était pas le mot –, l'homme que sa mère aimait, sans doute pas de façon plus sexuellement passionnée que son père, bien que, clairement, ce soit totalement faux étant donné l'intensité des sentiments de Bowman, une intensité émotionnelle presque palpable.

Un dimanche matin où la chaleur n'était pas encore trop forte, mais où la lumière sur la plage était déjà éblouissante et où la crête des vagues étincelait, ils s'étaient assis entre les dunes, chacun avec une section du journal qu'ils lisaient sous la caresse des rayons, comme en extase. La mer était froide, ils étaient presque seuls sur la plage. Cela ressemblait au Mexique, songea-t-il, alors qu'il n'y avait jamais mis les pieds. Toute cette simplicité ! C'était le mois de juin et l'été venait d'arriver. Il y avait déjà quelques vacanciers, mais pas encore la foule. On aurait dit une sorte d'exil. Ils parcouraient les nouvelles du monde. Quand le soleil cognerait à la verticale sur leurs épaules, il serait temps d'aller déjeuner.

Les Murphy à Antibes devaient mener une existence comparable. Ils possédaient une maison un peu plus loin vers l'est. Gerald Murphy adorait la natation et il nageait plus d'un kilomètre et demi par jour. Bowman l'avait dit à ses deux compagnes, que cela n'avait pas semblé intéresser. Trois ou quatre autres personnes se baignaient, remarqua-t-il. Il se releva pour s'approcher du bord. Il s'étonna de trouver l'eau plus chaude qu'il ne l'aurait cru. Elle lui léchait les chevilles, et il se sentit presque tenté. Il avança jusqu'aux genoux.

Il revint ensuite vers les palissades décolorées par les intempéries près desquelles Christine et Anet étaient allongées.

« L'eau est bonne, annonça-t-il.

– Tu dis toujours ça.

– Elle est tiède.

– Gla gla, dit Anet.

– Viens donc essayer.

– Vas-y, Anet.

– J'ai peur des vagues.

– Ce ne sont pas des vagues, ça. Rien que de petits creux. Allez, viens, je vais piquer une tête moi aussi. Philip a bien failli me noyer l'été dernier.

– Comment ça ?

– Dans de vraies vagues. Elles ne sont pas si grosses aujourd'hui. Allez, viens donc ! »

L'eau leur parut d'abord glaciale. Anet resta campée au bord, peu désireuse d'avancer, mais Christine montra l'exemple et elle la suivit, marchant droit devant elle avec réticence. Le fond était plat. Ils passèrent la ligne des vagues et continuèrent vers le large, soulevés par la mer. Ils nagèrent sans parler, seules leurs têtes émergeaient, ballottées par les flots. Le ciel semblait aplanir tous les ressentiments. Par deux fois au cours des dernières semaines, Anet lui avait lancé après un conseil ou un autre : « Tu n'es pas mon père », et il avait été piqué au vif. À présent elle lui souriait, sans tendresse mais avec satisfaction.

« Alors ?

– J'adore », lui répondit-elle.

Ils sortirent de l'eau en trio, hors d'haleine et tout sourire. Anet marchait devant, de son grand pas souple, se passant les doigts dans les cheveux pour les démêler. Elle s'assit à côté de Christine, et s'appuya contre elle avec un sentiment de plénitude.

Elle s'était fait des amis, entre autres une fille prénommée Sophie, aux cheveux blonds et bouclés, très maîtresse d'elle-même. Son père était psychiatre. Par un jour de pluie, ils jouaient tous les quatre au Barbu. Sophie avait retiré une boucle d'oreille et l'examinait attentivement pendant le déroulement de la partie. Quand vint son tour, elle se défaussa d'un petit pique.

« Tu ne devrais pas poser cette carte, dit Bowman, pour l'aider.

– Vraiment ? » On aurait dit qu'elle s'entraînait pour la comédie de la vie.

Elle ne prit d'abord pas la peine de reprendre la carte, mais, ensuite, avec une patience ostentatoire, elle la rangea dans son jeu avant d'en abattre une autre. Christine admira son aplomb et son rouge à lèvres carmin, jusqu'au soir où Anet accompagna son amie au cinéma et ne rentra qu'après minuit. Christine, inquiète, avait trompé l'attente en regardant la télévision. Elle finit par entendre la porte se refermer dans la cuisine.

« Anet ?

– Oui.

– Où étais-tu passée ? Nous sommes au milieu de la nuit.

– Je suis désolée, j'aurais dû appeler.

– Mais où étais-tu ? Le film s'est terminé il y a plusieurs heures.

– On n'est pas allées au cinéma », répondit Anet.

Bowman sentit qu'il n'aurait pas dû assister à cette scène. Il se retira dans la cuisine, mais il les entendait tout de même.

« Tu as dit que tu allais au cinéma.

– Oui, je le sais.

– Alors qu'est-ce que vous avez fait, en réalité ?

– On a marché.

– Marché ? Où ça ?

– Dans la rue. »

L'attente avait mis Christine à bout de nerfs et il y avait une espèce de résistance dans la voix d'Anet.

« Est-ce que vous avez bu quelque chose ?

– Pourquoi tu me poses cette question ?

– Peu importe pourquoi je te la pose, réponds. »

Il y eut un silence.

« Est-ce que tu as fumé ? De l'herbe ?

– J'ai bu un verre de vin.

– Quel bar vous a servies ? C'est illégal.

– C'est pas illégal en Europe.

– Nous ne sommes pas en Europe. Où étais-tu ? Et avec qui ?

– Des amis de Sophie.

– Des garçons.

– Oui. »

Elle avait baissé la voix.

« Eh bien, qui sont-ils ? Comment s'appellent-ils ?

– Brad !

– Brad comment ?

– Je ne connais pas son nom de famille.
– Qui était l'autre ?
– Je ne sais pas, répondit Anet.
– Et tu ne connais pas leurs noms !
– Sophie les connaît. »
La voix d'Anet s'était mise à vaciller.
« Pourquoi tu pleures ?
– Je ne sais pas.
– Je te demande pourquoi tu pleures.
– Je ne sais pas !
– Si, tu le sais !
– Non, je te dis !
– Anet ! » s'écria Christine.
L'adolescente avait quitté la pièce. Au bout de quelques secondes, Christine entra dans la cuisine.
« J'ai tout entendu », dit Bowman.
Christine était manifestement troublée.
« C'est un véritable cauchemar ! gémit-elle.
– Elle ne semblait pas vouloir te cacher quelque chose. Ce n'est sans doute rien de très grave.
– Mais pourquoi fait-elle ça ?
– Elle n'a sûrement rien fait du tout. Il s'agit juste de sortir avec des garçons.
– Qu'en sais-tu ?
– Ça veut dire quoi, cette question ?
– Que tu n'as pas de fille.
– Effectivement. »
La porte d'entrée claqua. Christine ferma les yeux et posa les doigts sur ses paupières comme pour apaiser une brûlure.
« J'ai peur d'entendre la voiture démarrer. Chéri, s'il te plaît, tu veux bien aller lui demander de rentrer ? Je suis trop tendue pour le faire. »
Bowman ne dit rien, mais au bout de quelques secondes il sortit dans la nuit. Il finit par repérer sa silhouette au bout de leur allée.

Elle l'avait entendu s'approcher mais elle ne se retourna pas. Il n'était pas bien sûr d'être à sa place.

« Anet. Je peux te parler une minute ? »

Il attendit.

« Je n'ai pas grand-chose à dire, je sais, mais je pense qu'il n'y a sans doute pas de quoi fouetter un chat. »

Elle ne semblait pas l'écouter.

« Tu pourrais peut-être lui passer un petit coup de fil la prochaine fois, pour qu'elle sache que tout va bien et que tu vas être en retard. Ça te paraît possible ? »

Aucune réponse. Elle regardait un éclair blanc qui se déplaçait au-dessus de la cime sombre des arbres dans le lointain. Il fila tout droit puis changea de direction et disparut. Presque aussitôt, il réapparut plus haut dans le ciel.

« C'est un héron », dit Bowman.

Ils le suivirent du regard tandis que l'oiseau volait vers le rideau noir des troncs, puis reprenait de l'altitude pour se faufiler entre les branches les plus hautes et s'élever dans le ciel de nuit.

« C'était vraiment un héron ? demanda-t-elle.

– On voyait très bien son cou.

– Je ne pensais pas qu'ils volaient la nuit.

– On dirait que si.

– Trois petits tours et puis s'en vont, et ron et ron petit patapon », dit-elle.

Il jeta un coup d'œil dans sa direction pour saisir le sens de ces paroles, mais sans succès. Elle lui faisait moins peur désormais et, sans ajouter un mot, il la suivit alors qu'elle reprenait le chemin de la maison.

Un après-midi de ce même automne, Christine l'appela au téléphone. Elle paraissait tout excitée.

« Philip ?

– Une nouvelle sensationnelle. J'ai trouvé la maison.

– Quelle maison ?

– J'ai trouvé exactement ce qu'il te faut, ce que tu cherches depuis si longtemps. Je l'ai su dès que je l'ai vue. C'est une vieille maison, pas immense, mais il y a quatre chambres, et elle donne sur un étang. Elle appartient au même vieux couple depuis trente ans. Ils n'ont pas encore fait passer d'annonce, mais ils songent à vendre.

– Comment l'as-tu dénichée ?

– Evelyn était au courant. Rien ne lui échappe.

– Dis-moi le prix.

– Seulement cent vingt mille dollars.

– C'est tout ? Je l'achète, dit-il avec insouciance.

– Sérieusement, laisse-moi te la montrer ce week-end. Il faut que tu la visites. »

De la route, on ne voyait pas l'étang, caché en contrebas. Il y avait un long chemin de terre qui, apparemment, se terminait entre deux arbres vénérables. C'était un clair matin d'octobre. Ils se rapprochèrent, et soudain la maison apparut. Jamais il n'oublierait cette première impression, ce sentiment de familiarité qui le gagna aussitôt alors qu'il ne savait absolument pas à quoi s'attendre. C'était une belle et vieille bâtisse, pareille à une ferme, mais isolée près de l'étang. Ils entrèrent par la porte de la cuisine après avoir traversé une étroite véranda. La cuisine elle-même était une vaste pièce carrée, avec des étagères et un garde-manger aménagé dans un ancien placard. La chambre de maître se trouvait au rez-de-chaussée, les trois autres, plus petites, à l'étage. La rampe de l'escalier, remarqua-t-il, était en pin naturel sans vernis, et soigneusement rabotée à la main. Les lattes du plancher et les fenêtres étaient larges.

« Tu as raison, dit-il. C'est une belle maison.

– Magnifique, tu ne trouves pas ?

– Oui, elle a vraiment du cachet. »

Les murs et les plafonds étaient en bon état. Aucune trace de fuite ou de fissure. Deux petites chambres, se dit-il, pourraient être réunies.

De l'étage, on apercevait deux grandes maisons sur la rive opposée de l'étang, à moitié dissimulées par les arbres.

« Est-ce qu'il y a le chauffage central ?

– Oui. La chaudière se trouve dans une sorte de demi-sous-sol. »

Ils firent quelques pas dans le jardin et puis descendirent vers l'étang, où, non loin du bord, ils aperçurent la silhouette sombre d'une barque à moitié submergée.

« Et le terrain mesure combien, tu disais ?

– Tu as tout vu. La propriété ne va que jusqu'à la route. Environ un demi-hectare.

– Cent vingt mille…

– Oui, pas plus. Une bouchée de pain.

– Eh bien, je crois que je vais être obligé de l'acheter.

– Comme je suis heureuse ! J'en étais sûre !

– Je pense que ça va être très agréable de vivre ici. On pourrait même se marier.

– Oui, on pourrait.

– Ça veut dire oui ?

– Il faudrait d'abord que je divorce.

– Je propose qu'on se marie et qu'ensuite tu divorces.

– Et on pourrait vivre ensemble en prison.

– Sans problème. »

Il acheta la maison, avec quelques meubles inclus, pour cent vingt mille dollars. Il fit établir l'acte de vente à leurs deux noms. C'était la maison de campagne idéale, assez grande pour accueillir un invité ou deux de temps en temps, parfaitement située, à l'écart mais pas trop.

La banque de Bridgehampton évalua généreusement ses biens et lui accorda un prêt de soixante-cinq mille dollars. Il eut un peu de mal à couvrir la différence. Il vendit la plupart des actions qu'il possédait, et obtint un crédit à la consommation de huit mille dollars.

Ils signèrent la première semaine de décembre, et emménagèrent le jour même en apportant deux fauteuils capitonnés qu'ils avaient dénichés dans un magasin d'antiquités – une brocante, en vérité, à Southampton. Ils étaient très heureux. Le soir venu, ils firent du feu et improvisèrent un dîner. Ils partagèrent une bouteille de vin puis en entamèrent une autre en écoutant de la musique. Au lit, elle se débarrassa de sa chemise de nuit qu'elle fit glisser par-dessus sa tête et laissa tomber sur le plancher. Elle se blottit tout contre lui, ce fut comme une nuit de noces. Il lui prit le bras et l'embrassa au creux du coude en un long baiser plein de ferveur.

Peu de temps après, ce fut Noël. Anet était partie pour Athènes retrouver son père. La maison n'ayant encore que peu de meubles, rien qu'un canapé, quelques chaises, deux tables et un lit, sans stores ni rideaux aux fenêtres, cela aurait été un peu spartiate de passer les fêtes là, même avec un sapin. En ville, les rues étaient animées. C'était Noël à New York : des foules se précipitant pour rentrer à la maison dans la nuit qui tombait tôt, des capitaines de l'Armée du Salut faisant tinter leurs cloches, la cathédrale St Patrick, le théâtre illuminé des vitrines des grands magasins, les temples de l'abondance, les gens à l'air prospère. On entendait les accords de « Good King Wenceslas », les garçons de café portaient des bois de renne : Noël de l'Occident, comme à Berlin avant la guerre, dans les grandes forêts de Slovaquie, à Paris, dans le Londres de Dickens...

On donnait une réception chez Baum. Bowman n'était pas allé chez son patron depuis longtemps. Quand il entra avec Christine et qu'un domestique en veste blanche prit leurs manteaux, il se rappela le jour où il y était venu pour la première fois avec Vivian, si naïve et confiante dans sa jeunesse.

« Philip, quelle joie de vous voir ! s'exclama Diana.

– Je vous présente Christine Vassilaros.

– Bonsoir, dit Diana en prenant la main de Christine dans la sienne. Entrez, je vous en prie. »

Le salon était bondé. Diana se montrait particulièrement prévenante envers Christine, dont elle avait sans doute entendu parler. Elle savait notamment, dit-elle, qu'elle avait une fille, et elle demanda :

« Quel âge a-t-elle ?

– Seize ans.

– Comme elle doit être belle ! s'exclama sincèrement Diana. Notre fils, Julian, fait son droit à l'université du Michigan. Il a refusé d'aller à Harvard. Trop élitiste à son goût. J'ai failli le tuer.

– Un cigare ? proposa Baum à Bowman.

– Non, merci.

– Ils sont excellents, ils viennent de Cuba. Prenez-en un, vous le fumerez plus tard. Moi, je me suis mis au cigare. Un par jour. J'adore en fumer un le soir après dîner dans mon fauteuil. Un cigare doit vous toucher les lèvres exactement vingt-deux fois, en tout cas c'est ce qu'on m'a expliqué. Sinon, on a l'air d'un péquenaud, comme disait Cheever. En fait, il parlait de la façon dont il faut tenir son cigare. J'ai oublié maintenant.

– Mon seul regret, dit Diana à Christine, c'est que nous n'ayons pas eu d'autres enfants. J'en aurais voulu trois ou quatre.

– Quatre, c'est beaucoup.

– Je n'ai jamais été aussi heureuse que quand Julian était tout petit. C'est incomparable. Vous avez de la chance, vous pouvez encore avoir des enfants. Rien d'autre ne compte dans la vie, en fait. Maintenant, nous sommes libres, enfin, plus ou moins. Nous allons en Italie. C'est magnifique, mais moi, je pense sans cesse à l'amour d'un petit garçon.

– J'adore l'Italie, dit Baum. Et ses habitants. Vous savez, j'appelle mon homologue italien, et sa secrétaire répond au téléphone ; enfin, son assistante, je devrais dire. "Roberto ! Quelle joie de vous parler ! Vous devriez venir à Rome, il fait un temps splendide, le soleil brille, vous devriez être ici !" Ces gens sont fabuleux !

– Pourquoi dis-tu que c'est son assistante ? s'enquit Diana.

– Sa secrétaire, si tu veux.

– Ils ne sont pas tous comme ça. Cette fille est gaie comme un pinson. Eduardo est très différent. On lui parle et il dit : "Je me sens très mal, le monde part à vau-l'eau." C'est l'éditeur. »

D'autres invités arrivaient. Diana alla les saluer. Baum resta à bavarder avec Christine, qu'il trouvait manifestement à son goût. Après la soirée, il demanda à sa femme :

« Qu'as-tu pensé de la nouvelle petite amie de Philip ?
– Ils sont ensemble depuis longtemps ?
– Pas vraiment, ce n'est pas très vieux.
– Il est certain qu'elle est un peu plus jeune que lui.
– Je trouve surtou, que lui, ça l'a rajeuni.
– C'est souvent ce qu'on dit dans ces cas-là. »

Au printemps, Beatrice Bowman mourut. Elle était affaiblie et désorientée depuis longtemps. Elle ne reconnaissait plus son fils, et quand il lui rendait visite le silence s'installait, mais elle semblait au moins se rendre compte de sa présence lorsqu'il s'asseyait près d'elle pour lui faire la lecture. Pour les personnes qu'elle connaissait, pour les quelques amis qui s'étaient peu à peu éloignés, pour tous, lui et Dorothy mis à part, cela n'avait plus d'importance qu'elle continue à vivre. Tout ce qui avait constitué son existence s'était effondré, les gens qu'elle avait côtoyés avaient disparu et la rivière profonde de la mémoire et du savoir s'était asséchée. Ou bien, c'est ce qu'il lui semblait quand elle pouvait encore y penser. Elle n'aurait pas voulu continuer comme ça, mais elle n'avait rien pu y faire. Vue de l'extérieur, elle était encore belle, malgré son air égaré, le visage peu marqué par la vieillesse. Elle avait de nombreuses fois fait ses adieux définitifs.

En contraste à son effervescence habituelle, elle mourut dans le calme. Elle ne se réveilla tout simplement pas un beau matin. Elle avait peut-être pressenti quelque chose la veille, une tristesse inexplicable, un affaiblissement général. Mis à part la respiration qui s'arrête, le sommeil et la mort se ressemblent tant.

Elle n'avait laissé aucunes dernières volontés. Bowman donna raison à Dorothy qui souhaitait une incinération, et ensemble ils se rendirent au funérarium pour discuter des détails. Ils demandèrent que le cercueil reste ouvert, ils voulaient tous les deux la voir une dernière fois. Elle reposait dans cette salle silencieuse. Ils l'avaient coiffée et lui avaient légèrement maquillé les lèvres et les joues. Il se pencha pour lui embrasser le front. Cela lui parut indécent. Quelque chose en elle qu'il connaissait, et pas seulement la vie, avait été effacé.

Elle ne lui avait jamais dit tout ce qu'elle savait, et il ne pouvait se rappeler chaque jour de l'enfance, chaque moment partagé. Elle avait forgé son caractère, une partie du moins, le reste s'était développé de lui-même. Il pensa, avec une espèce de désespoir, à toutes les choses qu'il aurait aimé lui dire ou seulement évoquer avec elle une dernière fois. Elle avait été un jour une jeune femme à New York, récemment mariée, et par un éclatant matin d'été elle avait connu le bonheur de mettre au monde un fils.

Sa belle-mère, par coïncidence, mourut au cours du même printemps. Il ne l'avait jamais rencontrée, pas plus qu'aucune des précédentes. Quelqu'un lui fit parvenir un entrefilet publié dans un journal de Houston. Elle s'appelait Vanessa Storrs Bowman, elle avait soixante-treize ans, et était une notable de la ville. Il examina la photo, et continua à lire jusqu'à apprendre avec une improbable émotion – pas du chagrin – que son père était mort deux ans plus tôt. Il ressentit étrangement le choc du temps qui passe, comme s'il avait mené jusque-là une existence frauduleuse, et bien qu'au cours de toutes ces années il n'ait jamais revu son père, il eut l'impression qu'un lien essentiel venait de se briser. Vanessa Storrs Bowman avait deux frères, et son père avait été P-DG d'une compagnie pétrolière. L'ensemble fleurait l'aisance, et même l'opulence. Il songea à sa propre mère, et à ce parent éloigné, peut-être un cousin, propriétaire de cette riche demeure près de la Cinquième Avenue qu'elle lui avait montrée de loin. Était-ce un vrai souvenir ou l'avait-il seulement rêvé, trois ou quatre étages de granit sombre, un toit vert, les portes en verre et en fer forgé ? Après tout, peut-être n'existait-elle pas. Il avait toujours pensé qu'il finirait par passer devant un jour par hasard, mais cela ne s'était jamais produit.

21
Azul

Le printemps et l'été qui suivirent l'achat de la maison furent les moments les plus heureux de sa vie, même si, sans doute, il en avait oublié de plus anciens. Leurs finances ne leur permirent que d'acheter quelques meubles pour l'étage, mais dans ce dénuement, cette simplicité, on pouvait faire largement sa place au bonheur. Il y avait les saisons, les arbres, l'herbe un peu trop haute sur les pentes qui descendaient vers l'étang, et le soleil qui se reflétait comme un miroir sur les maisons de l'autre rive.

Les matins d'été, la lumière du monde qui les inondait, le silence. Ils vivaient pieds nus, la fraîcheur de la nuit sur le plancher, le feuillage vert des arbres au bord de la maison, les premiers piaillements des oiseaux. Il arrivait en costume, mais ne l'enfilait à nouveau qu'au moment de repartir pour la ville. Cette maison ne pouvait pas être fermée à clé, la gâche n'était pas exactement en face du pêne du verrou. Les rebords de fenêtre étaient lézardés par le mauvais temps, la peinture s'écaillait, mais n'ayant pas encore trouvé le temps de les repeindre, il s'était contenté de gratter et de combler les fissures. Pour acheter cette maison, il avait dû payer plus de cinquante-cinq mille dollars au comptant, une somme qu'il avait réussi tant bien que mal à rassembler. Il ne s'était jamais vraiment intéressé à l'argent. Il gagnait environ trois mille dollars par mois, sans compter les déjeuners et souvent les dîners qui passaient en notes de frais. Son appartement avait un loyer plafonné : il payait environ la moitié de ce que cela aurait pu lui coûter. Il se rendait en Europe deux fois par an aux frais de la princesse, et occasionnellement, il en allait de même pour d'autres endroits, comme Chicago ou Los Angeles. Sous pratiquement tous ses aspects, sa vie était très agréable.

Beatrice n'avait rien laissé, sa longue maladie était venue à bout de toutes ses ressources. Il hériterait sans doute de sa tante Dorothy, mais il n'avait aucune idée de ce que cela pouvait représenter. Elle vivait dans un petit appartement, avec le piano auquel Frank aimait s'asseoir chaque après-midi pour lui jouer les airs légers et joyeux qu'elle affectionnait. Elle percevait une petite rente, et une pension de la sécurité sociale. Chaque été, pendant environ deux semaines, elle rendait visite à Katrina Loes, une amie d'enfance qui possédait une maison dans l'archipel des Mille-Îles. Elle ne lui avait jamais rien réclamé, ses besoins étaient modestes. « Si tu as besoin de quelque chose… », avait souvent proposé Bowman. Elle avait toujours répondu non.

Quand Anet rentra du pensionnat cet été-là, elle avait changé, tout en restant affectueuse à l'égard de sa mère et d'humeur égale. Elle semblait avoir subi la force d'attraction de la vie, des autres, peut-être de quelqu'un en particulier, même si elle n'avait apparemment pas de petit ami attitré. Elle se savait jolie, et jouait de son charme. Pas avec Bowman, cependant. Elle s'était habituée à sa présence, et l'appelait Phil. Elle ne fut pas très présente au cours de l'été, elle passait son temps avec ses amis, à jouer au tennis ou au bord d'une piscine, ou encore à bavarder, sans jamais se lasser.

Par un après-midi particulièrement chaud, elle était dans sa chambre, quand ils entendirent un cri terrifiant. Christine se précipita à l'étage.

« Que se passe-t-il, Anet ? »

Elle avait écrasé une guêpe en se retournant sur son lit. La piqûre l'avait réveillée. Elle souffrait et pleurait à chaudes larmes. Cela avait été si violent et si inattendu. Christine tentait de la réconforter. Bowman s'approcha avec un gant de toilette passé sous l'eau froide.

« Ça va aller, promit-il. Maintiens ça dessus. Où est-elle passée ?

– Qui ça ?
– L'abeille.
– Aucune idée, répondit Anet, en sanglotant.
– Quand elles te piquent, elles perdent leur dard. Il reste enfoncé sous la peau, accroché par de petits barbillons. N'essaie pas de l'arracher. »

En fait, ce n'était pas une abeille, mais personne ne le savait. Anet dormait en short, et il était maintenant partiellement baissé.

« Ça va aller, répéta-t-il.
– J'ai mal. »

Elle respirait par à-coups.

« Tu vois la piqûre ? » demanda-t-elle.

Comme une campeuse aguerrie, elle fit glisser le short encore plus bas, tournant la tête pour mieux s'examiner. Tout était parfait, à l'exception d'une petite zone rouge.

« Cette fesse m'a plutôt l'air pas mal, dit Bowman en une sorte de litote. Voyons un peu l'autre, plaisanta-t-il.
– L'autre va très bien », rétorqua-t-elle avec froideur.

Mais il se sentait à l'aise avec elle, il la traitait comme une enfant, presque comme la sienne, et sans doute ressentait-elle la même chose.

Un jour, en début de soirée, il fumait une cigarette devant la maison en regardant la surface lisse de l'étang, absolument immobile, et sur l'autre rive les maisons aux fenêtres déjà éclairées ; une voiture, à moitié dissimulée par les arbres, se dirigeait lentement vers l'une d'elles. Le ciel était clair et d'un bleu de plus en plus indigo. À l'ouest, il apercevait un banc de nuages traversé de temps à autre par un éclair. Aucun bruit, c'était trop loin. Rien que les nuages sombres soudain chargés d'une lumière surnaturelle. Finalement, le premier grondement du tonnerre lui parvint.

Christine sortit sur la véranda.

« J'ai eu l'impression d'entendre le tonnerre.
– Oui. Regarde là-bas. »

Elle s'assit à côté de lui.

« Je ne savais pas que tu fumais, dit-elle.

– Rien qu'une fois de temps en temps. Je n'aime que les Gauloises, comme les grands acteurs français, mais ici on n'en trouve pas. Ça, c'est juste une blonde ordinaire.

– Oh, tu as vu ? » s'exclama-t-elle.

Une ligne brisée d'un blanc éclatant venait de descendre du ciel. Au bout d'un assez long intervalle de temps, un léger grondement retentit.

« Il va y avoir un orage.

– J'adore les orages. Je l'entends déjà.

– En comptant les secondes, tu peux savoir à quelle distance il se trouve, dit-il.

– Comment fait-on ?

– C'est environ un kilomètre par trois ou quatre secondes entre l'éclair et le tonnerre. »

Elle attendit l'éclair suivant et se mit à compter.

« Alors, combien ? Douze secondes ?

– Oui, à peu près. »

Le son restait confus, il était difficile d'évaluer la distance. Se profila alors un banc de nuages noirs bien distincts, et le tonnerre devint plus menaçant, pareil au rugissement d'une énorme bête sauvage. L'orage se rapprochait, sa vitesse s'accélérait. Le ciel était sombre et traversé par des éclairs irréguliers et de soudaines décharges électriques. Le vent s'était levé. L'air sentait la pluie.

« Est-ce qu'on va rester dehors encore longtemps ? demanda-t-elle.

– Rien qu'une minute. »

L'immense nuée sombre, ou du moins son front avant, passait déjà au-dessus de leurs têtes. Elle était presque noire et absolument immense, on aurait dit le flanc d'une montagne. Elle semblait recouvrir la terre entière. Des éclairs crépitaient à moins d'un kilomètre avec une violence déchaînée, et presque immédiatement, le tonnerre gronda plus proche encore dans un vacarme assourdissant.

« On ferait mieux de rentrer.

– Allez, on y va, implora-t-elle.

– J'arrive. »

Ils étaient à peine à l'intérieur qu'un nouvel éclair zébra le ciel. Le tonnerre se faisait entendre juste au-dessus de leurs têtes. De la route où des amis l'avaient déposée, Anet courut jusqu'à la maison et entra en trombe par la porte de la cuisine, terrorisée.

« Tu aurais dû rester dans la voiture ! »

La nuit était tombée. Il faisait presque complètement sombre. Ils s'installèrent ensemble dans la salle de séjour et, entre les coups de tonnerre, ils perçurent distinctement le tambourinement des premières gouttes de pluie. En quelques secondes, ce fut un véritable déluge. Bientôt, les lumières s'éteignirent.

« Oh, mon Dieu !

– On ne risque rien ici ? » demanda Anet.

Il y eut encore un craquement d'une force inouïe et la pièce s'illumina quand la foudre frappa juste sous leurs fenêtres. À cet instant, il les aperçut, blotties l'une contre l'autre, le visage blême.

« Ne vous inquiétez pas, tout va bien, dit-il.

– Est-ce que la foudre peut pénétrer dans la maison ? demanda Anet.

– Non, aucun risque. »

De temps à autre, tandis que la pluie continuait à tomber, il les entrevoyait à la faveur d'éclairs de moins en moins intenses. Puis, de façon presque abrupte, il se mit à pleuvoir moins fort. Le tonnerre s'éloigna. La terre se calmait. Finalement, Christine demanda :

« C'est fini ?

– Je crois.

– Combien de temps penses-tu que l'électricité va mettre à revenir ? s'enquit-elle encore.

– On a des bougies.

– Où ça ?

– Dans un des tiroirs de la cuisine. Je vais les chercher. »

Il les trouva, et en alluma une. À sa faible lueur, ils paraissaient tous trois ébranlés.

« J'avais tellement peur que la foudre frappe la maison, déclara Anet. Que se serait-il passé alors ?

– Tu veux savoir si elle aurait pris feu ? Probablement. Mais tu n'étais pas vraiment effrayée, n'est-ce pas ?

– Si.

– Eh bien, c'est fini. Je suis né pendant un violent orage. »

Elle était encore perturbée.

« Alors tu es sans doute habitué. »

Le tonnerre roulait maintenant doucement dans le lointain.

« C'est la seule bougie que nous ayons ? demanda Christine.

– Il ne reste que le bout d'une autre à part celle-là. »

Au bout d'un moment, il monta à l'étage pour voir si les maisons d'en face étaient éclairées.

« Non, annonça-t-il en redescendant. Il y aura sûrement de la lumière en ville. Allons manger quelque chose, et on se renseignera sur la panne de courant. »

Au Century, il prit un déjeuner tardif avec Eddins au restaurant de la bibliothèque. Ils s'étaient installés à une table près d'une fenêtre d'où on apercevait plus ou moins la rue. Eddins portait un blazer et une cravate de soie jaune. Delovet prenait sa retraite, un associé et lui allaient racheter l'affaire, expliqua-t-il. Ils s'étaient mis d'accord sur un prix et sur quels livres Delovet continuerait à toucher une partie des commissions.

« Je pense que la plupart des auteurs vont rester chez nous, dit-il. On ne compte pas changer le nom de la boîte.

– On risque de s'en souvenir dans les annales de l'infamie.

– Bien sûr, mais on a plutôt envie que les choses se passent sans heurts.

– Pourquoi prend-il sa retraite ?

– Au fond, je n'en suis pas sûr. Pour profiter un peu de la vie, alors qu'il ne s'en est jamais privé. On peut dire qu'il ne s'est pas mal débrouillé !

– Qu'est-il arrivé à son actrice ?

– Dee Dee ? »

Delovet avait rompu. Elle était devenue alcoolique. La dernière fois qu'Eddins l'avait vue, elle venait de tomber dans l'escalier lors d'une soirée. Pauvre pocharde, avait commenté Delovet. Son temps était fini depuis une éternité. Delovet emmenait régulièrement son harem en France.

« Les voyages semblent toujours avoir leur charme, dit Eddins. Moi, je trouve qu'il y a trop de monde, trop d'excursions organisées. On ne peut plus se garer nulle part. Je me rappelle quand j'étais gosse, il y avait cent trente millions de gens dans ce pays, je n'ai pas oublié ce chiffre, on nous l'apprenait à l'école. Il y avait un truc qui s'appelait la "récitation", mais ça, c'était peut-être autre chose. Le monde était plus petit. Il y avait le Sud, notre chez nous, et puis le Nord, et aussi la Californie, où personne n'avait jamais mis les pieds. Vincent, dit-il en faisant un signe au garçon, est-ce que vous pourriez mettre ça au congélateur une minute ou deux ? Ce n'est pas assez frais. »

La salle s'était vidée. Ils avaient tout leur temps. Eddins avait un livre sur la liste des best-sellers et on lui consentait une avance substantielle sur un deuxième.

« Dena voulait voyager, reprit-il. Elle rêvait de voir la tour de Pise. Et puis dîner sur le Nil en regardant les pyramides. Elle aurait mieux fait d'épouser un type riche, une sorte de nabab. Moi, j'aurais dû mieux réussir. C'était une femme absolument extraordinaire. Je ne peux pas te dire à quel point. En tant qu'homme, je pense que ce ne serait pas bien moralement. Toi tu as vu du pays, tu as de la chance. Je me rappelle encore cette Anglaise. Qu'est-ce qu'elle est devenue ?

– Elle vit toujours à Londres, répondit Bowman. À Hampstead, pour être précis.

– Ah tu vois, je ne sais même pas où ça se trouve. Hampstead. Sans doute un quartier avec d'immenses pelouses et des femmes qui s'y promènent en robe du soir. En fait, je ne l'ai jamais croisée, tu me parlais beaucoup d'elle, mais je n'ai pas eu la chance de la voir de mes yeux. Une femme superbe, j'en suis sûr. Toi tu es encore beau, mon cochon. Est-ce qu'elle était grande ? Je ne m'en souviens pas. Je préfère les grandes femmes. Irene est plutôt petite. Je crains bien qu'elle n'ait fini de grandir. Ce serait trop lui demander. Tu veux qu'on commande une autre bouteille de ce vin tiède ? Non, j'ai peur que ça fasse trop. Pourquoi on ne prendrait pas plutôt un verre au bar ? »

Ils avaient souvent dû se contenter de prendre un verre au comptoir quand ils étaient nouveaux membres du club et qu'Eddins était si merveilleusement sociable. Il l'était d'ailleurs toujours, et encore plus élégant. Il resserra le nœud de sa cravate en soie tandis qu'ils se dirigeaient vers le bar.

« Et Christine ? Comment va Christine ?

– Que veux-tu dire par là ?

– Rien, je te pose la question, c'est tout. Je n'ai pas encore eu le plaisir de faire sa connaissance. Elle vit à la campagne ? Tu l'as cantonnée là-bas ?

– Cloîtrée, en fait.

– Monstre. As-tu jamais pensé à te poser ?

– Il n'y a pas homme plus posé que moi.

– À te marier, je veux dire.

– Je ne demande pas mieux.

– Je me rappelle ton dernier mariage. Enfin, le premier. Qu'a-t-il bien pu arriver à cette fille si sensuelle qui avait une liaison avec ton beau-père ?

– Il est mort, tu sais.

– Vraiment ? C'était aussi intense que ça ?

– Non, non, ça n'a rien à voir. Il s'était remarié, et il vivait heureux, je crois. Ça fait des lustres. Des siècles, on dirait. Les gens gardaient encore l'argenterie de famille à l'époque.

– J'aimerais pouvoir me dire que cette fille-là n'a jamais vieilli. Qu'a-t-elle pu devenir ? Qu'est-ce que tu crois qu'elle fait maintenant ?

– Tu veux que je te dise ? Je n'en ai pas la moindre idée. Vivian le sait peut-être.

– Vivian aussi était très belle.

– Oui, c'est vrai.

– C'est une spécialité des femmes, tu ne trouves pas ? Ils vont ouvrir ce club aux femmes, qu'est-ce que tu en penses ? Sans doute pas les plus jolies, seulement celles qu'on fuit dans les soirées. On est au beau milieu de l'ère des femmes. Elles veulent l'égalité, au travail, dans le mariage, partout… Elles refusent qu'on les désire sauf si elles en ont envie.

– Scandaleux !

– En fait, elles réclament la même vie que nous. Mais on ne peut pas tous avoir la même vie, non ? Alors, comme ça, le vieux a cassé sa pipe ? Ton beau-père, je veux dire.

– Il est mort, et mon père également.

– Désolé de l'apprendre. Le mien aussi. Au printemps dernier. Ç'a été fulgurant, je n'ai pas pu arriver à temps. Je viens d'une petite ville et d'une famille respectable. On connaissait le médecin, on connaissait le directeur de la banque. Si on appelait le toubib, même en plein milieu de la nuit, il rappliquait sur-le-champ. Il te connaissait. Toi et toute ta famille. Il t'avait soulevé par les pieds quand tu n'étais pas au monde depuis deux minutes et il t'avait balancé dans le dos la claque qui t'avait fait pousser ton premier cri. Le respect des valeurs, c'était le maître mot. La loyauté. Je suis fidèle à tout ça, l'enfance, le Vieux Sud. Il faut être fidèle aux choses. Sinon, on se retrouve seul sur terre. J'ai une magnifique photo de mon père dans son uniforme d'infanterie, en train de fumer une cigarette. Je ne sais pas où elle a été prise. La photographie, c'est un truc extraordinaire. Sur ce cliché, il est encore en vie. »

Il marqua une pause, comme pour réfléchir ou tourner la page.

« Je suis en train de vendre un livre à un producteur de cinéma. Belle somme d'argent, mais quelle bande de chacals ! Ils ont trop d'argent, ces types, c'est sans limites. Je m'occupais d'un écrivain du nom de Boyd, un pasteur défroqué, il avait un joli coup de plume, un vrai don. Je n'ai réussi à vendre aucune de ses nouvelles. Une honte ! Il en avait écrit une sur une truie aveugle, je ne l'oublierai jamais. Ça t'aurait brisé le cœur. Son ambition, c'était de vendre une histoire ou deux à *Harper's Magazine*. Ce n'était pas trop demander, il y en a qui réussissent, des écrivains qu'on préfère, pour une raison ou pour une autre. »

Ils se serrèrent la main sur le trottoir. Il était un peu plus de quatorze heures et l'après-midi s'annonçait ensoleillé. La lumière paraissait étonnamment vive. Il remonta Madison Avenue à pied. Il trouvait ce quartier tout à fait extraordinaire : les galeries d'art dans les ruelles adjacentes avec leurs fragments de statue, les immeubles bourgeois à l'angle des rues perpendiculaires, de véritables monuments en fait, d'une hauteur raisonnable, huit ou dix étages avec de larges fenêtres. La circulation ne semblait pas trop dense, les espaces verts de Central Park étaient tout proches. Sur le trottoir, les quelques tables d'un petit restaurant étaient à présent vides. Les femmes faisaient leurs courses. Un vieil homme promenait son chien.

Un peu plus loin se trouvait une librairie qu'il aimait. Le propriétaire était un petit homme frêle d'une cinquantaine d'années, toujours en costume, et il venait, racontait-on, d'une famille très aisée dont il était le fils perdu. Depuis l'enfance, il avait toujours adoré les livres et voulait devenir écrivain, passant son temps par la suite à recopier à la main des pages et des pages de Flaubert et de Dickens. Il s'était imaginé écrivant dans la solitude d'une chambre emplie de lumière à Paris, où il avait fini par se rendre, mais il s'y était senti abandonné et incapable de noircir la moindre page.

La librairie était à son image. Il n'y avait qu'une petite vitrine, et la boutique était étroite sur l'avant, l'espace rogné par un escalier qui conduisait à l'appartement juste au-dessus, mais vers le fond elle atteignait les dimensions d'une belle pièce, emplie du sol au plafond d'étagères regorgeant de livres qu'Edward Heiman localisait pourtant sans hésiter, comme s'il les avait tous rangés lui-même pour commencer. On pouvait se fier à ses conseils. Il connaissait très bien ses clients, sinon chaque nom du moins chaque visage, toutefois des gens qu'il n'avait jamais vus n'hésitaient pas non plus à entrer et à s'attarder. Il avait grandi sur Park Avenue, une rue ou deux plus loin, et il y vivait encore, même s'il était devenu libraire pour la plus grande déception de sa famille. Les best-sellers étaient exposés sur un présentoir près de l'entrée, mais ils devaient partager l'espace avec des livres moins connus.

Il réalisait beaucoup de ses ventes par téléphone. Les clients l'appelaient, ils commandaient les ouvrages dont ils avaient entendu parler et ils étaient livrés le jour même à domicile, parfois avec en prime un titre ou deux choisis par ses soins qu'ils pouvaient lui retourner. Ses goûts littéraires ne manquaient pas de panache, il lui arrivait souvent d'aimer des romans que les critiques n'avaient pas su comprendre – enfin, les plus perceptifs mis à part – et qui, dès les premières pages, témoignaient d'une certaine connaissance du monde, d'une intelligence ou d'un style remarquables. Les femmes surtout appréciaient ses conseils et son amabilité, bien que ses manières le fassent paraître presque timide. Il éprouvait une certaine tendresse pour les femmes qui portaient des vêtements masculins, avait-il un jour confié à Bowman – les Japonaises en particulier. Il aimait les femmes écrivains, même celles dont la célébrité s'était fondée sur des romans mineurs ou des ouvrages politiques. Les hommes avaient bénéficié de tellement d'avantages au fil des siècles, pensait-il, qu'il était juste qu'aujourd'hui les femmes prennent leur revanche. Il fallait cependant s'attendre à des excès.

« *Clarissa*, disait-il de sa voix tranquille. Voilà un livre terrifiant. On ne peut pas y rester indifférent. On en vend peu, bien sûr, mais cela ne signifie pas grand-chose. Whitman offrit davantage d'exemplaires de *Feuilles d'herbe* qu'il ne réussit à en vendre, et je pourrais dire la même chose de nombreux livres sur ces rayonnages. On ne vend plus beaucoup de John Marquand ni de Louis Bromfield, mais c'est un autre problème. »

Son épouse ne se montrait jamais à la boutique. On la décrivait comme extrêmement attirante. Et pas seulement physiquement. Toute sa personne l'était.

Une femme aussi unique donc que son mari, avec des goûts qu'elle partageait avec lui, à moins qu'elle n'ait eu les siens propres. Il vivait dans le monde des livres, elle préférait les vêtements, et certaines amitiés. Cela faisait pour elle trop de livres, elle préférait en lire un de temps en temps. Edward Heiman était peut-être un peu comme Liebling, ou comme Lampedusa dans sa Sicile à lui. Les femmes de ces deux-là avaient pris le large…

Bowman poursuivit son chemin. C'était une partie de la ville qu'il aimait, un quartier résidentiel et aisé, où l'on pouvait s'offrir ses excentricités. L'immeuble de brique blanche où habitait autrefois Swangren, le vieil écrivain, était à deux pas, et l'appartement chaotique de Gavril Aronsky, tout proche lui aussi. *Le Sauveur* avait été un livre remarquable, pas moins de cinq cent mille exemplaires vendus. Baum n'avait jamais regretté de ne pas l'avoir publié. Aronsky en avait écrit quatre ou cinq autres, mais sa réputation avait peu à peu décliné. En vieillissant, il était devenu de plus en plus maigre, jusqu'à ressembler à un oiseau famélique. Un jour où quelqu'un parlait du *Sauveur* en sa présence, Baum s'était contenté de lâcher : « Oui, je connais ce livre. »

Chez Clarke's, de douces réminiscences l'envahirent. Le bar était presque désert à cette heure de l'après-midi. Les habitués étaient repartis vers leurs bureaux. Il restait le long de la vitrine quelques rares clients que le soleil empêchait de distinguer clairement. Il repensait à Vivian et à son amie, Louise. À George Amussen, et à sa permanente désapprobation. Ses deux filles avaient partagé son amour des chevaux et toutes deux épousé l'homme qu'il ne fallait pas. Le problème avec Vivian, c'était que, irrévocablement – il ne l'avait pas compris à l'époque –, elle appartenait à ce monde qui buvait trop, possédait de grandes maisons, des voitures avec des bottes maculées de boue et des sacs de croquettes pour chiens dans le coffre, un monde trop fortuné et imbu de lui-même. Tout cela semblait si dérisoire aujourd'hui, et même risible.

Il commanda une bière. Il se sentait flotter dans le temps. Il s'apercevait dans le miroir derrière le bar, entre les ombres et les reflets argentés, tel qu'il s'était vu des années auparavant, fraîchement débarqué dans la grande ville, jeune, ambitieux, caressant le rêve de se faire une place au soleil avec tout ce que cela impliquait. Il s'examina longuement dans la glace. Il avait parcouru la moitié du chemin, ou même un peu plus, Tout dépendait du moment qu'on choisissait comme point de départ. Sa vraie vie avait commencé à dix-huit ans, la vie au sommet de laquelle il se trouvait aujourd'hui.

22

Sapore di mare

Christine passait moins de temps à New York, mais elle et Bowman vivaient comme un couple marié qui se retrouvait le week-end. Sa vie était à la campagne et elle s'en trouvait bien. Elle avait des amis, dont beaucoup étaient aussi ceux de Bowman, avec lesquels elle savait prendre du bon temps. Elle avait gagné près de quatre mille dollars de commission sur la maison, et elle proposa de partager les mensualités de remboursement pendant un moment puisque, de fait, elle habitait là.

Aux alentours de Thanksgiving, elle alla visiter une maison en construction à Wainscott et fit la connaissance de l'entrepreneur qui s'y trouvait, occupé à découper des lattes de plancher. Quand il la vit, il s'interrompit et éteignit sa scie électrique. Il lui proposa de lui montrer la maison. Il la construisait pour la vendre, et ensuite, il en bâtirait ou en retaperait une autre. Tout dépendait de ce qu'il trouvait à faire. Ils firent le tour du propriétaire. Elle portait des talons hauts et devait prendre garde de ne pas trébucher dans les escaliers encore inachevés. Les maisons lui paraissaient toujours merveilleuses avant que les murs ne soient élevés. Il avait une façon décontractée et convaincante de s'exprimer, et il lui demanda si elle accepterait de déjeuner avec lui un de ces jours pour parler de la vente de cette maison. C'était une proposition informelle – il n'en dit pas plus.

Il s'appelait Ken Rochet. Ils déjeunèrent dans un restaurant un peu bruyant de l'autre côté du port mais ils réussirent néanmoins à parler. Il venait justement du chantier. Il avait même encore un peu de sciure sur les mains. Il portait un polo bleu et semblait parfaitement à son aise. Il travaillait, lisait, cuisinait, fréquentait plusieurs femmes, même si pour l'heure, elle n'en savait rien. Elle se sentait attirée par lui, comme elle l'avait autrefois été par son mari, de façon irrésistible et sans qu'elle y soit pour rien. Quelque chose en elle était séduit par les hommes de ce genre. Elle n'aurait pas pu l'expliquer. C'était ce polo bleu, décoloré par les multiples lavages, qui l'avait charmée. Il en savait plus sur l'immobilier qu'elle ne l'aurait cru, mais elle réussit cependant à lui donner quelques conseils. Il la regarda s'éloigner vers les toilettes puis revenir. Elle portait une robe à motifs. Il lui sembla qu'elle était un oiseau au plumage somptueux, et lui-même un renard.

Il y avait quelque chose de dur en lui qu'elle aimait. Robuste, il jouait en deuxième base dans l'équipe locale de softball. Dans ses bars et restaurants favoris, les hôtesses d'accueil le connaissaient. Elle ne voulut pas le retrouver dans des endroits où on aurait pu remarquer sa voiture, et ils allèrent à la place dans un restaurant assez peu fréquenté, restant au bar à bavarder tandis que leurs voitures étaient garées côte à côte sous les arbres. Le soir tombait; la nuit ne tarderait pas. Elle avait posé le menton dans la paume de sa main, et déployé ses doigts effilés. Il lui parla de son frère avec lequel il avait eu un terrible accident. Il était assis sur le siège du passager, et il était déjà plongé dans un coma dépassé quand on l'avait transporté à l'hôpital – c'était à Providence – mais on l'avait maintenu sous assistance respiratoire pendant trois jours. Sa femme avait finalement reconnu que c'était inutile, mais elle voulait qu'on le garde en vie le temps qu'on puisse récolter son sperme : ils n'avaient pas d'enfants et elle en voulait un de lui.

« Que s'est-il passé finalement ?

– Je vous raconterai un de ces jours.

– Dites-le-moi maintenant.

– Ils ont utilisé le mien. Enfin, elle a utilisé le mien.

– Donc vous êtes père.

– Techniquement oui, je suppose.

– Pas si techniquement que ça. »

Ce premier soir, il se trouva que la voiture de Christine ne voulut pas démarrer au moment de repartir. C'était la vieille guimbarde de Bowman, qu'il avait depuis plus de dix ans.

« De toute façon, on se demande ce que vous faites avec une Volvo ! commenta Rochet.

– Elle n'est pas à moi.

– Elle est à qui ?

– Ce serait trop long à expliquer. Ne me demandez pas ça maintenant.

– On dirait la voiture d'un vieux couple.

– En tout cas, avant, elle démarrait. Vous vous y connaissez en mécanique ?

– Je crains bien que oui. »

Ce n'était pas grand-chose. Le fil de batterie était mal connecté. Il le gratta soigneusement avec un canif et le remit en place.

« Essayez maintenant. »

Le moteur démarra, et elle le suivit pour sortir du parking.

Sa maison avait une véranda et, comme celle de Christine, elle n'était jamais fermée à clé. En fait, c'était un petit bungalow, avec deux pièces au rez-de-chaussée et deux à l'étage. Il n'avait qu'une demi-bouteille de vin et, avec l'impression d'avoir de nouveau dix-neuf ans, elle la partagea avec lui.

« Vous pouvez enlever vos chaussures, si vous voulez », suggéra-t-il. Il se baissa pour dénouer les lacets des siennes. Et ils restèrent pieds nus à siroter leurs verres dans le noir. Il l'embrassa dans le cou, et elle le laissa déboutonner son chemisier. Ils firent l'amour sur le canapé. La fois suivante, ils montèrent à l'étage. Il était censé lui faire visiter la maison, mais elle se tourna vers lui en haut des marches puis ôta lentement ses boucles d'oreilles. Il bondit sur elle comme un fauve.

En général, ils se voyaient chez lui mais pas toujours. Un jour, il arriva à pied par l'allée, s'étant prudemment garé plus haut sur la route. Elle l'attendait. Il la suivit dans la maison. « C'est la vôtre ? » demanda-t-il. Il faisait agréablement sec à l'intérieur. Les murs avaient besoin d'être repeints. Après des heures passées à faire l'amour, elle sortit du lit avec une soif terrible.

Bowman n'en sut ni ne soupçonna jamais rien. Il se prenait pour Éros, et pensait que Christine lui appartenait. Il vivait dans la joie de la posséder, aussi incroyable que cela paraisse, tout lui semblait simple et juste. Comme s'il faisait maintenant partie du cercle des initiés à la sensualité, il voyait aujourd'hui ce qu'il n'avait pas vu auparavant. Passant devant la boutique d'un fleuriste alors qu'il se rendait à pied à son bureau, il aperçut, de dos dans les feuillages d'un vert intense, une jeune fille penchée en avant, et la silhouette d'un homme qui se pressait derrière elle. La vendeuse changea légèrement de position. Cette scène avait-elle vraiment lieu, se demanda Bowman, de bon matin, alors que la cohorte du monde ordinaire passait sans rien voir ? Une femme plus âgée qui s'apprêtait à le contourner, s'arrêta elle aussi pour regarder, et, à cet instant précis, plus rien ne fut pareil. La jeune fille se penchait seulement pour arranger ses fleurs et l'homme était à côté d'elle, pas derrière. Il aurait pu y voir un mauvais présage, mais il n'était pas superstitieux.

Il finit par avoir l'ombre d'un soupçon lorsqu'il reçut un courrier qu'on lui avait fait suivre à Chicago où il assistait au Salon du livre. On lui intentait un procès. Il s'agissait d'obtenir la propriété sans partage de la maison. Il appela immédiatement Christine et laissa un message. Il n'était pas tard dans la soirée, mais elle ne rappela pas. Il ne réussit à la joindre que le lendemain.

« Chérie, que se passe-t-il ?

– Je ne peux pas en parler maintenant, répondit-elle, d'un ton glacial.

– C'est-à-dire ?

– Je ne peux pas, c'est tout.

– Je ne comprends pas, Christine. Il faut que tu m'expliques. Que se passe-t-il ? »

Il ressentait un mélange d'effroi et de confusion totale.

« Mais c'est quoi cette histoire ? Qu'est-ce qui t'arrive ? »

Elle garda le silence.

« Christine !

– Oui !

– Raconte-moi. Qu'est-ce qu'il y a ?

– C'est à propos de la maison, dit-elle, comme si elle cédait finalement.

– Oui, ça, je le sais. Eh bien ?

– Je ne peux pas parler maintenant. Il faut que je parte.

– Mais réponds, bon Dieu ! »

Il avait le sentiment d'être réduit à néant, l'impression écœurante de ne pas comprendre. Quand, de retour à New York, il apprit tous les détails, il insista pour qu'ils se rencontrent et se parlent. Elle refusa tout net. « Mais je t'aime, je t'aimais », pensait-il. Elle demeura imperturbable. Complètement de marbre. Comment se faisait-il que leur histoire n'ait soudain plus aucune importance, qu'on ait pu la juger futile ? Il avait envie de prendre Christine par les bras et de la secouer pour la ramener à la vie.

Elle affirmait que la maison lui appartenait et qu'elle avait été achetée à leurs deux noms parce qu'elle n'aurait pas pu obtenir de crédit au sien propre. Elle le poursuivait pour rupture d'engagement oral, et réclamait la propriété du bien. L'avocat de Bowman travaillait à Southampton, c'était un alcoolique repenti aux cheveux argentés. Il avait connu des cas similaires – elle n'avait quasiment aucune chance de gagner.

« La loi relative à la production de preuves exige un contrat écrit en cas de transfert de propriété. C'est ce que nous allons plaider. Nous démontrerons l'absence de document écrit. Vous n'avez rien signé, n'est-ce pas ?

– Absolument rien.

– Elle occupe la maison en ce moment.

– Oui.

– Est-ce qu'elle a un bail ?

– Non. Elle... Nous vivons ensemble.
– Vous avez une liaison officielle?
– Si on peut appeler ça une liaison!»
Bowman la revit pour la première fois au procès. Elle évitait son regard. Son avocat prétendit que, en toute justice, elle était propriétaire de la maison et que le contrat de vente tel qu'il apparaissait était en fait une transaction arrangée à son seul bénéfice.

Le jury, qui avait jusque-là écouté d'une oreille distraite, sembla plus attentif quand elle se leva pour venir témoigner à la barre. Elle s'était habillée avec soin. Elle décrivit ses patientes recherches, et affirma qu'elle avait finalement trouvé une petite maison où vivre avec sa fille, citant l'accord oral passé avec Bowman stipulant qu'elle en serait propriétaire. Elle y vivait et remboursait le crédit. Bowman ressentit un mépris inexprimable pour ces mensonges. Il le fit sentir par un regard appuyé à l'adresse de son avocat, qui semblait imperturbable.

Au bout du compte cependant, ce fut la parole de Christine contre la sienne, et le jury se prononça en faveur de la plaignante. On lui accorda le titre de propriété. Plus de maison. Ce n'est qu'ensuite qu'il apprit qu'il y avait un autre homme.

Il se reprocha de n'avoir pas deviné, d'être le dindon de la farce, mais il y avait pire encore: la jalousie. Il souffrait comme un damné de l'imaginer avec cet homme qui la possédait, qui jouissait de sa présence, de sa disponibilité. Il s'était senti supérieur à tous les autres, croyant qu'il en savait plus qu'eux, les prenant même en pitié. Il n'avait aucun lien avec eux. Sa vie était exceptionnelle: il avait su l'inventer. Il avait rêvé de s'élever jusqu'aux cimes, se précipitant sans peur à l'assaut de la vague au milieu de la nuit, comme un poète ou un surfeur de Californie, comme un fou, mais il y avait aussi la réalité tangible du matin, le monde encore endormi, et Christine qui dormait à ses côtés. Il pouvait lui caresser le bras, la réveiller s'il le voulait. Il en était malade rien que d'y penser. Malade de tous ces souvenirs. Ils avaient fait des choses ensemble qui l'amèneraient un jour à regarder en arrière et à comprendre qu'il était l'amour de sa vie. C'était une idée un peu sentimentale, la trame d'un roman à l'eau de rose. Elle ne regarderait jamais en arrière. Il le savait. Leur histoire ne représentait que quelques pages succinctes. Même pas ça. Il la haïssait, mais que pouvait-il y faire ?

« Ça peut paraître cinglé, répétait-il. Mais je n'ai pas renoncé à elle. Je ne peux pas m'en empêcher. Je n'ai jamais songé à tuer qui que ce soit, mais dans cette salle d'audience, j'aurais pu l'abattre. Durant tout ce temps, elle savait parfaitement ce qu'elle faisait. Comment aurais-je pu m'en douter ? »

Il se sentait humilié. C'était une blessure qui ne voulait pas guérir. Il ne pouvait s'empêcher de la sonder. Il s'accusa : s'il avait refusé qu'elle vive sans lui à la campagne, elle n'aurait jamais rencontré ce type. Peut-être lui avait-il fait trop confiance. Il n'aurait pas dû être si dépendant du plaisir qu'elle savait lui donner, mais cela aurait été impossible ; au fond, il ne signifiait rien pour elle. Il savait qu'il n'y en aurait plus aucune autre. Il aurait préféré ne jamais la connaître, mais quel sens cela avait-il ? Jamais il n'avait eu autant de chance que le jour de leur rencontre.

23

In vino

Eddins et Irene vécurent à Piermont pendant plusieurs années après leur mariage, mais elle était malheureuse dans la maison où se trouvait un tiroir rempli des affaires de sa femme disparue dont elle le convainquit enfin de se débarrasser. Ils se réinstallèrent à New York, dans un appartement ordinaire, aux environs de la 20e Rue près de Gramercy Park, qu'ils décorèrent avec les meubles de la maison d'Irene dans le New Jersey. Un soir où Bowman vint pour dîner, elle s'était vêtue avec élégance mais ne portait aucun maquillage. C'est Eddins qui le fit entrer.

« Tu te souviens de Philip, chérie.

– Oui, bien sûr, dit-elle avec un léger agacement. Ravie de vous voir. »

L'appartement avait quelque chose de sombre. Leur chien, un scotch-terrier noir, ne se donna même pas la peine de venir le renifler. Ils prirent un verre au salon. Irene – qui manifestement n'était pas au courant – demanda à Bowman de lui parler de sa maison. Elle se trouvait près de l'océan, n'est-ce pas ?

« Cette maison n'est plus à moi, répondit-il. Cela fait un bout de temps.

– Oh, je vois. J'allais dire que mon ex-beau-frère en possédait une près du rivage.

– J'aime beaucoup l'océan, moi aussi.

– Il aimait naviguer. Il avait un voilier. J'ai souvent fait des balades en mer avec. La marina où il l'amarrait était pleine de bateaux. De toutes sortes. »

Et elle continua à parler de son beau-frère, Vince.

« Phil ne le connaissait pas, chérie.

– Toi non plus, rétorqua-t-elle. Inutile de dire du mal de lui, par conséquent. »

Il lui resservit un peu de vin.

« D'accord, mais rien qu'une goutte. Ça suffit.

– C'est vraiment très peu. Laisse-moi au moins remplir ton verre.

– Pas si tu tiens à dîner.

– Je ne pense pas que le dîner en souffre. »

Irene ne répondit pas.

« Mon père adorait lever le coude, dit Eddins. Il répétait souvent que l'alcool le rendait plus intéressant. Et ma mère demandait : "Intéressant pour qui ?"

– Très juste », dit Irene.

Elle fila dans la cuisine, les laissant à leurs verres. Eddins était un homme de bonne compagnie, rarement de mauvaise humeur. Quand elle revint, elle annonça que le souper serait bientôt prêt, s'ils l'étaient aussi.

« Oui, nous sommes prêts, chérie. À la maison, tu sais, on appelait cela le dîner. On ne parlait jamais de souper.

– Dîner ou souper, quelle importance ?

– Ce n'est qu'une petite distinction. Une autre est qu'un dîner est généralement bien arrosé.

– On appelait toujours ça le souper.

– Les Italiens ne parlent pas de souper, affirma-t-il.

– Vraiment ?

– Ils parlent de *cena*.

– Pas chez moi, en tout cas. L'important, c'est de savoir si vous voulez passer à table ?

– Alors, que nous as-tu préparé pour le souper ?

– Tu y viens, je vois.

– Pour te faire plaisir. Match nul, d'accord ? »

Il lui sourit, comme si la chose était entendue. Ils passèrent dans la salle à manger, où se trouvaient une table, quatre chaises et deux buffets d'angle surmontés d'un vaisselier. Irene apporta le potage. Eddins reprit la parole :

« J'ai lu quelque part que dans les carrés de la marine, je crois que c'était sur un porte-avions, on versait du sherry dans la soupe. C'est vrai ? Quel raffinement !

– Je peux te dire que nous, nous n'en avions pas, dit Bowman.

– Tu repenses parfois à tout ça ?

– De temps à autre. Ce serait difficile de faire autrement.

– Vous étiez dans la marine ? s'enquit Irene.

– Oh, il y a longtemps. Pendant la guerre.

– Chérie, j'étais sûre que tu le savais, s'étonna Eddins.

– Non, comment l'aurais-je su ? Mon beau-frère, celui qui fait du bateau, était dans la marine.

– Vince, précisa Eddins.

– Parce que j'en ai un autre, peut-être ?

– Non, mais cela faisait un bout de temps que tu n'avais pas parlé de lui. »

Irene ne répondit pas.

« Phil est aussi allé à Harvard.

– Oh, Neil, je t'en prie, dit Bowman.

– C'est lui qui a écrit la célèbre pièce intitulée *The Hasty Pudding*.

– Faux, faux, protesta Bowman. Je n'ai jamais rien fait de semblable.

– Je l'aurais pourtant juré. Quelle déception ! As-tu déjà entendu parler d'un auteur qui s'appelle Edmund Berger ?

– Je ne crois pas. C'est lui qui l'a écrite ?

– Il est passé me voir l'autre jour. Il a déjà publié deux ou trois livres et il est en train d'en écrire un nouveau sur l'assassinat de Kennedy. On se demande si ça peut encore intéresser quelqu'un.

– Mais alors, pourquoi est-ce qu'il l'écrit ? demanda Irene.

– Il pense qu'il sait le fin mot de l'histoire. Kennedy a été tué par trois tireurs d'élite cubains, l'un posté sur le monticule herbeux, deux autres dans le dépôt de livres. Tous les témoins sont d'accord sur ce point. "Cubains ? lui ai-je demandé. Qu'en savez-vous ?"

Ils ont leurs noms. C'est la CIA qui a monté le coup. Comment Jack Ruby a-t-il su quand Oswald allait être tiré de sa cellule ? Jack Ruby ! Qui était ce type pour être au courant ?

– Je ne sais pas, un informateur de la police, suggéra Bowman.

– Peut-être, c'est du moins ce qu'affirme ce Berger.

– Je ne vois pas l'intérêt de cette conversation, dit Irene.

– Supposons un instant que Berger ait raison, et que ce n'était pas Oswald. Rappelons qu'Oswald répétait sans arrêt qu'il n'avait pas tiré sur Kennedy. Bien sûr, il avait intérêt à le nier, mais alors pourquoi la police l'a-t-elle interrogé pendant six heures sans qu'on retrouve les moindres notes ? Parce que la CIA les a détruites.

– Je pense que rien de tout cela n'est inédit, commenta Bowman.

– Pas nouveau, d'accord, mais insuffisamment rapproché d'autres événements. Martin Luther King, par exemple.

– Eh bien ?

– Les choses ne sont pas aussi simples qu'il y paraît. Qui l'a tué ? demanda Eddins, qui prenait manifestement plaisir à ces questions. Ils ont condamné quelqu'un, mais qui sait ? L'autre jour, un cireur de chaussures sur Lexington Avenue m'a demandé si je croyais vraiment que la police n'était pas derrière tout ça.

– À quoi bon ? répéta Irene.

– Je ne sais pas, mais ça fait quand même un certain nombre de gens qui se font descendre, Robert Kennedy, Huey Long…

– Huey Long ?

– Ce sont des événements historiques. Le rideau noir retombe. Toute la vie en est transformée. Quand Huey Long s'est fait assassiner, je me rappelle qu'un frisson a parcouru le Sud. Pas une famille n'allait se coucher l'esprit tranquille. Je m'en souviens. Le Sud entier.

– Oh, Neil ! s'écria Irene.

– Quoi donc, ma chérie ? Tu en as assez ? Je suis désolé.

– Tu parles, tu parles, tu parles, est-ce que tu vas t'arrêter un jour ? »

Il fit une petite moue, comme s'il réfléchissait à la question.

« Tu es vraiment une mégère ! » s'exclama-t-il enfin.

Elle quitta la table. Le silence s'installa pendant quelques minutes. Puis Eddins reprit :

« Il va falloir que j'aille promener le chien. Ça te dirait de m'accompagner ? »

Il resta muet dans l'ascenseur. Dans la rue, ils n'allèrent pas très loin. Ils s'arrêtèrent chez Farrell's, un bar situé deux rues plus loin où ils prirent un verre debout près de la porte. Le barman connaissait bien Eddins.

« Tu sais ce de quoi j'avais toujours rêvé ? Tu te rappelles ce film, *L'Introuvable* ? Je me voyais assis avec ma femme dans un bar, rien à voir avec celui-ci, un bar du genre classieux, il y en a un, un peu plus loin vers l'est – et on reste là à bavarder, de rien de spécial, d'un client qui entre, d'où on pourrait aller après, de l'actualité… Elle est très chic, elle porte une jolie robe. Ça compte, non, la façon dont elles s'habillent ? Moi, j'aime assez me sentir élégant En tout cas, on parle, on passe un bon moment. Elle a besoin d'aller aux toilettes, et pendant son absence le barman remarque que son verre est vide. Il me demande si ma femme en voudrait un autre. Oui, je réponds. Elle revient et ne s'aperçoit pas que c'est un deuxième verre, elle le prend et commence à siroter. "Il s'est passé quelque chose pendant que je n'étais pas là ?" »

Neil était toujours de bonne compagnie. Il avait un panache d'un autre âge. Il avait tendance à considérer sa vie comme un roman – la vraie vie était derrière lui, il en avait perdu une partie en sortant de l'enfance et une autre à la mort de Dena. À propos d'Irene, il répétait souvent :

« Nous avons chacun notre territoire. »

Il faisait sombre chez Farrell's et la télévision était allumée. Le comptoir occupait toute la longueur de la salle. Ils restèrent là un bon moment, le pied sur la barre métallique. Le chien ne bougeait pas, le regard perdu dans le vague.

« Il a quel âge ? demanda Bowman.

– Ramsey ? Huit ans. En fait, c'est le chien d'Irene, mais il m'aime bien. Quand elle le promène, elle tire sans arrêt sur sa laisse. Elle ne veut pas attendre et lui aime prendre son temps. Quand elle s'apprête à le sortir, il reste là sans bouger. Elle est obligée de l'appeler. Alors qu'avec moi, il bondit de joie et file vers la porte. Elle est furieuse, mais que peut-elle y faire ? Ce n'est tout simplement pas elle qu'il aime. En tout cas, il n'est plus si jeune. »

Il eut envie d'ajouter que lui non plus, mais il songea qu'il en avait déjà assez dit. Il fallait aller promener Ramsey. Bowman et lui prirent congé. On avait du mal à distinguer le chien dans la nuit. Il était plus ou moins carré, et absolument noir. À la blanchisserie chinoise, les teinturiers l'aimaient bien, ils l'appelaient Lambsey. La semaine précédente, Eddins s'était rendu sur la tombe de Dena et de Leon, à Piermont. Le cimetière paraissait vide, le silence emplissait les allées. Il s'était recueilli devant la stèle. Elle avait été sa femme, et il les avait accompagnés à la gare pour prendre le train. Il n'avait pas apporté de fleurs. Il fit demi-tour, alla acheter un bouquet chez le fleuriste et revint. Inutile de prier pour quoi que ce soit. Il déposa des fleurs sur chaque tombe et le reste sur celles des voisins. Il lut les noms sur certaines pierres tombales, mais il n'en reconnut aucun. Il se prit à songer à des choses connues de lui seul et de Dena, et il se mit à pleurer.

Dans la rue, à Piermont, il croisa la vieille serveuse de chez Sbordone's. Elle tenait un sac étroit en papier marron dans une main. Eddins l'arrêta au passage.

« Veronica ?

– Oui.

– Comment ça va ?

– Je vous demande pardon ?

– Vous vous souvenez de moi, n'est-ce pas ? Je venais souvent au Sbordone's avec ma femme autrefois. Vous vous rappelez ?

– Oui, maintenant que vous me le dites.

– Elle est morte. J'ai fini par déménager.

– Je suis désolée d'apprendre ça, mais je m'en souviens.

– Dommage que le bar soit fermé, je vous aurais offert un verre.

– Oh, j'ai arrêté de boire, sauf aux enterrements. »

Elle toucha du doigt le sac en papier.

« Ça c'est juste pour l'avoir à la maison, au cas où quelqu'un viendrait à mourir soudainement.

– Vous savez, vous n'avez pas changé. Si je peux me permettre, est-ce que vous êtes mariée ?

– Non. Je me rappelle avoir longtemps regretté de ne pas l'être.

– Moi aussi. »

Cela lui fit penser à la grosse Joanna, obèse en fait, une fille dotée d'une personnalité merveilleuse, employée de banque. Elle avait une nature exubérante et sympathique, et une belle voix, mais elle était restée longtemps célibataire. Personne n'aurait songé à l'épouser. Elle parlait français parce qu'elle avait étudié pendant un an et demi au Québec. Sur un coup de tête, elle s'était inscrite dès la première semaine dans une chorale, et lui, cet homme, en faisait partie. Il s'appelait Georges. Il était plus âgé que Joanna et avait une petite amie qu'il quitta rapidement pour s'installer avec elle. Elle rentra aux États-Unis, mais comme il était professeur et canadien, il ne put pas la suivre. Il venait à New York le week-end, deux ou trois fois par mois. Cela dura pendant neuf ans. Elle était comblée et savait que cette histoire finirait un jour, mais elle voulait la voir durer autant que possible et ne se plaignait jamais. La dixième année, ils se marièrent. Quelqu'un avait raconté à Eddins qu'elle allait avoir un enfant.

24

Mrs Armour

Elle entra seule dans le restaurant et resta un long moment au bar à chercher quelque chose dans son sac à main. Elle finit par dénicher ce qu'elle voulait : une cigarette. Elle la plaça entre ses lèvres. Il y avait quelque chose d'effrayant dans la lenteur de ses gestes. Personne n'osait la regarder franchement. S'adressant à un homme assis là, elle demanda :

« Excusez-moi. Auriez-vous du feu ? »

Elle attendit patiemment qu'il lui en donne, puis elle s'avança pour qu'on la conduise à sa place. Le restaurant était bondé, le maître d'hôtel réussit toutefois à lui dénicher une petite table près de l'entrée. Une fois installée, elle commanda une bouteille de vin. Tandis qu'elle attendait d'être servie, elle fit soigneusement tomber les cendres de sa cigarette dans son assiette.

Ce restaurant s'appelait le Carcassonne. Il s'agissait d'un établissement à la mode, le nom sur la vitrine était gravé en lettres d'or des plus discrètes. Il faisait face au marché de viande en gros, un peu comme ce vieux restaurant à Paris tout près des Halles, mais le marché était fermé à cette heure, et la place était déserte et tranquille.

Elle commanda à dîner et mangea distraitement, se contentant de picorer quelques bouchées avant de laisser le serveur emporter les plats. Elle vida la bouteille cependant, renversant un peu du dernier verre sur la nappe sans même s'en rendre compte.

« Garçon ! dit-elle. Je voudrais une autre bouteille de vin. »

Il disparut et revint au bout de quelques instants.

« Je suis désolé, madame, dit-il, mais je ne peux pas vous servir une deuxième bouteille.

– Comment ?

– Je suis tout à fait désolé. C'est impossible.

– Que voulez-vous dire par là ? Où est le maître d'hôtel ?

– Madame…

– Je veux parler au maître d'hôtel. »

Elle était souverainement indifférente à ceux qui l'entouraient. Elle se retourna pour le chercher des yeux comme si elle était seule dans la salle.

Le maître d'hôtel s'approcha. Il portait un smoking.

« J'ai commandé une bouteille de vin, lui dit-elle. Je voudrais une bouteille de vin. »

C'était une femme de la haute société, injustement mise à l'épreuve.

« Je suis désolé, madame. Le serveur a dû vous le dire. Nous ne pouvons pas vous servir une deuxième bouteille. »

Elle semblait complètement désorientée.

« Alors, apportez-moi un verre de vin », dit-elle.

Il ne daigna même pas répondre.

« Rien qu'un verre. »

Il s'éloigna pour rejoindre son poste. Elle se retourna sur sa chaise.

« Excusez-moi, dit-elle aux clients assis juste derrière elle. Connaissez-vous un endroit qui s'appelle le Hartley's ?

– Oui, c'est à deux pas d'ici.

– Je vous remercie. Je voudrais l'addition », annonça-t-elle au garçon.

Elle l'examina quand on la lui porta.

« Ce ne peut pas être ma note, dit-elle.

– C'est pourtant la vôtre, madame. »

Elle fouillait son sac à la recherche de quelque chose qu'elle ne trouvait pas.

« J'ai perdu cent livres ! » s'exclama-t-elle.

Le maître d'hôtel s'était approché.

« Pendant que j'étais ici, j'en suis sûre !

– Pouvez-vous régler votre addition, madame ?

– J'ai perdu cent livres, insista-t-elle, en regardant à ses pieds.

– En êtes-vous certaine ?

– Tout à fait certaine, dit-elle avec assurance.

– Il va vous falloir régler, madame.

– Mais j'ai perdu l'argent, dit-elle. Vous m'avez entendue ?

– Je crains qu'il ne vous faille payer. »

Il était convaincu qu'elle mentait. On n'aurait jamais dû lui donner une table. C'était une grossière erreur. Elle explorait à nouveau le contenu de son sac.

« Ah ! » fit le garçon en se relevant.

Il venait de trouver deux billets de cinquante livres pliés sous sa chaise.

« Maintenant, est-ce que je peux avoir une bouteille de vin ? demanda-t-elle.

– Bien, madame, répondit le maître d'hôtel. Mais vous ne pourrez pas l'ouvrir ici.

– Mais alors, à quoi bon ?

– Vous ne pourrez pas l'ouvrir ici. »

Quand le garçon revint avec la bouteille, elle refusa de la prendre.

« Je n'en veux pas, décida-t-elle. Avez-vous un sac en papier dans lequel la mettre ?

– Non, je regrette, madame, dit le maître d'hôtel.

– Je ne peux tout de même pas marcher dans la rue une bouteille à la main. »

Elle le fixa du regard. Puis elle lui tendit l'argent mais il ne le prit pas. Le garçon s'en chargea. Elle enfouit dans son sac sans y prêter attention les billets qu'il lui rendit. On lui apporta la bouteille emballée, et elle demanda à l'homme de la table voisine où se trouvait le Hartley's.

« À gauche, répondit-il.

– À gauche.

– Oui. »

Elle dit bonsoir au maître d'hôtel. Il hocha la tête.

« Bonsoir. »

Une fois dehors, elle partit vers la droite, et une minute ou deux plus tard, repassa devant la vitrine dans l'autre direction. On l'aperçut plus tard paisiblement installée chez Hartley's, en train de fumer une cigarette. Le vin se trouvait dans un seau à glace posé près de la table.

Wiberg était aujourd'hui sir Bernard Wiberg, même s'il ressemblait plutôt à un émir arabe : un millier de chameaux seraient attachés à son tombeau. Il était allé deux fois à Stockholm pour la remise du prix Nobel, ayant eu l'insigne honneur de publier les œuvres des lauréats. Il avait en fait été un agent actif de leur victoire. Il s'était assuré que leurs noms étaient souvent prononcés, ni trop fort ni de façon trop ostentatoire, parce qu'il ne fallait surtout pas contrarier le flux des opinions favorables qui devait passer par le prestigieux jury suédois, mais Wiberg avait bel et bien le pouvoir de faire distinguer un écrivain ou un autre – il avait pour ces choses un véritable instinct, de même que pour la publicité et la promotion. Certains livres attiraient l'attention, de même que certains écrivains, à un moment donné. Même l'excellence, il le savait, devait se vendre à l'avance.

Au contraire d'autres hommes riches, il ne se demandait pas s'il valait vraiment mieux que les miséreux devant lesquels il passait dans la rue. Sans doute, il craignait au plus profond de lui de perdre tout son argent, mais ce n'était rien comparé aux peurs qui agitent les femmes. Il fumait des cigares Cohiba, et en faisait parfois expédier une boîte à Baum à New York. Il surveillait son poids. Sa femme était là pour lui rappeler de ne pas manger toutes ces choses qu'il aimait tant. Il lui arrivait de dire, quand il insistait : « Bon d'accord, mais rien qu'un petit morceau. » Lors des grands dîners, quand elle le voyait de loin s'apprêter à engloutir un aliment interdit, elle se contentait d'agiter l'index discrètement. Elle était en charge des questions domestiques. C'est par son truchement qu'il faisait connaître le moindre de ses désirs. Elle l'avait encouragé à acheter une résidence secondaire, même s'il n'avait aucun goût particulier pour la campagne. Elle aurait voulu une petite maison près de Deauville, mais il n'aimait pas la France. Il aimait le Claridge, il voulait rester parmi ses pairs et bavarder de temps à autre avec de jeunes femmes. Il aimait aussi s'installer dans son bureau face au Bacon que son épouse détestait.

« Ce tableau est l'œuvre d'un déséquilibré, disait-elle.

– Il est beaucoup moins déséquilibré que tu ne le crois. Tout à fait l'inverse, en réalité. Moi, je le vois comme un artiste fondamentalement libre, si on peut appeler libre un homme esclave de ses désirs.

– Et quels sont-ils ?

– L'alcool. Des amants sadiques. Et ce n'est pas seulement une question de désirs. Les couleurs sont sublimes. Le noir, le rose chair, le violet. On a presque l'impression d'entendre une musique effrayante ou un silence assourdissant.

– Ce sont les dents en particulier que je n'aime pas. »

Ils revenaient d'une exposition consacrée aux portraits de Bacon.

« Ou encore la façon dont il transforme les visages en abominables crèmes renversées », insista-t-elle.

Catarina était encore très belle même si elle n'avait pas dansé depuis plusieurs années. Elle gardait une silhouette remarquable, un tour de taille enviable, et sa gorge était lisse. Elle paraissait beaucoup plus jeune qu'elle ne l'était. Elle l'appelait toujours *mon cochon* et elle continuait à le trouver captivant sauf quand il parlait trop longuement de lui-même. Elle ne s'expliquait cependant pas son goût pour Bacon. Il possédait aussi un Corot, de nombreuses gravures et une toile de Braque.

Wiberg n'avait jamais rencontré Bacon, il avait seulement beaucoup lu à son sujet, la vie dissolue, les années passées au Maroc en compagnie de jeunes gens qui ne valaient pas cher. Chez Bacon, il y avait toujours cette aura d'abominable pharisaïsme. On trouvait immanquablement dans ses tableaux l'amour et le dégoût de la chair, accompagnés d'un époustouflant dérèglement des sens. Tout ce qui s'était passé dans le monde en l'espace d'une vie. Bacon avait aussi le don du langage. Il l'avait acquis dans les cuisines et les salons irlandais, et dans les écuries où, enfant, il s'était fait sauter par les palefreniers de son père. Son éloquence lui venait de la froideur et de la désapprobation de ce dernier, sans oublier la grande liberté de trouver sa propre voie à Berlin avec tous ses vices et bien sûr à Paris. Il appartenait aux bas-fonds avec leur langue brutale, leurs commérages et leurs trahisons. Il n'avait jamais tenté de cacher qui il était, ni essayé de se conformer à une quelconque idée de l'artiste, ce qui lui avait permis d'en devenir un plus grand encore. Ses amants avaient bu ou s'étaient drogués à mort, et sur ce tas de fumier, son goût pour les beaux vêtements et son mépris pour les valeurs qui enchaînaient les autres, son oisiveté et ses obsessions avaient éclaboussé les murs et l'avaient libéré. Il ne repassait jamais sur une toile qu'il avait peinte. C'était toujours une fois pour toutes.

On écrirait un jour sur lui, Wiberg le savait, une superbe biographie, mais seulement après la mort du peintre. Bacon était né en 1909, onze ans avant Wiberg. Ce serait une question de chance.

Il se trouva qu'Enid Armour connaissait Bacon. Elle en parla un soir au cours d'un dîner, et Wiberg se montra immédiatement intéressé. Elle l'avait rencontré au moins deux fois dans le club de Soho où l'artiste avait ses habitudes. Henrietta Moraes avait fait les présentations. Comment s'était-il comporté ? demanda Wiberg.

« De façon très chaleureuse. Nous nous sommes immédiatement bien entendus. J'espérais un peu qu'il aurait envie de faire mon portrait, ce qui m'aurait rendue célèbre. Je sais que vous possédez un tableau de lui.

– J'aurais dû en acheter davantage », reconnut Wiberg.

Elle ne semblait pas très en forme ces derniers temps, songea-t-il, un peu usée peut-être. Il ne la voyait plus qu'en de rares occasions désormais, toujours dans des circonstances mondaines, mais il fut tout de même surpris qu'elle connaisse Francis Bacon, même si elle fréquentait ce genre de sphère. Pour ce qu'il en savait, elle vivait seule. Plusieurs fois par le passé, elle avait suggéré qu'il pourrait trouver à l'employer – dans la publicité par exemple, mais il savait qu'il valait mieux ne pas l'engager. Catarina l'apprendrait, et il ne voulait pas devoir se justifier. Son éclat, de toute façon, semblait un peu terni. Certaines femmes cependant continuaient d'être intéressantes même après le déclin de leur pouvoir de séduction, et il avait toujours apprécié la franchise d'Enid. Elle ne s'apitoyait pas sur son sort.

« J'ai bien peur d'avoir entamé la descente. On ne peut compter, je veux dire vraiment compter, sur sa beauté que pendant un certain temps, dit-elle d'un air abattu.

– On a tous le même problème », répondit-il.

Plaisantait-il ?

« Vous serez toujours beau, lui assura-t-elle.

– De moins en moins, je le crains.

– Du moment qu'il vous reste l'argent... », soupira-t-elle.

Elle avait causé un léger scandale dans un restaurant, à ce qu'on racontait.

« C'est vrai, admit-elle avec lassitude.

– Avec qui étiez-vous ?

– Personne.

– Personne ?

– Je dînais seule. »

Elle avait pris moins soin d'elle ces derniers temps, elle le savait. Elle avait beaucoup trop bu le soir en question, et elle avait dépensé trop d'argent. Elle n'avait nulle envie d'y repenser. Elle avait fini dans un bar où elle s'était retrouvée à côté d'une femme assise avec son chien sur une banquette. Elle s'était penchée pour le caresser.

« Quel joli chien. Comment s'appelle-t-il ? »

Elle ne se rappelait pas ce que l'inconnue lui avait répondu.

« J'avais un chien magnifique. Un lévrier de course. Un vrai champion, le plus beau de tous les chiens. Est-ce que vous les avez déjà vus courir ? Ils volent littéralement. Magnifiques, vraiment, et si doux, c'est cela le plus étonnant. Si tendres et si vaillants à la fois. » Elle sentait qu'elle était en train de se montrer excessivement sentimentale. « On ne peut s'empêcher de les aimer. C'était à l'époque où je n'avais aucun souci. »

25

Il Cantinori

Bowman était ami avec les Baum même si lui et Robert Baum n'étaient pas ce qu'on appelle des intimes. À part une réception de temps à autre, ils ne se voyaient que rarement après le travail, mais ce soir-là, ils dînaient dans un des restaurants favoris de Baum, Il Cantinori, dans cette grande salle qui ressemblait à une salle à manger privée, décorée de nappes blanches et de fleurs et donnant sur une rue tranquille. Le service était excellent – Baum était un habitué, évidemment – et la carte, remarquable. Diana et lui rentraient d'Italie. C'était toujours difficile, se plaignait-elle, de revenir au bercail. Elle adorait l'Italie. En marge de tout le reste, c'était l'un de ces endroits où on pouvait recommencer à espérer pour l'avenir. Des champs et des collines, d'une beauté stupéfiante et intacte. De grandes maisons dans lesquelles des familles vivaient depuis cinq cents ans. C'était tellement réconfortant. Et puis, tout le monde était si gentil. Par exemple, un jour qu'elle voulait aller à la poste, elle avait demandé son chemin à un homme qui se tenait devant une boutique. Il était en train de le lui indiquer quand un passant s'arrêta pour expliquer que ce n'était pas le meilleur itinéraire et en proposa un autre. Les deux inconnus se mirent à discuter âprement jusqu'à ce que finalement, le passant lui dise : *Signora, per piacere*, et entreprenne de la conduire à travers une série de venelles et une place jusqu'à un édifice imposant, pareil à une banque nationale, où elle put acheter des timbres.

« Connaissez-vous un autre pays au monde où les gens feraient une chose pareille ? » demanda-t-elle.

Au fil des ans, Diana était devenue une figure influente dans le monde de l'édition, une femme éclairée et intègre, admirée et souvent crainte. Elle était l'image même du professionnalisme. « À la mode » ou « chic » étaient pour elle des mots négatifs, voire méprisants. Ce qu'elle voulait, c'était connaître votre politique éditoriale et vos opinions sur les livres, si vous en aviez. Elle allait au cinéma par plaisir, mais elle ne prenait pas les films très au sérieux. Le théâtre, c'était différent. Elle n'était pas belle – elle ne l'avait jamais été, et c'était désormais sans importance – mais elle avait un visage intéressant, jusqu'à cette légère zone d'ombre qui lui soulignait les yeux, et un maintien parfait.

Elle se montrait férocement loyale, et elle exigeait la même fidélité en retour. Un ami journaliste avait consacré un long article à Robert Baum, après l'avoir interviewé à son bureau et au cours de plusieurs déjeuners. Baum pouvait se montrer guilleret. Sa maison d'édition, seule et associée à deux ou trois autres, représentait au moins la moitié des publications de littérature américaine. Il n'y avait personne au-dessus de lui. Il n'avait pas beaucoup changé au fil des ans, si ce n'est qu'il portait des vêtements plus chers et parfois un feutre. Il savait se montrer charmant, mais aussi lâcher d'une façon aussi désinvolte que n'importe quel agent un « Qu'ils aillent tous se faire foutre ! ». Il prenait soin de ses écrivains, mais, en privé, son respect pour eux était moins évident. L'article en question le citait décrivant des « auteurs de première classe », puis des « imposteurs de première classe ». Et un peu plus loin « des écrivains de toute, toute première classe ». Diana avait trouvé cela un peu gênant. Lors d'une réception, elle avait croisé le journaliste qui lui avait demandé : « Vous n'êtes pas fâchée contre moi, j'espère.

– Non, seulement indifférente », avait répondu Diana.

Elle ne contournait jamais les difficultés. Elle avait un léger accent new-yorkais, mais elle ne s'affichait pas ostensiblement comme New-Yorkaise, à l'inverse de ceux qui, en fait, viennent d'ailleurs : elle était un pur produit de sa ville. Quand elle aimait un écrivain ou prenait fait et cause pour lui, c'était une sorte de sacre, mais la couronne pesait lourd sur la tête de ses protégés. Néanmoins, elle les respectait et les défendait. À une jeune femme qui racontait à qui voulait bien l'entendre les détails de sa brève liaison avec Saul Bellow, elle avait déclaré froidement : « Écoutez, ça ne se fait pas. Le droit de trahir la confiance d'un écrivain important doit se gagner. »

Diana avait grandi, au cours des années précédant la guerre, dans un appartement où on se nourrissait de politique et d'actualités, sur la frange extérieure de la respectabilité bourgeoise, tout en haut de Central Park West. Son père possédait un petit commerce d'importation de textiles, et comme tout le monde, il lui avait fallu lutter pour survivre durant la Dépression, mais la famille se rassemblait néanmoins autour du dîner pour parler de ce qui était arrivé en ville et dans le monde aussi bien qu'à l'école. Depuis l'âge de huit ans, elle lisait le *Times* tous les jours, comme les trois autres membres de la tribu, y compris l'éditorial en première page. Aucun autre journal ne franchissait le seuil de la maison. Lycéenne, elle lisait le *Daily News* dans le métro avec un terrible sentiment de culpabilité.

Elle vénérait son père, Jacob Lindner. Elle aimait ses cheveux, son odeur, ses jambes robustes. L'image de lui le matin dans la petite chambre de ses parents alors que, en maillot de corps, il finissait de s'habiller, était une de celles qu'il lui restait de son enfance. Elle admirait ce mélange de gentillesse et de force. Finalement, avec un vieil ami, il investit plus d'argent que de raison dans un projet immobilier à Jersey City, et ils ne purent jamais faire face aux traites. La banque saisit le bien hypothéqué, les laissant sur la paille. Il n'en parla pas à sa femme, mais tous savaient à quoi s'en tenir. « On finira par s'en sortir, vous verrez », leur disait-il.

Des années plus tard, dans le métro, il lui arriva quelque chose de troublant. Elle était assise face à une clocharde, une pauvre vieille femme qui portait tout ce qu'elle possédait dans un sac en plastique.

« Salut Diana, lui dit-elle tranquillement.

– Excusez-moi ? »

Elle dévisagea longuement l'inconnue.

« Comment va Robert ? demanda-t-elle. Et toi, tu écris toujours ? »

Elle n'avait plus écrit depuis l'université. Elle avait dû mal entendre, mais soudain, elle reconnut son ancienne camarade, Jean Brand, qui était à la fac avec elle et s'était mariée juste après. Elle était jolie autrefois. Maintenant on apercevait des trous béants là où se trouvaient jadis ses dents parfaites. Diana ouvrit son sac, prit tout l'argent qui se trouvait dans son porte-monnaie et le glissa dans la main de son amie.

« Tiens, prends ça », réussit-elle à articuler.

L'autre accepta avec réticence.

« Merci, dit-elle d'une voix paisible. Je vais bien. »

Diana songeait à son père. Personne ne lui était venu en aide. Il ne s'était jamais remis de cette débâcle financière. Tout va bien, avait-il coutume de répéter.

Elle avait raconté l'histoire à Robert, mais à personne d'autre. Elle était bouleversée rien que d'en parler. Elle avait dix-huit ans quand elle avait rencontré Robert. Elle l'attirait, mais elle était trop jeune – il croyait qu'elle en avait au plus quinze. Lui était déjà un homme. Il avait fait la guerre. Quand ils se marièrent, Diana n'avait pratiquement eu aucune expérience sexuelle. Elle n'avait connu aucun autre homme. « Je ne crois pas que ma mère non plus en ait connu d'autres que son mari, disait-elle, et qui peut dire que ça lui avait manqué ? Moi, je ne le crois pas. »

Elle se sentit comblée par le mariage, par cette intimité qu'on ne trouve nulle part ailleurs. Elle savait qu'on ne voyait plus les choses sous cet angle aujourd'hui, que les jeunes femmes étaient beaucoup plus libres, surtout avant de se faire passer la bague au doigt, et que des seconds et même des troisièmes mariages étaient fréquents et souvent plus heureux, mais cela n'était pas pour elle. Son mari et elle étaient inséparables. Leur lien était plus fort que le mariage même, mais Dieu, qu'elle avait aimé son père ! Elle avait été façonnée par ses valeurs et ses idéaux.

Une rumeur avait circulé selon laquelle Baum aurait eu une liaison avec une femme au bureau, et que Diana l'avait appris – comment l'aurait-elle ignoré ? – mais personne ne savait ce qu'elle et son mari en avaient dit. La maîtresse supposée, qui était partie travailler ailleurs comme attachée de presse, était une grande femme célibataire et catholique, Ann Hennessy, dotée de longs bras et de longues jambes et d'une personnalité plutôt réservée. Elle n'était toujours pas mariée à trente-huit ans, et avait un passé assez chargé. Baum adorait son sens de l'humour. Il partageait avec elle de longs déjeuners. On les apercevait parfois ensemble mais ils ne semblaient rien avoir à cacher. Elle l'avait accompagné deux fois à la foire du livre à Francfort.

Bowman appréciait Diana, tout en restant un peu sur ses gardes avec elle. Il l'aimait, il en était certain, davantage qu'elle ne l'aimait ou plus qu'elle ne le lui montrait, mais ce soir-là au restaurant, elle se révéla étonnamment ouverte, comme s'ils se voyaient beaucoup.

« Je voudrais tellement vivre en Italie, rêvassait-elle à haute voix.

– Qui ne le voudrait pas, chérie ? renchérit Baum.

– Il y a une chose à laquelle je pense souvent. En Italie, ils n'ont pas arrêté les Juifs. Mussolini avait refusé, quoi qu'on dise de lui. Ce sont les Allemands qui s'en sont chargés.

– Oui, mais plus tard. Quand même, Mussolini était ravi de laisser Ezra Pound cracher son venin à la radio. Il n'y voyait aucun inconvénient, dit Baum.

– Oh, Ezra Pound ! s'exclama Diana. Il était complètement fou. Qui écoutait Ezra Pound ?

– Probablement pas grand monde. Je pense que ses émissions passaient sur ondes courtes, de toute façon, mais c'est l'idée qui compte.

– Je ne pense pas qu'on aurait dû lui décerner ce prix, le Bollingen. Ils se sont bien dépêchés de le lui donner. Beaucoup trop tôt, à mon avis. On ne rend pas hommage à un type qui vous a déversé des ordures sur la tête en agitant l'ignorance et la haine. »

Baum avait fait la guerre, mais il connaissait et avait même publié des hommes qui l'avaient évitée, réussissant à obtenir des sursis ou se débrouillant pour ne pas passer les tests d'aptitude physique, rien qu'une bande de poltrons. Tout de même, ce n'était pas comme aider l'ennemi, finir par repartir pour l'Italie, débarquer à Naples et faire le salut fasciste.

« J'étais contre, affirma-t-il.

– Oui, mais tu n'as rien dit. Vous n'êtes pas d'accord avec moi ? demanda-t-elle en se tournant vers Bowman.

– Je pense que j'étais contre à l'époque.

– À l'époque ? Mais c'est à ce moment-là qu'il était important d'être contre. »

Ils furent interrompus par un homme élégant en complet sombre, qui s'était approché de la table et lança familièrement : « Salut, Bobby ! » Puis, à l'adresse de Diana : « Bonsoir, ma belle. »

Il paraissait prospère et sportif. Ses joues rasées de frais rayonnaient presque. C'était un ami, et un partenaire financier de la première heure, nommé Donald Beckerman.

« Je ne veux surtout pas interrompre votre dîner. Je souhaitais seulement que Monique fasse votre connaissance. Chérie, dit-il à la femme qui l'accompagnait, je te présente Bob et Diana Baum. C'est un éditeur influent. Voici mon épouse, Monique. »

Elle avait les cheveux noirs, une grande bouche, et paraissait aussi intelligente qu'incontrôlable.

« Asseyez-vous une minute, voulez-vous ? leur proposa Baum.

– Alors comment vont les affaires ? demanda Beckerman tandis qu'ils prenaient place. De nouveaux best-sellers ? »

Lui et ses deux frères s'étaient lancés dans les affaires ensemble, des placements financiers, et ils avaient gagné beaucoup d'argent. Le cadet était mort.

« Je m'appelle Don », dit-il à Bowman en lui tendant la main.

Le serveur s'était approché de la table.

« Est-ce que vous allez dîner, monsieur ? demanda-t-il.

– Non, nous avons une table là-bas au fond. Nous ne restons ici que quelques minutes.

– Bobby et moi étions en classe préparatoire ensemble, expliqua Beckerman. Les deux seuls Juifs de la classe. Dans toute l'école même, je pense. »

Il avait un sourire irrésistible.

« Tu vas parfois aux week-ends d'anciens élèves ? demanda-t-il à Baum. Moi, j'y suis allé il y a sept ou huit ans. Tu veux que je te dise ? Rien n'a changé. C'était affreux de les revoir tous. Je ne suis resté que le premier soir.

– Tu n'as pas vu DeCamp ? »

C'était un camarade de promotion, une espèce de rebelle, que Baum aimait bien.

« Non, pas vu. Il n'était pas là. Je ne sais pas ce qu'il a bien pu devenir. Tu n'as jamais eu de ses nouvelles ? »

Tandis qu'ils parlaient, sa femme demanda à Bowman :

« Vous connaissez Donald depuis longtemps ?

– Non, absolument pas.

– Ah, je vois. »

Elle était la deuxième femme de Beckerman. Ils n'étaient mariés que depuis un peu plus de deux ans et habitaient un immense appartement d'angle dans un immeuble luxueux près de l'Arsenal. Monique avait su le rendre très confortable. Elle avait déposé la plus grande partie des meubles de sa première épouse sur le trottoir et s'était débarrassée de la vaisselle.

« J'ai tout jeté ! dit-elle.

– Il y en avait pourtant beaucoup, commenta Beckerman. On tenait une maison kasher avec deux vaisselles.

– Moi, je ne suis pas religieuse », dit Monique.

Elle venait d'Algérie. Ses parents étaient des *pieds-noirs** qui étaient rentrés en France quand les problèmes avaient commencé. Elle était devenue journaliste. Dans un journal catholique conservateur, mais elle n'avait rien à voir avec la ligne politique de cette publication, elle ne rédigeait que des critiques de livres et de films, et parfois elle interviewait des écrivains. C'étaient des amis qui l'avaient présentée à Beckerman.

Au fur et à mesure que le temps passait, Bowman était de plus en plus conscient de ne pas être l'un des leurs, de ne pas appartenir à leur monde. Ils étaient un peuple, d'une façon ou d'une autre, ils se reconnaissaient et se comprenaient, même s'ils ne s'étaient jamais rencontrés auparavant. Ils avaient cela dans le sang, on ne pouvait pas l'appréhender de l'extérieur. Ils avaient écrit la Bible et tout ce qui en avait découlé, le christianisme, les premiers saints… et pourtant il y avait en eux quelque chose qui attirait la haine et les faisait honnir, leurs rites ancestraux peut-être, leur habileté financière, leur respect de la justice – à laquelle ils devaient si souvent faire appel. L'inimaginable massacre en Europe les avait décimés comme une faux – Dieu les avait abandonnés –, mais en Amérique nul ne leur avait causé de tort. Il les enviait. Aucune différence physique ne permettait de les distinguer aujourd'hui. Ils étaient sûrs d'eux, leurs traits, bien dessinés.

Baum n'était pas religieux, il ne croyait pas en un Dieu qui tuait ou laissait vivre selon un dessein impénétrable, et qui, surtout, se moquait que vous soyez quelqu'un de bien, de croyant ou de complètement inutile au monde. La bonté ne signifiait rien pour Dieu, même s'il fallait continuer à être bon. Sans cela, la terre serait livrée au chaos. Il vivait comme il vivait pour cette raison, et il n'y pensait que rarement. Au plus profond de lui cependant, il se reconnaissait comme appartenant à son peuple, et le Dieu auquel ses frères croyaient serait toujours le sien.

« Est-ce qu'il vous arrive d'aller en France ?

– Pas très souvent », répondit Bowman.

Elle avait une peau assez épaisse, remarqua-t-il, et elle n'était pas belle, mais tout de même, on ne pouvait s'empêcher de la remarquer. Elle aurait pu être une ancienne maîtresse de Sartre, se dit-il sans réfléchir, alors qu'il n'avait pas la moindre idée d'à quoi celles-ci pouvaient bien ressembler. Sartre était petit et laid, et il ne rechignait pas à faire aux femmes des propositions explicites qu'elle aurait sans doute acceptées.

Il se décida à lui demander :

« Vivre en France vous manque ?

– Oui, bien sûr.

– Que regrettez-vous par exemple ?

– La vie là-bas est plus facile, dit-elle, mais nous y allons chaque été.

– Où exactement ?

– Saint-Jean-de-Luz.

– Quel joli nom ! Vous y avez une maison ?

– Tout près. Vous devriez nous rendre visite. »

Il n'était plus question de ces femmes d'Europe de l'Est, ce grouillement de femmes et de mères qui travaillaient dur pour survivre. Aujourd'hui, c'étaient des femmes raffinées et intelligentes, comme à Vienne au XIXe siècle, une nouvelle race de femmes qui faisaient la gloire de New York. Plus personne ne les appelait Juives. Le mot évoquait des rabbinats et des villages pieux au fond des campagnes. Elles étaient aujourd'hui élégantes, ambitieuses, au cœur des choses. Quel charme ! Il n'était jamais sorti avec aucune. Elles menaient des vies pleines de chaleur, ne méprisaient ni le plaisir ni les biens matériels. Il aurait pu en épouser une, et devenir part de ce monde, réussir à se faire accepter comme un converti. Il aurait pu vivre auprès d'elle dans ce cocon familial qui s'était formé au fil des ans, il serait devenu une présence familière à la table du Seder, aux fêtes d'anniversaire, aux enterrements, où il aurait porté un chapeau et jeté une poignée de terre sur la tombe. Il regrettait un peu de ne pas l'avoir fait, de ne pas en avoir eu l'opportunité. Mais, au fond, il ne pouvait pas réellement se l'imaginer. Jamais il n'aurait pu se sentir à sa place.

26

Aucun hasard

Un métro venait de partir, et dans la foule qui gravissait lentement l'escalier, il était presque certain de l'avoir reconnue, la tête tournée de l'autre côté. Son cœur fit un bond.

« Anet ! » s'écria-t-il.

Elle le vit et s'arrêta au milieu des gens qui durent la contourner.

« Salut, dit-elle ? Ça va ? »

Ils s'écartèrent du chemin.

« Qu'est-ce que tu deviens ? demanda-t-il.

– Tout va bien.

– Montons, tu veux ? »

Il était descendu pour prendre le métro. Une minute plus tôt, il aurait été sur le quai et il serait monté dans son wagon pendant qu'elle descendait du sien, sans doute par une autre porte. Ils se seraient loupés.

« Qu'est-ce que tu deviens ? répéta-t-il. Tu vas en cours ? Ça fait un bout de temps…

– Non, je continue mes études, mais là, je me suis offert une pause. Un an d'interruption. »

Elle ne portait pas de rouge à lèvres. Il y eut le crissement aigu des freins d'un autre métro et le grondement de la rame.

« Alors, qu'est-ce que tu comptes faire ?

– Je n'arrive pas à y croire ! En fait, je cherche du boulot

– Vraiment ? Quel genre ? »

Elle lâcha un petit rire en répondant :

« En fait, je cherchais quelque chose dans l'édition.

– Dans l'édition ? Mais en voilà une surprise ! Qu'est-ce qui t'en a donné l'idée ?

– Je suis en licence de lettres », dit-elle avec une petite grimace d'incertitude.

Elle se comportait de façon si naturelle qu'il éprouvait de plus en plus de plaisir à bavarder avec elle.

« Eh bien, c'est une chance de s'être rencontrés, tu ne trouves pas ? Écoute, j'organise demain un cocktail en l'honneur d'une consœur anglaise, Edina Dell. Mais il y aura d'autres gens. Pourquoi tu ne viendrais pas ?

– Demain ?

– Oui, aux environs de dix-sept heures trente. Chez moi. Tu te rappelles où j'habite ? Tiens, je t'écris l'adresse. Voilà. » Il la nota sur une carte.

Ils remontèrent ensemble à l'air libre pour se dire au revoir. Ils restèrent quelques minutes au coin de la rue. Il n'avait aucune conscience des immeubles alentour, de la circulation, des enseignes des boutiques bon marché. Elle allait vers l'est. Il la regarda s'éloigner, plus jeune et d'une certaine façon plus intéressante que les passants. Il l'avait toujours bien aimée.

Il n'était pas sûr qu'elle viendrait. Elle avait dû entendre parler du procès, de ses conséquences, et elle devait le considérer comme un ennemi. En fait, il se trompait.

Elle arriva un peu en retard. Elle entra discrètement dans le salon où elle trouva des gens occupés à boire et à bavarder, et au moins une personne de son âge, Siri, la fille d'Edina, une métisse au corps élancé avec une tignasse impressionnante. Edina portait une longue robe en tulle violet et vieux rose. Elle prit la main d'Anet et demanda :

« Mais qui est cette éblouissante créature ?

– Anet Vassilaros, répondit Bowman.

– Vous êtes grecque ?

– Non, mon père seulement.

– Le grand amour de ma vie était grec, lui confia Edina. Je

volais jusqu'à Athènes pour le retrouver. Il possédait un somptueux appartement de famille en ville. Je n'ai jamais réussi à le convaincre de venir vivre avec moi. Vous travaillez dans l'édition ? Non, je suppose que vous êtes encore étudiante.

– En fait, je cherche un emploi dans ce domaine.

– Je ne pense pas que vous allez attendre bien longtemps. »

Bowman la présenta à plusieurs personnes. « Voici Anet Vassilaros », disait-il. Il y avait deux autres femmes de l'âge d'Edina, des professionnelles dont elle ne saisit pas le nom. Et puis un agent littéraire, Tony quelque chose, étonnamment grand. Bowman avait acheté des fleurs et disposé des bouquets dans toute la pièce.

Elle bavarda avec Siri, qui avait la voix douce et faisait ses études à Londres.

« C'est une enfant adoptée ? demanda-t-elle à Bowman quand l'occasion se présenta.

– Non, c'est sa fille biologique. Son père est soudanais.

– Elle est vraiment très belle. »

Tony était parti, après avoir pris congé d'elle. Vers dix-neuf heures trente, la plupart des invités s'en allèrent aussi. Anet s'apprêtait à les suivre.

« Non, ne t'en va pas tout de suite, lui dit Bowman. Nous n'avons pas eu l'occasion de discuter. Assieds-toi. Je vais seulement allumer la télé. Il y a un sujet sur un de mes auteurs à la fin des informations. »

Cela ne serait pas avant quelques minutes. Il coupa le son et, tandis qu'ils étaient assis là, côte à côte, il ne put s'empêcher de penser à sa mère. Il revoyait les images qui passaient silencieusement à l'écran comme des sauts dans la réalité, le visage implorant de l'actrice qui soudain ouvrait son manteau dans un geste de défi et de résignation.

« Tu sais, je n'ai jamais eu l'occasion de te dire combien j'étais désolée de ce qui s'est passé, dit Anet. Je veux dire, avec ma mère et la maison, même si je ne suis pas au courant de tous les détails.

– Rien qui vaille la peine de s'y intéresser.

– Tu ne la détestes pas ?

– Non, non », répondit-il d'un ton léger.

Il se trouvait maintenant avec la fille de Christine, à laquelle il s'était appliqué à ne pas montrer trop d'attention ou de tendresse artificielle. Il se sentait libre de penser à elle autrement aujourd'hui.

« Qui est-ce ? » demanda-t-elle.

Elle désignait un tableau sur la jaquette d'un livre consacré à Picasso qui se trouvait sur la table basse, un portrait déconstruit, avec les yeux et la bouche complètement disloqués.

« Marie-Thérèse Walter.

– Et qui est cette Marie-Thérèse Walter ?

– Un modèle célèbre de Picasso. Elle avait dix-sept ans quand ils se sont connus. Il l'avait rencontrée dans une station de métro et lui avait donné sa carte. Il a commencé à la peindre puis il est tombé amoureux d'elle. Ils ont même eu un enfant. Picasso était beaucoup plus âgé qu'elle – je t'épargne les détails –, mais quand il est mort, elle s'est suicidée.

– Elle avait quel âge à ce moment-là ?

– Oh, la soixantaine. Je pense qu'elle était née autour de 1910, Picasso en 1881. J'ai relu sa biographie il n'y a pas longtemps.

– Tu sais comment Sophie t'appelait ? Tu te rappelles mon amie Sophie ? Elle t'avait surnommé le Prof.

– Ah vraiment ? Que fait Sophie maintenant ?

– Elle est à Duke University.

– Tu sais ce que j'ai envie de lui dire ?

– Quoi ?

– Oh, c'est sans importance. Écoute, tu veux qu'on fasse un truc ? Attends, ne bouge pas. »

Il se rendit dans la cuisine. Elle entendit la porte du frigidaire s'ouvrir puis se refermer au bout de plusieurs secondes. Il revint avec quelque chose dans la main, un petit bout de papier blanc plié qu'il posa sur la table pour l'ouvrir. À l'intérieur, il y avait une feuille d'aluminium. Elle le regarda la dérouler et aperçut un petit tas sombre, pareil à du tabac mouillé.

« Qu'est-ce que c'est ?

– Du hasch. »

Il y eut un instant pareil à celui où, dans une soirée, avant même de prendre la main de votre partenaire pour la première fois, vous savez d'instinct qu'il ou elle se débrouillera à merveille sur la piste de danse.

« Où as-tu trouvé ça ?

– Tony. Le grand Anglais. C'est lui qui me l'a donné. Du marocain. On l'essaie ? Il faut utiliser cette petite pipe blanche. »

Il poussa soigneusement la substance brune dans le fourneau de la pipe.

« Tu fais ça souvent ?

– Non, répondit-il. Jamais.

– Ne le tasse pas trop. Tu aurais pu me répondre que tu fumais tout le temps.

– Tu aurais immédiatement su que ce n'était pas vrai. »

Il craqua une allumette et l'approcha du fourneau, tout en aspirant. Rien ne se passa. Une autre allumette et, au bout de quelques essais, il réussit à tirer un peu de fumée. Il inhala, toussa et lui tendit la pipe. Elle tira une bouffée puis la lui rendit. Ils fumèrent chacun leur tour sans dire un mot. Au bout de quelques minutes, ils planaient. Il ressentit un immense bien-être et eut l'impression de s'envoler. Il avait déjà fumé de l'herbe, occasionnellement, parfois à des soirées, parfois dans la bibliothèque, avec son hôtesse ou un autre invité. Il se rappela une nuit de folie chez une femme divorcée à qui il avait demandé où se trouvait la salle de bains. À travers un dédale de pièces, elle l'avait conduit là où il voulait aller, avait allumé le plafonnier, et il s'était retrouvé dans un palais des glaces, avec des flacons et des pots de crème dans tous les coins, sous un éclairage aveuglant. Il y avait un tas de serviettes sur le carrelage.

« Je vous laisse ? avait-elle proposé.

– Rien qu'une minute.

– Vous êtes sûr ? »

Une autre fois, une belle Roumaine qu'il avait rencontrée lui avait donné deux joints. Il en avait fumé un avec Eddins au bureau, et ils riaient comme des bossus quand Gretchen les avait surpris. Ils croyaient qu'elle avait déjà quitté le bureau.

« Qu'est-ce que vous faites, les gars ? Oh, je vois… »

Bowman avait essayé de reprendre son sérieux.

« Que se passe-t-il ?

– Rien ». Et il avait éclaté de rire à nouveau.

« Vous êtes tous les deux complètement défoncés », avait-elle déclaré.

Aujourd'hui, c'était différent. Il avait l'impression que les objets miroitaient, changeaient de place. Il la regardait tirer sur la pipe, ses sourcils, son menton. Il pouvait l'observer de près. Elle gardait les yeux fermés.

« Tu portes du parfum ?

– Du parfum ? répéta-t-elle confusément.

– Je le sens.

– Non. »

Il prit la pipe. Le haschisch était presque entièrement consumé. Il aspira et regarda pour voir s'il y avait encore des braises. Il toucha les cendres. Elles étaient froides. Ils gardèrent quelque temps le silence.

« Comment te sens-tu ? » demanda-t-il.

Elle ne répondit pas. Les images de la télé défilaient, muettes. Elle sourit, puis tenta d'articuler quelque chose, sans succès.

« On ferait mieux de sortir, finit-elle par dire.

– Il est tard. Les musées sont fermés à cette heure-ci. Je ne sais pas si tu voudrais en visiter un, de toute façon.

– Allons faire un tour », décida-t-elle en se relevant.

Il essaya de se concentrer sur cette proposition.

« Pas possible. Je plane trop.

– Personne ne s'en rendra compte.

– D'accord. Puisque tu le dis. »

Il rassembla ses esprits. Il savait qu'il était incapable d'aller où que ce soit.

Dans la rue, il n'y avait pas grand monde. Ils firent quelques pas mais ses jambes semblaient se dérober sous lui.

« Non, je veux pas marcher. Prenons un taxi. »

Ils en trouvèrent un presque tout de suite. Alors qu'ils montaient dans la voiture, le chauffeur demanda :

« Vous allez où ?

– Anet ?

– Oui.

– Où tu habites ? Tu veux rentrer ? Oh…, dit-il au chauffeur, vous n'avez qu'à faire un petit tour.

– Où voulez-vous que je vous conduise ?

– Roulez tout droit, non, prenez la 59e Rue jusqu'à Park Avenue, non, attendez. Allez plutôt jusqu'au West Side Highway, et remontez-le. Ensuite, je vous dirai. »

Ils s'enfoncèrent dans la banquette. Il faisait nuit et ils longeaient le fleuve. Sur l'autre rive, les immeubles, les maisons et les appartements formaient une ligne presque continue, illuminés comme des ruches, certains immenses, plus hauts que dans son souvenir. Il s'apprêtait à lui expliquer qu'autrefois, il n'y avait rien sur cette berge, mais c'était sans intérêt. Des reflets électriques scintillaient à la surface de l'eau. Il se rappela la course en taxi avec Christine, le soir de leur rencontre. Des voitures les doublaient. Les chapelets de lumières du George Washington Bridge ressemblaient à des colliers de pierres précieuses.

« Où on va ? demanda-t-elle. Cela fait des heures qu'on roule ! »

Il dit au chauffeur de faire demi-tour.

« Tu as raison. Ça suffit. Tu as faim ?

– Oui. »

Au bout de quelques secondes, il reprit :

« Chauffeur, prenez la sortie de la 59e Rue, s'il vous plaît, et roulez jusqu'à la Deuxième Avenue. Je connais un restaurant là-bas », expliqua-t-il à la jeune fille.

Ils finirent par s'arrêter chez Elio's. Il réussit à régler la course, mais dut recompter ses billets deux fois. Le restaurant était bondé. Le barman les salua. Les meilleures tables, sur le devant, étaient toutes occupées. Un confrère éditeur l'aperçut et voulut engager la conversation. La propriétaire, qui le considérait comme un habitué, leur dit qu'il fallait compter quinze à vingt minutes d'attente pour avoir une table. Il répondit qu'ils dîneraient au comptoir. « Je vous présente Anet Vassilaros », dit-il. .

Le bar était tout aussi plein. Alberto, le barman – qu'il connaissait – disposa un grand napperon blanc sur le comptoir devant chacun d'eux, ainsi qu'un couteau, une fourchette et une serviette pliée.

« Je vous sers un petit verre ?

– Anet, tu veux boire quelque chose ? Non, décida-t-il, je ne crois pas. »

Il commanda néanmoins un verre de vin, et elle en but un peu. Autour d'eux, les conversations allaient bon train. Des gens de dos. Il ne ressemblait en rien à son père, se disait-elle, il vivait dans un autre univers. Ils étaient assis côte à côte. Les clients se frayaient un chemin derrière eux. Le barman écoutait les commandes que lui passaient les garçons, il préparait les cocktails et les additions. Il s'approcha avec leurs deux plats. La patronne vint les voir tandis qu'ils mangeaient et s'excusa de ne pas leur avoir trouvé de table.

« Non, c'est encore mieux, répondit Bowman. Est-ce que j'ai fait les présentations ?

– Oui. Anet. »

L' éditeur s'arrêta un instant en chemin vers la sortie. Bowman ne se donna pas la peine de jouer les entremetteurs.

« Vous ne nous avez pas présentés, dit l'homme.

– Je pensais que vous vous connaissiez, répondit Bowman.

– Eh bien vous vous trompez.

– De toute façon, j'en serais bien incapable en ce moment même. »

La propriétaire revint et se jucha sur un tabouret à côté d'eux. Le restaurant commençait à se vider un peu. Ils avaient eu beaucoup de monde ce soir-là, et elle n'avait même pas pris le temps de dîner. Les clients s'arrêtaient pour lui dire au revoir en sortant.

« Laissez-moi vous offrir un petit digestif, proposa-t-elle. Vous aimez le rhum ? Nous en avons du très bon. Attendez un peu. Alberto, où est cette bouteille d'excellent rhum ? »

L'alcool était fort mais fruité. Anet ne le goûta même pas et ils restèrent quelque temps tous les trois à bavarder. Comme d'autres clients arrivaient, la patronne dut les laisser pour s'occuper des nouveaux venus. Ils rentrèrent chez lui. La fête était finie, et Anet se recroquevilla sur le canapé. Il lui retira doucement ses chaussures. Il avait l'impression d'être aux colonies, au Kenya ou à la Martinique, à cause du rhum sans doute. Elle dormait déjà. Il s'était rarement senti aussi sûr de lui. Il lui souleva les jambes, glissa un bras sous son dos, et la porta jusqu'à la chambre. Elle n'avait pas bronché, mais quand il l'allongea sur le lit, il sentit qu'elle ne dormait pas. Néanmoins, il quitta la pièce durant deux ou trois minutes. Il regarda le canapé sur lequel elle s'était blottie quelques instants auparavant. Tout se passait, semblait-il, le plus naturellement du monde. Il retourna dans la chambre et, sans bruit, après s'être déchaussé, il s'étendit auprès d'elle. Avant qu'il ait eu le temps de réfléchir, elle se retourna et roula contre lui comme une enfant. Alors il passa un bras dans son dos, se mit à la caresser doucement, la main glissée sous son chemisier. Le grain de sa peau nue était délicieux. Il avait envie de la toucher partout. Leurs têtes étaient proches sur les oreillers et, au bout d'un moment, ils commencèrent à s'embrasser.

À partir de là, tout devint plus intense, plus confus. Il avait soulevé sa jupe plutôt qu'essayé de la lui retirer. Ses jambes lui parurent incroyablement juvéniles. Elle portait une culotte qu'il voulut faire glisser, mais elle résista. Il la caressa, ce qui ne la laissa pas indifférente, mais quand il essaya de nouveau, elle serra les jambes.

« Non, dit-elle. Je t'en prie. »

Elle se retourna et repoussa sa main, il insista. Finalement, à son grand soulagement, elle céda. Elle prit part aux opérations, enfin plus ou moins, et sentit au bout d'un moment qu'il avait joui, sans vraiment s'en rendre compte sur l'instant. Ils restèrent paisiblement allongés côte à côte.

« Ça va ?

– Oui.

– Tu es sûre ?

– Oui. »

Puis, un peu plus tard, elle demanda :

« Où est la salle de bains ? »

Quand elle revint, elle avait retiré son chemisier. Elle se recoucha.

« Tu es merveilleuse.

– Je t'ai sans doute déçu.

– Non, répondit-il, pas du tout. Tu ne m'as pas déçu. Tu n'y arriverais pas, même en essayant très fort.

– Comment ça ?

– Je ne peux pas t'expliquer. » Puis, après une pause : « Je dois partir avant la fin de la semaine. »

Il avait eu une inspiration soudaine. Cela lui était venu d'un coup.

« Il faut que j'aille à Paris.

– Génial.

– Trois ou quatre jours. Tu y es déjà allée ?

– Oui, quand j'étais petite.

– Tu voudrais venir avec moi ?

– À Paris ? Oh, je ne peux pas.

– Et pourquoi pas ? Tu n'as rien à faire à part chercher du travail.

– Je suis censée aller voir ma mère ce week-end.

– Dis-lui que tu ne peux pas. Que tu as un entretien d'embauche.

– Un entretien d'embauche », répéta-t-elle.

Ainsi allongé près d'elle, il la sentit complice.

« Appelle-la demain, pour que ce ne soit pas à la dernière minute. Je suis sûr que ce n'est pas la première fois que tu lui mens.

– Pas vraiment. Je ne voudrais pas qu'elle l'apprenne.

– Elle n'en saura rien. »

En rentrant chez elle le lendemain matin, elle eut envie de prendre une douche et de se changer. Elle pensa à ce qu'elle venait de faire, baiser avec l'ancien petit ami de sa mère, Philip. Rien de prémédité – cela faisait presque quatre ans qu'ils ne s'étaient pas revus –, mais voilà, c'était arrivé. Une surprise totale. Elle en éprouva un plaisir coupable et se sentit soudain tout à fait adulte.

27

Pardon

Ils atterrirent tôt le matin. Dès leur descente d'avion, l'air lui-même parut différent à Anet, à moins que ce ne soit un effet de son imagination. Ils n'avaient que des bagages à main et il n'y eut aucune attente, les douaniers leur firent nonchalamment signe de passer. Dans le grand hall des arrivées, il changea de l'argent, et Anet remarqua presque avec surprise que tous les journaux étaient en français. Ils passèrent les portes puis ils prirent un taxi.

Paris, Paris de légende, ils roulaient vers la capitale à huit heures du matin sur une autoroute à la circulation de plus en plus dense au fur et à mesure qu'ils s'en approchaient. Ils ne se donnaient même pas la peine de parler. Ils se rencognèrent au fond de la banquette, comme le premier soir. Le costume de Bowman était un peu froissé, il avait déboutonné son col de chemise. Il regardait par la vitre comme un acteur après un spectacle. Elle aussi était un peu fatiguée par le voyage mais pleine d'enthousiasme. De temps à autre, ils échangeaient un mot ou deux.

Au bout d'un moment, les premiers immeubles de *banlieue** apparurent, d'abord éloignés les uns des autres, puis de plus en plus rapprochés, jusqu'à s'agglutiner et former des blocs compacts, flanqués de magasins et de bars. Suivant une longue file de voitures, ils pénétrèrent lentement dans la ville proprement dite et accélérèrent de nouveau au long des rues. Ils descendirent dans un hôtel de la rue Monsieur-le-Prince, tout près de l'Odéon. Le restaurant où il avait un jour aperçu Jean Cocteau lors de son premier séjour à

Paris était tout en haut de la *place**. Dans l'autre direction, partait le boulevard, si animé.

Leur chambre était située au dernier étage et donnait sur un vaste espace clos qui était en fait une cour de récréation. Au-delà des toits de l'école, d'autres toits, des cheminées et un dédale de ruelles dont il connaissait certaines. Ils se tenaient devant la haute fenêtre et son balcon en fer forgé.

« Ça te rappelle des souvenirs ?

– Oh non, je n'avais que cinq ans la dernière fois.

– Tu es fatiguée ? Tu as faim ?

– Je mangerais bien un petit quelque chose.

– Alors prépare-toi, je vais t'amener prendre le petit-déjeuner dans un endroit fabuleux. »

Dans une grande brasserie du boulevard du Montparnasse, à moitié déserte à cette heure du matin, ils prirent un jus d'orange, des croissants, avec du beurre frais, de la confiture, de ce pain qu'on ne trouve qu'en France, et du café. Ensuite, ils allèrent à pied jusqu'à Saint-Sulpice et s'engagèrent dans les petites rues du Sabot, du Dragon, où les boutiques commençaient à peine à s'ouvrir comme des fleurs, puis ils passèrent devant le célèbre café des Deux Magots, dont elle n'avait jamais entendu parler. Il faisait un temps splendide. Ils s'arrêtèrent boire un café et poursuivirent leur chemin le long d'étroits trottoirs plantés de minces poteaux en fer, frôlant au passage des étudiants et de vieilles dames, jusqu'à la Seine pour aller admirer Notre-Dame. Il ne lui avait encore montré qu'une partie de ce qu'il connaissait.

Le soir, ils dînèrent chez Bofinger, un restaurant culte, toujours bondé, la grande coupole au-dessus de la vaste salle décorée d'immenses vases de fleurs résonnant de clameurs et resplendissant de lumière. Pas une table libre. Les clients étaient assis par deux, par trois, par cinq, et les conversations allaient bon train pendant le dîner. Le spectacle était stupéfiant.

« Je vais commander le grand plateau de *fruits de mer**, lui dit-il. Tu aimes les huîtres ?

– Oui. Peut-être. »

Sur un grand plateau rond couvert de glace pilée, les huîtres bien luisantes étaient disposées par rangées, accompagnées de crevettes, de moules et de bigorneaux. Les demi-citrons étaient protégés par un voile de gaze. Il y avait aussi du beurre et de fines tranches de pain de seigle. Il commanda du montrachet.

Elle commença par goûter une huître.

« Il faut que tu en manges deux ou trois pour te faire une idée. »

Il lui montra l'exemple. D'abord, quelques gouttes de citron.

Elle apprécia davantage la deuxième. Il l'avait distancée, et entamait la cinquième. Une femme aux cheveux châtain clair à la table voisine se pencha vers eux.

« Excusez-moi, que mangez-vous ? » demanda-t-elle.

Bowman dut le lui montrer sur le menu. Elle dit quelque chose à l'homme qui l'accompagnait, puis se tourna de nouveau dans leur direction :

« Je vais en prendre aussi. »

Plus tard, elle leur parla de nouveau. Plus familière, cette fois.

« Vous habitez Paris ?

– Non, nous sommes en voyage.

– Ah, comme nous. »

Elle portait un rouge à lèvres sombre. Elle venait de Düsseldorf, expliqua-t-elle.

« Vous êtes au travail ? demanda-t-elle à Anet.

– Pardon ?

– Vous travaillez ?

– Non.

– Je travaille dans un hôtel. Je suis la gérante.

– Que faites-vous ici ?

– Nous visitons un peu Paris. Si vous venez un jour à Düsseldorf, il faut venir à mon hôtel. Tous les deux.

– C'est un bon hôtel ? demanda Bowman.

- Très bon. Quel vin vous buvez ? » demanda-t-elle.

Elle appela le serveur.

« Apportez une autre bouteille pour eux, dit-elle. Mettez sur mon addition. »

Un peu plus tard, elle leur tendit sa carte. Clairement à l'intention d'Anet.

Quand elle et son compagnon furent partis, ils burent la seconde bouteille. Il y avait encore des gens qui attendaient des tables. Les bruits de conversations, d'assiettes et de couverts entrechoqués n'avaient pas diminué.

Dans le taxi, ils se caressèrent la main. La ville scintillait de mille feux. Les boutiques restaient éclairées sur les avenues qu'ils empruntèrent. Dans leur chambre, il la prit dans ses bras. Il lui murmura à l'oreille et l'embrassa. Ses mains glissaient le long de son dos. Elle avait vingt ans. Il l'avait connue quand elle était encore plus jeune, une adolescente, qui, le jour de son anniversaire, courait au soleil avec ses amies au bord de l'étang en sous-vêtements. Elles donnaient des coups de pied dans l'eau et criaient : « Connasses, pétasses ! » Leur grossièreté l'avait surpris. Il la porta sur le lit.

Cette fois, ils surent donner son temps au temps. Il avait les paumes à plat contre le drap de part et d'autre de son corps, et se soulevait sur ses avant-bras. Il l'entendit produire un son comme une vraie femme, mais ce n'était pas encore la fin. Il marqua une pause avant de reprendre. Cela dura un long moment. Elle donna des signes de fatigue.

« Je n'en peux plus », soupira-t-elle, implorante.

Au matin, la chambre était emplie de lumière. Il se leva, ferma les rideaux, mais il restait une fente par laquelle le soleil s'engouffrait et traversait le lit. Il repoussa les draps et le rayon vint lui caresser le haut des cuisses. Sa toison pubienne scintillait. Elle ne se rendait compte de rien, mais au bout d'une minute ou deux, sentant peut-être l'air sur sa peau nue, elle se retourna. Il se pencha pour l'embrasser au creux de la nuque. Elle n'était pas tout à fait réveillée. Il lui écarta les jambes et s'agenouilla entre elles. Jamais il ne s'était senti si déterminé ni si sûr de lui. Cette fois, il la pénétra facilement, dans le calme parfait du matin. Il demeura immobile, comme en attente, imaginant sans se presser ce qui allait suivre. Il le lui laissait deviner. À peine un mouvement, comme si c'était interdit. Après de longues minutes, il entama son mouvement, lent d'abord, avec une patience infinie, puis il se laissa peu à peu aller. Il avait la tête penchée en avant, on aurait dit qu'il méditait. Il était encore loin du but. Loin, très loin. Le rayon de soleil avait glissé vers le pied du lit. Il pensa qu'il pourrait tenir plus longtemps que ce reflet, mais soudain, il sentit le plaisir monter. Il avait posé la main sur elle pour l'immobiliser, ses genoux pesaient sur ses jambes. Les cris des enfants dans la cour de récréation. Dieu du ciel !

Ensuite, elle prit un bain. L'eau était chaude et réconfortante. Elle releva ses cheveux et s'y plongea, d'abord les jambes puis, lentement, le reste du corps. Elle était à Paris avec lui, dans un hôtel. C'était scandaleux, se dit-elle. Elle était éberluée de la façon dont c'était arrivé. Mais tout lui semblait aussi parfaitement naturel, elle ne savait pas pourquoi. Elle faisait disparaître les traces du voyage, de l'amour, de tout, et retrouvait sa fraîcheur pour la journée qui commençait. Il entendait les bruits agréables de sa toilette alors qu'il restait étendu sur le lit. Il retrouvait l'homme qu'il avait été à Londres, en Espagne, paisible, dans la plénitude, pourrait-on dire, de ce qu'il venait d'accomplir.

« J'adore cet hôtel », dit-elle en sortant de la salle de bains.

Le Paris qu'il lui montra était celui des panoramas et des rues, la perspective des Tuileries, l'arrivée place des Vosges, la rue Jacob et la rue des Francs-Bourgeois, les grandes avenues avec leurs boutiques de luxe – le prix à payer pour le paradis –, le Paris des plaisirs ordinaires et le Paris de l'insolence, le Paris qui suppose par avance que l'on sait quelque chose ou que l'on ne sait rien. Le Paris qu'il lui fit découvrir était une ville de souvenirs sensuels, qui scintillait dans la nuit.

Les journées à Paris… Ils laissèrent de côté les musées et le Quartier latin, le boulevard Saint-Michel et les foules pressées, mais il l'emmena voir, dans la maison rue de Thorigny consacrée à ces collections, les toiles et les gravures – quelques-unes grotesques, mais d'autres sublimes – que Picasso avait exécutées de Marie-Thérèse Walter durant leur longue liaison dans les années vingt et trente. Certains tableaux avaient été peints en un après-midi inspiré, d'autres à quelques jours d'intervalle. Elle était naïve et docile quand il l'avait connue, et il lui avait appris à faire l'amour selon ses caprices. Il aimait la peindre pensive ou endormie, et ses gravures d'elle sont plus belles que n'importe quelle incarnation, il y a de quoi tomber à genoux. En leur présence, les choses se révèlent sous leur véritable jour, elles indiquent comment la vie doit être vécue.

Bien qu'il ait fait d'elle une icône, elle ne s'intéressait ni à l'art ni aux cercles qu'il fréquentait, et Picasso finit par se choisir une autre femme

Elle se rappela par la suite avoir pris un verre avec un éditeur que Philip appréciait particulièrement, Christian quelque chose, un homme imposant, aux cheveux blancs et aux ongles soigneusement manucurés. Ils s'étaient retrouvés au bar d'un hôtel, non loin de son bureau, où il allait tous les après-midi après son travail, et où il s'asseyait dans un confortable fauteuil de cuir pour passer un moment à bavarder. Elle avait eu l'impression de quelqu'un de solide, et qui, en même temps, embaumait le savon et l'eau de toilette. Il remplissait son fauteuil. C'était un énorme animal sacré, un taureau engraissé, à peine capable de remuer la tête dans son box, mais tout de même beau. Il se montra cordial, parla de Gide, de Malraux et d'autres qu'elle ne connaissait pas.

« Vous écrivez, *mademoiselle** ?

– Non.

– Il vous faut prendre garde à ce type, dit-il en désignant Philip. Vous le savez, je suppose.

– Je le sais », répondit-elle.

Il supposait la même chose que tout le monde, et elle trouvait cela un peu embarrassant, même si elle s'en accommodait. Dans la rue, ou au restaurant, cela lui était égal. Restaient les boutiques.

Ils s'arrêtèrent sur le chemin du retour vers leur hôtel, et elle rédigea des cartes postales à la terrasse d'un café protégée par une cloison en verre sur le trottoir.

« À qui tu écris ? »

À sa colocataire – « Tu ne la connais pas » – et à Sophie.

« Ah, Sophie, toujours Sophie…

– Elle est géniale. Elle te plairait.

– Tu n'en envoies pas une à ta mère ?

– Tu plaisantes ? Elle me croit à un entretien d'embauche. » Elle marqua une pause et, les yeux rivés sur sa carte postale, elle déclara : « Tu sais, tu peux me le dire. Est-ce que tu lui en veux ? Lui as-tu pardonné ?

– Je suis en train. »

Il fumait une cigarette à cette terrasse, du tabac brun. Elle lui parut plus épaisse que les cigarettes ordinaires. Il la porta, d'un geste qu'elle jugea assez maladroit, à ses lèvres, et il tira une petite bouffée. Puis, quand des volutes de fumée bleue s'échappèrent de sa bouche, il souffla.

« La fumée te dérange ?

– Non, ça sent bon.

– Tu n'as jamais fumé, n'est-ce pas ?

– Seulement quelques joints.

– Autrefois, les femmes n'avaient pas le droit de fumer.

– Comment ça, pas le droit ?

– Elles avaient le droit, mais c'était très mal vu. Aucune femme n'aurait fumé en public.

– Et quand ça ? Au Moyen Âge ?

– Non. Juste avant la guerre.

– Quelle guerre ?

– La Première Guerre mondiale.

– Je ne te crois pas.

– C'est pourtant vrai.

– Incroyable ! Donne-moi une taffe. »

Elle prit la cigarette, tira un peu dessus et se mit à tousser. Elle la lui rendit.

« Tiens.

– C'est fort, hein ?

– Beaucoup trop. »

Ils allaient dîner chez Flo.

« Flo ? Qu'est-ce que c'est ? »

La brasserie se trouvait au fond d'une allée obscure, un endroit incongru pour un restaurant. Ils finirent par y arriver.

« Oh, c'est ça ? dit-elle en lisant l'enseigne. Flo.

– Un peu comme *flow* en anglais, mais sans diphtongue. »

Leur table était trop près des cuisines mais le dîner était excellent. Juste avant de terminer de manger, ils assistèrent à une rixe. Il y eut un grand fracas de porcelaine, et une femme en manteau noir se mit à hurler et à frapper le gérant. Il tentait de la pousser dehors. Il finit par réussir et elle resta campée dans la rue à vociférer pendant qu'un serveur lui rapportait son sac à main. Elle brailla quelque chose à l'adresse du gérant qui lui fit une petite courbette. Bonne nuit, madame. *À demain**.

Anet n'avait aucune idée d'où ils se trouvaient. Quelque part dans Paris. Elle ne parlait pas français, et le plan de la ville qu'elle avait en tête se composait d'avenues sans commencement ni fin, de certaines stations de métro, de deux ou trois enseignes lumineuses – Taittinger, La Coupole – et des rues qui avaient retenu son attention. Rien de tout cela ne formait un plan cohérent, surtout pas après ces dîners arrosés. Ils rentraient en taxi vers leur hôtel, les boutiques, désormais familières, étaient encore illuminées.

« Où sommes-nous ? demanda-t-elle.

– J'ai du mal à lire le nom des rues. Boulevard Raspail, je crois.

– C'est-à-dire ?

– Un grand boulevard qui donne droit dans le boulevard Saint-Germain. »

Toute seule, elle n'aurait jamais pu s'y retrouver. D'ailleurs, elle n'aurait jamais prévu pareil voyage. Tout était si étonnant et si facile. Elle s'en souviendrait longtemps. Si elle le souhaitait, elle pourrait sans doute continuer avec lui pendant quelques mois. Elle avait déjà eu des flirts, deux en tout cas, mais cela n'avait rien à voir. Ces garçons étaient tellement jeunes. « Est-ce que tu as pensé aux préservatifs ? » On les distribuait gratuitement au dispensaire, toutefois, il leur arrivait d'en manquer. Ils en réclamaient une poignée, mais ils avaient tôt fait d'épuiser leur stock. Elle repéra quelque chose de familier, et tenta de deviner où ils se trouvaient. Ils traversaient la Seine. Ils tournèrent dans une rue. Au-dessus des immeubles, la cime de la tour Eiffel, brillamment éclairée, flottait dans la nuit.

Dans leur chambre, elle s'allongea tout habillée et le laissa la dévêtir. Il la caressa longuement et elle lui fit clairement sentir qu'elle était toute à lui. Il lui léchait lentement la fente du bout de la langue. Puis il la retourna, posa ses mains sur ses épaules, et les fit descendre le long de son corps comme sur le cou d'une oie. Quand il la pénétra, ce fut comme s'il avait enfin parlé. Il pensait à Christine. Pardonner. Il aurait voulu que ça ne s'arrête jamais. Quand il sentit qu'il allait trop loin, il ralentit et reprit plus doucement. La tête dans l'oreiller, elle murmurait quelque chose. Il la tenait par la taille. Ah, ah, ah ! La ville s'écroulait. Les murs s'abattaient comme une pluie d'étoiles.

« Oh, mon Dieu, dit-il ensuite. Anet ! »

Elle reposait entre ses bras.

« Toi alors, tu es quelqu'un ! »

Les heures avancées de la nuit. La plénitude absolue. Il avait eu de la chance, songea-t-il. Dans un jour ou deux, sans doute, elle commencerait à se lasser de ce ballet. Elle se rendrait soudain compte de son âge, ses amis lui manqueraient. Mais cela ferait désormais partie de sa vie. De celle de sa mère. Il lui lissa les cheveux. Elle se détendit dans son sommeil.

Elle dormit jusqu'à neuf heures du matin. La chambre était paisible. Il était descendu lire le journal, elle se retourna et repiqua un petit somme. Quand elle sortit de la salle de bains, elle vit un bout de papier posé de son côté du lit. Elle le ramassa, le lut et son cœur se décrocha. Elle passa vite quelques vêtements avant de se précipiter vers la réception. L'ascenseur était occupé. Incapable d'attendre, elle dévala l'escalier.

« Avez-vous vu *monsieur** Bowman ? demanda-t-elle à l'employé.

– Oui. Il est parti.

– Parti pour où ?

– Je ne sais pas. Il a appelé un taxi.

– Il y a combien de temps ?

– Une heure. Peut-être plus. »

Elle ne savait pas quoi faire. Elle ne pouvait pas y croire. Quelque chose avait dû lui échapper. Elle remonta dans sa chambre, et s'assit sur le lit, comme prise de nausée. En regardant mieux, elle s'aperçut qu'il avait emporté toutes ses affaires. Elle jeta un coup d'œil dans la salle de bains. La même chose. Elle prit soudain peur. Elle n'avait pas d'argent. Elle saisit le bout de papier et le relut. *Je m'en vais. Je ne peux pas t'expliquer maintenant. C'était très bien.* Le tout était signé d'une initiale, *P.* Cette fois, elle éclata en sanglots, se laissant aller sur le lit.

Il s'était rendu dans une agence de location et avait pris une voiture, plus grande que ce qu'il aurait voulu mais ils n'en avaient pas d'autres, et un long trajet l'attendait. Il sortit de la ville par la porte d'Orléans, et roula vers le sud en direction de Chartres, et d'autres villes plus lointaines qu'il n'avait jamais visitées. Le temps était clair et ensoleillé. Il avait vaguement l'idée de descendre jusqu'à Biarritz, avec ses deux grandes plages, déployées comme des ailes de part et d'autre de la ville, et l'océan dont les vagues déferlaient en longues lignes blanches. Il n'y avait presque personne sur la route. Il s'était levé tôt et avait rassemblé ses affaires. Elle dormait, un bras glissé sous l'oreiller, une jambe nue découverte. Sa fraîcheur, même après. Il avait pardonné à sa mère. « Viens chercher ta fille », pensa-t-il. Sur le seuil, il s'arrêta pour la regarder une dernière fois. Il paya la note d'hôtel pendant qu'il attendait le taxi. Il n'essaya même pas d'imaginer ce qu'elle allait faire.

28
Tivoli

De tous ceux qui avaient commencé leur carrière en même temps que lui, Glenda Wallace avait particulièrement bien réussi. Directrice éditoriale, elle avait du caractère et son franc-parler, même si c'était un peu moins le cas quand elle était plus jeune, et si, au fil des ans, son rire était devenu plus cinglant et plus amer. Elle ne s'était jamais mariée. Elle s'était occupée de son père malade pendant de nombreuses années. Après sa mort, elle avait acheté une maison à Tivoli, une petite ville sur l'Hudson au nord de Poughkeepsie. Elle n'avait aucun lien particulier avec cette bourgade qui lui avait plu au premier regard, sa petite zone commerciale, le sentiment de paix qui en émanait, et l'étroite route bordée de maisons qui descendait jusqu'au fleuve.

En tant que directrice éditoriale, elle s'était très peu intéressée à la fiction et n'en lisait d'ailleurs quasiment pas. Elle publiait des livres sur la politique et l'histoire, mais aussi des biographies, et elle était universellement respectée. Elle semblait s'être tassée avec le temps, et Bowman se rendit compte que ses jambes s'étaient arquées. Il avait pour elle beaucoup d'admiration, et c'est parce qu'elle s'était installée dans cette région qui lui apparut dès lors moins isolée qu'il y loua lui-même une maison de campagne dès l'année suivante.

La route qui menait à Tivoli, en longeant la Saw Mill River vers le nord, était agréable. Elle traversait des forêts et très peu de zones industrielles, mais surtout il avait l'impression d'être loin de tout ce qu'il connaissait. Wainscott et les villes alentour lui étaient devenues presque familières, et il avait décidé d'aller ailleurs, non pas par peur de croiser Christine ou sa fille, mais simplement pour éliminer toute possibilité de pareille rencontre et afin de mettre cette histoire définitivement derrière lui. Il ne voulait pas se voir rappeler ce qui s'était passé. En même temps, il ne dédaignait pas de se repasser une partie de ce film – ce qui avait eu lieu à Paris.

La maison appartenait à un professeur du département d'économie de l'université de Bard qui avait obtenu une bourse et passerait l'année en Europe avec sa famille. La vie universitaire n'était pas sans austérité. La maison était convenable, mais mis à part la cheminée, il n'y avait pas grand-chose dans le salon : un canapé, quelques fauteuils et une petite table. Dans la cuisine, les plats étaient en plastique, et la collection de verres complètement hétéroclite. Cependant, la porte arrière ouvrait sur un coquet jardin entouré de haies et un portail de bois donnait sur la rue.

La maison et son confort sommaire faisaient paraître la vie des professionnels de l'édition presque luxueuse, même si elle l'était moins qu'elle ne l'avait été par le passé. Les choses avaient bien changé depuis le temps où ils n'étaient que huit dans l'entreprise, et où les écrivains passaient la nuit sur un divan au bout du couloir, après avoir écumé les bars jusqu'à deux ou trois heures du matin. Il y avait cependant toujours des dîners et des séances de travail jusqu'à l'aube. Boire à Cologne avec Karl Maria Löhr, qui semblait ne jamais se fatiguer et qui, au bout d'un moment, tenait des discours insensés, mais qui savait s'attacher les écrivains en leur imposant des épreuves. Des nuits passées au milieu des ténèbres allemandes, roulant dans le brouillard glacé. Impossible de se rappeler où on était allé, ni quelles paroles avaient été prononcées, mais c'était sans importance. Il s'établissait une sorte d'intimité. Ensuite, on se parlait comme entre amis. Bowman avait parfois songé à créé sa propre maison d'édition. Il en avait sans doute le tempérament, mais la partie financière lui aurait déplu. Il aurait pu s'en décharger auprès d'un associé aimable et efficace, il n'avait toutefois jamais rencontré le bon candidat, en tout cas pas au bon moment.

Partout, le livre avait perdu du terrain. Peu à peu. Chacun le reconnaissait ou choisissait de ne pas y penser. Tout continuait exactement comme par le passé, et c'était la beauté de la chose. La gloire s'était émoussée, mais de nouveaux visages ne cessaient d'apparaître, désireux d'appartenir à ce monde, d'entrer dans l'édition, qui continuait à suggérer une certaine élégance, comme une paire de belles chaussures vernies et impeccablement cirées portées par un homme en faillite. Les anciens comme lui, Glenda et les autres, ressemblaient à des clous enfoncés depuis longtemps dans un arbre qui avait continué sa croissance. Ils en faisaient partie maintenant, ils étaient pour ainsi dire incrustés.

Pour rendre la maison plus confortable, il disposa les meubles différemment, déplaça la table et apporta un fauteuil en cuir depuis la ville. Il ajouta des livres, une bouteille de whisky, disposa quelques jolis verres sur un plateau. Il accrocha aussi aux murs deux photographies encadrées d'Edward Weston, dont une de Charis Wilson, son modèle légendaire et sa compagne. Il démonta les petits stores à lames plates qui occultaient les fenêtres, il les entreposa dans un placard, et suspendit des rideaux de mousseline blanche qui laissaient entrer davantage la lumière.

Le matin, il mangeait un œuf à la coque. Il déposait l'œuf dans une casserole d'eau froide et quand elle bouillait, c'était prêt. Tapotant soigneusement avec un couteau, il retirait le haut de la coquille, ajoutait un peu de beurre et du sel, et il mangeait le blanc doux et tiède, puis le jaune coulant à la cuiller. Ensuite, pendant environ une heure, il lisait le journal, acheté en venant, avant de se mettre à travailler sur un manuscrit. Sa vie lui semblait plus simple dans cette maison dépouillée, presque monacale. La semaine suivante, il apporta de New York un tapis navajo qui dormait dans un placard, et il se sentit davantage chez lui.

Parmi les premières rencontres qu'il fit à Tivoli se trouvait un professeur, Russell Cutler, et son épouse Claire, une femme passionnée, affligée d'un léger zézaiement. « Que ça reste entre nous », répétait-elle toujours, en faisant un peu siffler les « s ». Cutler avait écrit des essais universitaires, mais il se consacrait aujourd'hui à un roman policier, non sans difficulté. Sa femme relisait chaque page, et rayait les phrases qui ne lui plaisaient pas ou qu'elle jugeait sexistes. Elle avait un long cou et des mains fines, et le soir où Bowman vint dîner, son sari ne cessait de lui glisser de l'épaule. La grande table de la salle à manger était couverte d'une nappe vert bouteille à carreaux, l'hôtesse avait copié le menu sur des cartes, et pris la peine d'acheter deux vins différents et de préparer deux tartes aux fruits pour le dessert. Son amie Katherine, à l'étonnant visage félin, avait été également invitée et s'employait à aider la maîtresse de maison. À table, elle paraissait moins décidée à garder le silence que soucieuse d'écouter – comme si elle voulait recueillir des commérages – ce que Bowman avait à dire.

« Vous êtes dans l'édition, m'a dit Claire, risqua-t-elle enfin.

– Oui.

– Vous publiez des livres ?

– Oui, tout à fait.

– Ce doit être une vie passionnante.

– Oui et non. Et vous, que faites-vous ?

– Oh, je travaille à la fac comme simple secrétaire. Mais j'adore New York. J'y file à la moindre occasion. »

Elle s'était retrouvée à Bard par hasard. Après son divorce, elle était venue à New York, ce qu'elle avait toujours voulu faire, mais elle n'avait pas réussi à trouver un emploi qui lui plaise. Elle vivait chez une amie, une artiste peintre française qui avait insisté pour l'inviter chez elle. Mais une fois Katherine installée, elle lui avait réclamé un loyer.

« Oui, bien sûr », avait murmuré Katherine.

Elle disait oui à tout. À Houston, les huissiers étaient venus lui retirer ses meubles. Oui. Bien sûr. Elle avait un tempérament aristocratique, elle refusait le malheur. Secrétaire modèle, elle était toujours élégante, serviable et efficace. Il y avait cependant quelque chose de particulier dans son allure et les promesses que celle-ci semblait receler. Elle adorait les potins et les imitations. Elle avait une mémoire prodigieuse. Alors qu'elle semblait ne s'intéresser qu'à la mode et aux soirées, sa véritable passion allait aux livres. Elle les adorait, personne ne les avait jamais aimés autant qu'elle. Elle en lisait deux ou trois par semaine. Elle revenait de chez le libraire avec un sac plein et avait déjà le nez dans sa lecture avant même d'avoir retiré ses chaussures. Elle était encore en train de lire quand Deborah, sa colocataire, rentrait après une répétition de son orchestre. Sa vie était une sorte de tragi-comédie, pensait-elle, mais la littérature, c'était on ne peut plus sérieux. Elle rêvait secrètement de devenir écrivain, tout en se gardant bien d'en parler.

Le lendemain matin, dans la petite épicerie de Germantown, Bowman la croisa dans un des étroits rayons. Il faillit ne pas la reconnaître. Elle lui parut beaucoup plus jeune que la veille. Il la salua.

« On a passé une soirée agréable chez les Cutler. Ça vous a plu ?

– Oh oui ! Vous étiez éblouissant !

– Qui, moi ? Je ne m'en étais pas rendu compte. Qu'est-ce que vous êtes venue acheter ?

– Je ne sais pas, je n'ai même pas fait de liste, dit-elle en paraissant s'excuser.

– Quel temps splendide, n'est-ce pas ?

– On se croirait en été.

– Je n'ai pas vraiment de projets pour la journée. Vous faites quelque chose ? Vous seriez libre à déjeuner ?

– Bien sûr ! s'écria-t-elle. Où pourrions-nous aller ? »

Il n'y avait que deux ou trois possibilités, et ils choisirent finalement un petit restaurant à Red Hook. Il n'y avait presque personne. Ils prirent place à une table, et en étudiant le menu, elle rentra les joues, en une sorte de grimace sophistiquée.

« Que faites-vous ? s'enquit-il.

– Je vous demande pardon ? »

Il sentit cependant qu'elle commençait à être plus à l'aise.

« Je crois que je vais prendre du bœuf demi-sel aux légumes. Comment connaissez-vous les Cutler ?

– J'ai rencontré Claire à une conférence, répondit-elle. Trois professeurs commentaient des poèmes de Wallace Stevens. Je lui ai demandé par la suite si elle avait compris quelque chose. Que ça reste entre nous, m'avait-elle dit, mais pas un traître mot.

– Oui, que ça reste entre nous. Et son mari ?

– Russell ? Il ne sait rien de rien. Il aime faire son propre vin.

– Celui que nous avons bu ?

– Oh non, son vin est imbuvable. Une horrible piquette.

– D'où êtes-vous originaire, Katherine ?

– D'une petite ville de l'Oklahoma dont vous n'avez jamais entendu parler : Hugo.

– Vous y avez grandi ?

– Oui, mais j'en suis partie dès que j'ai fini le lycée, et j'ai débarqué en ville où j'ai eu un petit accident.

– Que vous est-il arrivé ?

– Je me suis mariée. J'avais dix-huit ans et j'ai épousé le premier venu. Il était beau, mais j'ai vite compris qu'il était toxicomane. Drogué jusqu'au dernier degré. Je ne m'en étais pas rendu compte, évidemment, aussi jeune, mais c'était comme ça. Il a perdu tout son argent. Pourtant il avait une vraie fortune, léguée par son père. On habitait dans une immense maison et on a été obligés de partir. On avait alors quatre domestiques, sans compter le jardinier qui dormait au garage. »

Cela avait tout l'air d'une histoire inventée, au moins en partie, mais il décida de la croire.

« Oh, on peut dire qu'ils nous en causaient des ennuis, ces gens ! Le petit ami de la bonne était un grand Mexicain qui garait son pick-up devant la porte de la cuisine, et ils le remplissaient de viande qu'ils volaient dans le congélateur. J'avais peur de lui. Chaque fois que, de retour à la maison, j'apercevais son camion, je faisais demi-tour et je ne rentrais pas avant trente minutes. Je ne voulais surtout pas les prendre sur le fait. C'était terrible.

La seule que j'aimais bien, c'était la gouvernante. Mais elle s'est enfuie en Floride, et un beau jour elle m'a appelée d'un centre commercial en disant qu'il ne lui restait que huit dollars et que sa fille allait participer au concours de Miss Floride. Si je voulais bien lui envoyer de l'argent, elle promettait de me le rendre. »

Elle était consciente de son physique avantageux, pendant qu'elle faisait son petit numéro, parce que c'était bien ce dont il s'agissait. Elle marqua une pause.

« Est-ce que vous êtes marié ? demanda-t-elle d'un ton léger.

– Plus depuis longtemps. Cela fait des années que nous avons divorcé.

– Que s'est-il passé ?

– Rien, en fait. Enfin, à mon avis. Elle aurait sans doute quelques reproches à formuler.

– Que faisait-elle ? demanda Katherine.

– Dans la vie, vous voulez dire ? Elle ne travaillait pas. Elle ne lisait pas, pour commencer.

– Ça ne vous étonne pas, les gens comme ça ? Comment s'appelait-elle ?

– Vivian.

– Vivian !

– Vivian Amussen. Extrêmement jolie. »

Elle ressentit une pointe de tristesse, et même de jalousie. Quelque chose d'irrépressible.

« Amussen, répéta t-elle, avec humour. Comme la rivière.

– Non, avec deux “s”. »

Elle eut l'impression que le sujet avait cessé de l'intéresser.

« Vous êtes très occupé ? s'enquit-elle.

– Aujourd'hui, vous voulez dire ? Oui, j'ai du pain sur la planche.

– Moi, j'ai un million de choses à faire.

– Je ne voudrais pas vous retenir.

– Oh, ce n'est pas le cas… j'ai seulement peur de vous ennuyer.

– Vous ne m'ennuyez pas. Pas le moins du monde, insista-t-il.

– Est-ce que vous comptez aller à la conférence de Susan Sontag ?

– Quand cela ?
– Ce soir. À la fac.
– Je n'y avais pas pensé. Vous y serez ?
– Oui.
– Alors on s'y verra peut-être. »

Déjà, elle songeait à ce qu'elle allait porter. Elle se décida pour une robe d'été.

« Comment avez-vous trouvé le repas ? demanda-t-elle tandis qu'il réglait l'addition. Oh, laissez-moi payer ma part. »

Elle trouva son portefeuille mais il posa la main sur les billets qu'elle avait déjà saisis.

« Non, non, dit-il. Je vous invite. Les éditeurs invitent toujours à déjeuner. »

Elle avait un bon pressentiment tandis qu'ils se tenaient là prêts à partir, elle pouvait se féliciter. Elle avait l'impression que, en tant que femme, elle lui plaisait. Impossible de s'y tromper. Elle se dit qu'elle pourrait être une vraie compagne pour lui, même s'il avait paru un peu abrupt à la fin du repas – c'était sans doute parce qu'elle ne le connaissait pas bien.

La journée avait été douce. Il faisait encore jour à l'extérieur alors que les gens entraient et tentaient de trouver une place libre. La salle était bondée. Comme un oiseau solitaire s'élevant au-dessus de sa volée, elle agita la main au milieu des spectateurs. Elle lui avait gardé un siège. Susan Sontag fit son entrée en scène sous une vague d'applaudissements : silhouette théâtrale en noir et blanc, pantalon noir, cheveux de jais traversés par une cascade blanche, visage intrépide et anguleux. Pendant une demi-heure, elle parla de cinéma. De nombreuses étudiantes prenaient des notes. Katherine était attentive, le menton légèrement penché en avant pour mieux écouter. En sortant, elle lui demanda sur un ton de confidence :

« Qu'en avez-vous pensé ?
– Je me suis demandé ce que ces jeunes filles pouvaient bien noter.
– Tout ce qu'elle disait.

– J'espère bien que non. »

Devant l'auditorium, ils croisèrent Claire qui paraissait ravie.

« N'était-ce pas merveilleux ? s'écria-t-elle.

– Du grand spectacle, reconnut Bowman qui déclara avoir envie de boire un verre.

– Je vous accompagne ? proposa Claire, aimablement.

– Avec plaisir », répondit-il.

Ils prirent deux voitures, Claire était montée avec Katherine, et ils se rendirent au centre de Tivoli, à l'hôtel Madalin, dont le bar était réputé. Bowman arriva après elles. Il s'était garé devant chez lui, deux rues plus loin.

C'était samedi soir, et il y avait beaucoup de monde. Claire continua à parler de Susan Sontag, elle voulait savoir ce qu'ils – Bowman, en fait – avaient réellement pensé de la conférencière.

« On dirait un personnage droit sorti de la Bible.

– Quelle force ! Il émane d'elle une telle puissance !

– Les femmes de pouvoir ne sont jamais sans causer une certaine angoisse, dit-il.

– Vous le pensez vraiment ?

– Il ne s'agit pas de moi. Tout le monde le pense.

– Vous, en particulier ?

– Les hommes, disons. »

Elle paraissait un peu attristée par ces propos si phallocrates.

« J'ai trouvé qu'elle disait des choses passionnantes sur le cinéma.

– Sur le cinéma, oui…

– Selon elle, l'art suprême de ce siècle.

– Oui, je l'ai entendue le dire, effectivement. Cela me semble un peu exagéré.

– Mais certains films ne vous ont-ils pas réellement transporté ? On ne peut plus les oublier. »

Il l'écoutait avec attention, et, cette fois, il repéra clairement le problème : le bout de sa langue s'attardait entre ses dents et chuintait un peu. Elle avait prononcé « tranchporté ».

« N'avez-vous pas trouvé tout à fait étonnant qu'elle affirme que si Wagner naissait aujourd'hui, il serait sûrement réalisateur ?

– Étonnant n'est pas le mot. Je me demande d'où lui est venue l'idée de Wagner. Elle a laissé de côté trop de compositeurs. Mozart, pour n'en citer qu'un.

– Oui, je suppose que vous avez raison, lui accorda Claire.

– La danse me semble bien plus importante que le cinéma, poursuivit-il.

– Le ballet, vous voulez dire.

– Non, la danse en général. Quand on sait danser, on peut être heureux.

– Ah, je comprends, vous plaisantez.

– Pas le moins du monde. »

Ils continuèrent à bavarder en sirotant leur verre. Katherine était agacée par la présence de Claire qui monopolisait la parole. « Oh, Claire ! » s'exclama-t-elle plusieurs fois, et l'ignora tout le reste du temps. Le vacarme dans le bar était assourdissant.

Claire changea de tactique.

« Quelles sont vos centres d'intérêt ? demanda-t-elle à Bowman.

– Mes centres d'intérêt ?

– Oui.

– Pourquoi cette question ?

– Je ne sais pas.

– Je m'intéresse à l'architecture. À la peinture.

– Je voulais dire, de façon plus personnelle.

– Mais encore ?

– Les femmes ? »

Il y eut quelques secondes de silence, et il se mit à rire.

« Qu'est-ce qui vous amuse ?

– Oui, répondit-il. Je m'intéresse aux femmes.

– Je vous posais seulement la question. Kathy devrait se marier, vous ne croyez pas ?

– Et quel est le rapport entre ces deux sujets ?

– Mon Dieu, Claire, mais qu'est-ce que tu racontes ?

– Tu es tellement désirable, s'obstina Claire. Non, vraiment, dit-elle à Bowman, n'est-ce pas aussi votre avis ?

– Je pense que Katherine doit trouver la situation un peu embarrassante. »

Il commençait à se sentir agacé. Voilà une femme bien opiniâtre, et largement dépourvue d'humour. Il se demanda ce qui pouvait les lier. Cette espèce de connivence secrète qui unit toujours les femmes…

« Mais vous êtes d'accord, cependant. Elle est désirable. »

Il tourna les yeux vers Katherine.

« Oui, je le reconnais volontiers. »

Quand Claire s'éclipsa vers les toilettes, Katherine lui présenta ses excuses.

« Je suis vraiment désolée. Elle est folle. J'espère que vous ne m'en voudrez pas.

– Vous n'avez rien à vous reprocher.

– Elle n'a pas l'habitude de boire. Tout ce qu'ils connaissent, c'est cet horrible vin. Je suis franchement navrée.

– C'est sans importance. Je vous assure.

– En tout cas, je voulais seulement vous dire… »

Déjà, Claire était de retour.

« Salut la compagnie, lança-t-elle.

– Cesse de te ridiculiser, siffla Katherine.

– Quoi ?

– Tu es prête à partir ?

– Je n'ai même pas fini mon verre.

– Moi oui.

– Je le vois, en effet.

– Il va falloir que je rentre, de toute façon, intervint Bowman.

– Si tôt ? » demanda Claire.

Katherine ne dit rien. Elle arborait un air résigné.

« Bonne fin de soirée », ajouta Bowman.

Il fendit la foule du bar. Il y avait la queue pour entrer dans le restaurant de l'autre côté de la rue, et des clients qui venaient de sortir s'attardaient juste devant. Il faisait bon. On entendait de la musique. Deux jeunes filles étaient assises sur un bloc de pierre encastré dans le trottoir et discutaient, une cigarette à la main. La circulation restait dense.

Une heure plus tard, il était déjà en pyjama quand on frappa à sa porte.

« Oui ? Qui est-ce ? »

Encore quelques coups discrets sur le battant.

Il ouvrit la porte : c'était Katherine. Elle était manifestement restée au bar dans l'intervalle.

« Il fallait absolument que je vienne m'excuser, dit-elle. Je me sens tellement gênée. Je ne vous ai pas réveillé, j'espère ?

– Non, je ne dormais pas. »

Il la considérait avec une certaine froideur, pensa-t-elle.

« Je voulais seulement m'assurer que vous ne pensiez pas que je l'avais poussée à faire ça.

– Je n'ai rien songé de tel.

– Il fallait que je vous le dise tout de suite.

– Vous êtes sûre que vous pouvez rentrer chez vous sans problème ?

– Oui.

– Certaine ?

– Oui. »

Elle se rendit compte qu'elle avait commis une erreur. À court d'arguments, elle agita les doigts en un geste un peu ridicule pour prendre congé puis elle marcha rapidement vers le portail.

29

Fin d'année

La ville aurait été bien terne sans elle et son désir un peu fantasque de mener une vie différente. Elle était lasse de la précédente. Les rencontres qu'elle avait faites n'avaient guère été heureuses, même si, pour l'essentiel, elle conservait son optimisme. Elle avait eu une brève liaison avec un anthropologue invité à venir faire cours pendant une semaine et qui l'avait croisée le premier jour. Elle n'en dit rien à Bowman, à qui elle restait fidèle d'une façon plus profonde, surtout quand on pense que les choses n'avaient duré que du lundi au vendredi. Elle le regretta toujours. Quand Bowman passa la chercher un soir, il remarqua la présence d'un livre que l'anthropologue avait écrit et lui avait offert. Il y avait une dédicace assez vulgaire qui le fit réfléchir quelque temps pendant qu'elle finissait de se préparer, mais il lui fallut vite le refermer et il décida de ne pas en parler quand elle apparut.

Elle venait à New York aussi souvent que possible. Elle séjournait alors chez Nadine, son amie française, et prêtait l'oreille à ses mésaventures amoureuses. Robert Motherwell avait voulu faire d'elle sa maîtresse, mais elle avait insisté pour qu'il l'épouse et finalement rien ne s'était passé. Elle avait un mari à l'époque dont elle était en train de divorcer.

« Ç'a été l'erreur de ma vie, *de toute ma vie**, gémit Nadine, avec son léger accent. Si j'avais accepté, est-ce que je m'en serais plus mal trouvée qu'aujourd'hui ? Et au moins j'aurais les *souvenirs** de l'amour. Là je n'ai ni mari ni souvenirs. »

Elle avait cinquante-deux ans mais se comportait comme une gamine.

« Jeune, j'étais tellement innocente. Tu ne le croirais jamais. Je me suis mariée à dix-neuf ans. Je ne savais rien à l'époque, une vraie oie blanche. »

Quand son mari n'était pas prêt à lui faire l'amour, disait-elle, elle ne comprenait pas pourquoi.

« À l'époque, je croyais que ça restait dur tout le temps. » Elle rit de sa propre naïveté. « Mais il y a une chose primordiale que j'ai apprise.

– Ah oui ? Et quoi ? demanda Katherine.

– Tu veux vraiment le savoir ?

– Oui. Dis-moi.

– Ne donne pas aux hommes ce que tu as de meilleur. Sinon, ils le considèrent comme leur dû.

– Oui, c'est exactement l'erreur que je commets constamment.

– Il ne faut jamais baisser la garde, poursuivit Nadine. Bien sûr, parfois, on ne peut pas s'en empêcher, mais il n'en sort rien de bon. »

Katherine répétait toutes ces conversations à Bowman tandis qu'ils dégustaient des huîtres et du vin. Elle avait confiance en lui. Elle adorait lui parler.

« As-tu déjà eu envie d'écrire un roman ? demanda-t-elle.

– Les éditeurs font exactement l'inverse. On doit s'ouvrir à l'écriture des autres. Ce n'est pas la même chose. Je sais écrire. Au départ, je voulais être journaliste. Je suis capable de rédiger des quatrièmes de couverture, mais rien de très brillant. Pour créer, il faut savoir se fermer à l'écriture des autres.

– Est-ce que tu as des auteurs favoris ?

– Que veux-tu dire ?

– Parmi ceux avec lesquels tu as travaillé. »

Au bout d'un moment, il répondit :

« Oui.

– Lesquels ?

– Eh bien, l'écrivain que j'apprécie le plus est une femme qui vit en France. Elle y habite depuis des années. Je ne la vois que très rarement, mais toujours avec un plaisir immense. C'est un diamant brut, comme on dit.

– Elle doit être merveilleuse, réussit à articuler Katherine.

– Oui. Passionnée et merveilleuse.

– Qui est-ce ?

– Raymonde Garris. »

Katherine connaissait ce nom. Elle en fut littéralement écrasée. C'était le nom d'une femme absolument fascinante. Ce serait formidable de la connaître, elle et tous les autres. Et puis un soir, à dîner, il y avait Harold Brodkey qui avait écrit ce long roman sur les orgasmes. Harold Brodkey ! Elle mourait d'envie d'en parler à Claire.

Et de sa visite au Frick !

Elle portait une paire d'escarpins rouges tout neufs qui lui faisaient mal aux pieds. Elle avait dû les retirer dans les toilettes pour se délasser.

« Ça t'a plu ? lui demanda-t-il alors qu'ils s'apprêtaient à quitter le musée.

– Oui, c'était magnifique ! Et il y a tant de choses à apprendre !

– C'est-à-dire ?

– Je ne sais pas. Par exemple, ce qu'il faut porter quand on fait ton portrait. Ou comment tenir un chien. »

Il la fixa d'un air désapprobateur.

« Tu sais, je ne connais absolument rien en peinture. Rien que ce que tu m'as appris. »

Elle était sincère. Elle aimait s'en remettre à l'autorité masculine. En particulier, la sienne.

« Nadine va être très impressionnée d'apprendre que nous sommes allés au Frick. Elle s'imagine que je passe mon temps dans des bars, assise avec ma jupe relevée. »

Ils marchèrent côte à côte dans le soir tombant. Elle lui avait pris le bras. Le ciel était d'un bleu profond, un bleu de pluie, il n'y avait presque plus de lumière, mais les nuages restaient brillants. Toutes les fenêtres de l'avenue étaient éclairées, ainsi que celles qui donnaient sur l'extrémité du parc.

Plus tard au cours de l'automne, elle le retrouva un vendredi soir au bar de l'Algonquin, où il aimait prendre un verre. C'était une petite salle, un peu comme un club, derrière la réception, et souvent bondée à pareille heure. On aurait dit qu'on donnait une grande soirée, les flots d'invités se déversant des ascenseurs et des chambres, et que le bar constituait une sorte de havre de paix, certes plein, mais tellement plus calme que tout le reste de l'hôtel. La plupart des hommes portaient costume et cravate. Comme elle venait de terminer *L'Amant* de Marguerite Duras, elle en parlait sans cesse.

« Oh, mon Dieu, est-ce que cette image de la jeune fille, dans sa robe en soie couleur sépia, sur le ferry ne t'a pas absolument bouleversé ? C'était elle, Marguerite *Dura*.

– Duras, corrigea Bowman.

– Ah ? C'est comme ça que ça se prononce ?

– Oui.

– Je croyais que le "s" final ne se prononçait pas en français », dit-elle, l'air piteux.

Il ne pouvait s'empêcher de la trouver touchante.

« Bowman ? entendit-il une voix l'interpeller derrière eux. Est-ce bien toi ? »

La question était suivie d'un gloussement.

« Pour l'amour du ciel ! s'exclama Bowman.

– Excusez-moi, monsieur, mais est-ce que vous ne seriez pas Phil Bowman ? »

Toujours dégingandé mais affligé d'un gros ventre, vieilli, un sourire jusqu'aux oreilles, c'était Kimmel. Bowman sentit une chaleur inexplicable l'envahir.

« Tu vois, je te l'avais dit, déclara Kimmel à la femme blonde qui l'accompagnait.

– Mais qu'est-ce que tu fais ici ? » demanda Bowman

Gloussant de nouveau, les bras écartés, Kimmel était hilare.

« Kimmel ! Qu'est-ce que tu fabriques ici, bon Dieu ! répéta Bowman. Je n'arrive pas à y croire.

– Qui est cette jeune personne ? demanda Kimmel, sans lui répondre. Ta fille ? Votre père et moi avons servi sur le même bateau, mademoiselle. » Il se tourna vers la femme qui l'accompagnait. « Donna, je voudrais te présenter un vieux copain, Phil Bowman, et sa fille – excusez-moi, je n'ai pas saisi votre prénom, dit-il avec un sourire charmeur.

– Katherine. Je ne suis pas sa fille.

– Il me semblait bien aussi…, s'embourba Kimmel.

– Je m'appelle Donna », dit la femme, se chargeant des présentations.

Elle avait un visage avenant, et un corps un peu trop volumineux pour ses jambes.

« Qu'est-ce que tu fabriques à New York ? Où habites-tu ? s'enquit Bowman.

– On fait un petit voyage d'affaires. On vit à Fort Lauderdale. Avant ça, on était à Tampa, mais on a déménagé.

– Mon ex-mari vit à Tampa, expliqua Donna.

– Raconte-leur avec qui tu étais mariée, lui demanda Kimmel.

– Oh, je ne pense pas que ça les intéresse.

– Mais si, je t'assure. Elle était mariée avec un comte.

– J'avais vingt-huit ans, vous comprenez ? dit-elle en s'adressant à Katherine. Je ne m'étais jamais mariée, et j'ai rencontré ce grand gaillard à Boca Raton, au volant d'une Porsche invraisemblable. Il était allemand et riche à millions. On s'est plus ou moins mis ensemble, et je me suis dit, pourquoi pas ? Mon père m'a pratiquement reniée. J'ai été en Allemagne pour éliminer ces Boches, m'a-t-il dit, et voilà que toi, tu veux en épouser un. Après le mariage, j'ai découvert qu'il n'avait pas d'argent, c'était sa mère qui gardait le magot. Elle ne me parlait qu'allemand. J'ai essayé d'apprendre, vous savez, mais sans succès. C'était un brave garçon, et pourtant ça n'a duré que deux ans.

– Et ensuite, vous vous êtes rencontrés tous les deux ?

– Non, non, pas tout de suite.

– Donna a été très proche du gouverneur pendant un certain temps, leur confia Kimmel.

– Eh, arrête un peu !

– Qu'est-il arrivé à Vicky ?, lança Bowman.

– Vicky ?

– De San Diego.

– Eh bien, je l'ai revue après la guerre, dit Kimmel. Mais je savais bien que ça ne marcherait jamais. Bien trop bourgeoise pour moi.

– Bourgeoise ?

– Et puis son père était capable de tout. »

Il se tourna vers Katherine.

« Je ne sais pas si votre papa vous a parlé de ses jours héroïques durant la guerre dans le Pacifique. On s'apprêtait à envahir Okinawa. Tout le monde rédigeait déjà des lettres d'adieu même si les liaisons postales étaient coupées. On était tous désespérés. Alors l'officier a dit : "Mr Bowman ! Le moral des troupes dépend de vous. Rapportez-nous le courrier !" Voilà comment les choses se sont passées. Comme le *Message à Garcia*.

– Le message à qui ? » demanda Donna.

Kimmel gloussa.

« Demande-lui. »

Puis il reprit son sérieux.

« Dis-moi, Phil. Qu'est-ce que tu es devenu ?

– Je travaille dans l'édition.

– Je me disais bien que tu finirais par commander la flotte. Tu sais, tu n'as pas changé d'un poil. Sauf pour ce qui est de l'apparence.

– Est-il vrai, fit Donna, que cet individu a été éjecté du bateau par l'explosion d'une bombe ?

– Pas une bombe. Trois. C'est devenu un record, fanfaronna Kimmel.

– On ne peut pas dire que c'est l'explosion qui t'a éjecté.

– Cette saleté de rafiot explosait, oui ou non ?

– On a tout de même réussi à le ramener au port, Brownell et moi.

– Brownell ! » s'écria Kimmel.

Il regarda sa montre.

« Eh ! Il va falloir qu'on y aille. On a des places pour un spectacle.

– Qu'est-ce que vous allez voir ? demanda Katherine.

– Que va-t-on voir ? dit Kimmel à Donna.

– *Evita.*

– Voilà. Bon, eh bien, c'était super de vous croiser comme ça. »

Ils se serrèrent la main, et près de la porte Kimmel agita sa main en signe d'adieu. Donna fit de même.

L'instant d'après, ils avaient disparu. Tout s'était déroulé tellement vite. Le passé lui paraissait couché à ses pieds, ce passé laissé à l'abandon. Il se sentit étrangement revivifié.

« Qui était-ce ? demanda Katherine.

– C'était Camel, le chameau. »

Il ne put s'empêcher de sourire.

« Le chameau ?

– Il s'appelle Bruce Kimmel. On partageait la même cabine sur le bateau. Tout l'équipage l'appelait Camel. Il marchait comme un chameau.

– Tu étais dans la marine. Je ne le savais pas. Pendant la guerre ?

– Oui, on y était tous les deux.

– Et c'était comment ?

– Difficile à décrire. J'ai pensé pendant un moment rester dans la marine.

– J'ai adoré vous écouter parler, Camel et toi. Vous avez été amis longtemps ?

– Assez, oui. Et puis un jour, il a sauté par-dessus bord pendant une attaque aérienne. Je ne l'avais pas revu depuis.

– Jusqu'à ce soir ? C'est incroyable ! »

Nadine se réjouissait à l'idée de rencontrer enfin Bowman. Katherine venait à New York pour se rendre avec lui à une réception quelques jours avant Noël. Elle espérait d'ailleurs que ce serait davantage que la fête d'un soir. Le moment semblait propice. Il ne voyait personne d'autre en ce moment, elle le savait, et Noël, c'était un peu Mardi gras : tout pouvait se passer lors d'une soirée. Durant la période des fêtes, les réceptions ne ressemblaient à aucune autre, elles étaient plus gaies et plus chaleureuses.

La météo prévoyait de la neige pour le jour de son arrivée, ce qui achevait de rendre les choses parfaites. Peut-être ne pourrait-elle pas rentrer chez Nadine ensuite. Elle enfilerait le peignoir de Bowman au matin, et ils contempleraient ensemble la grande ville toute blanche.

Avec la neige qu'on avait annoncée, tout le monde quitta le travail de bonne heure. Elle se pressa de rentrer chez elle. Les premiers flocons avaient commencé à tomber. Deborah lui annonça qu'il y avait déjà cinq à six centimètres sur les routes, le car qui devait partir à seize heures était annoncé avec du retard. Une heure plus tard, Katherine dut appeler pour dire qu'elle ne pourrait jamais rejoindre la ville.

« Mon Dieu, s'écria-t-elle. C'est absolument affreux.

– Ce n'est qu'une soirée, dit Bowman sans en mesurer les enjeux pour elle. Ça n'a pas d'importance.

– Mais si ! » gémit-elle.

Elle se sentait désespérée. Inconsolable.

Ce soir-là à New York, les chutes de neige se révélèrent impressionnantes, ce fut le début d'une grosse tempête. Les invités arrivèrent en retard à la réception, certains s'étaient finalement décommandés, mais nombre d'entre eux bravèrent le mauvais temps. Les manteaux et les bottes des femmes furent jetés en tas dans une chambre. Quelqu'un jouait du piano. Les bus avaient interrompu leur service, annonça un convive. La pièce principale s'emplit d'invités qui riaient et devisaient joyeusement. Des assiettes de victuailles furent posées sur un long comptoir qui communiquait avec la cuisine. Un jambon entier glacé d'un riche nappage brun fut découpé et mangé. À la télévision, deux présentateurs suivaient l'évolution de la tempête mais on ne réussissait pas à les entendre dans le vacarme ambiant. On ne pouvait se défendre d'une sorte de sentiment d'irréalité en voyant cette neige qui tombait de plus en plus dru. On ne voyait pratiquement plus de l'autre côté de la rue : rien que les lumières vacillantes des appartements d'en face dans des linceuls blancs soulevés par le vent.

Bowman se tenait près de la fenêtre, sous le sortilège des Noëls passés. Il se rappelait l'hiver en mer durant la guerre, loin de chez lui : sur le bateau, la Radio des forces armées passait des cantiques, « Douce nuit... », et tous étaient plongés dans leurs pensées. Avec cette nostalgie et ce mal du pays taraudants, cela avait été le Noël le plus romantique de sa vie.

Quelqu'un se tenait juste derrière lui, et regardait aussi la rue en silence. C'était Ann Hennessy, une ancienne assistante de Baum qui s'occupait aujourd'hui de la communication de la maison.

« Un Noël blanc, commenta Bowman.

– Magique, n'est-ce pas ?

– Vous voulez dire, quand vous étiez enfant ?

– Non. Toujours. »

Des éclats de rire leur parvinrent de la cuisine. Un comédien anglais, emmitouflé dans un manteau au col en fourrure, venait d'arriver après sa dernière représentation. Leur hôtesse était allée l'accueillir et prendre congé des invités qui partaient, craignant de ne pas pouvoir regagner leurs pénates s'ils s'attardaient.

« Je pense que je vais rentrer avant que la situation n'empire, décida Bowman.

– Oui, je crois que moi aussi, dit-elle.

– Comment rentrez-vous ? Je vais voir si je trouve un taxi, je vous déposerai.

– Non, non, je vous remercie. Je vais prendre le métro.

– Je ne crois pas que ce soit très prudent ce soir.

– Je le prends habituellement.

– Il pourrait y avoir des perturbations.

– La sortie est à deux pas de chez moi», dit-elle comme pour le rassurer.

Elle alla saluer leurs hôtes. Bowman la vit récupérer son manteau. Elle sortit un foulard de soie coloré d'une des manches et l'entortilla adroitement autour de son cou. Elle s'enfonça ensuite un bonnet tricoté sur la tête et glissa ses cheveux dessous. Elle releva son col en traversant le vestibule. Il resta devant la fenêtre pour l'apercevoir dans la rue, mais, apparemment, elle devait longer l'immeuble de près et marcher seule.

En fait, elle n'était pas seule. Elle avait depuis des années une liaison avec un médecin qui avait cessé de pratiquer. Il était brillant – jamais elle ne se serait laissé séduire par un homme inintelligent – mais instable, avec de brusques sautes d'humeur. Il entrait dans des rages terribles, puis implorait piteusement son pardon. Elle était catholique, venait du Queens, avait été une étudiante douée, assez timide dans sa jeunesse, mais du genre à ne pas prêter attention aux opinions d'autrui. C'étaient les tensions que faisait peser sur elle son histoire avec ce médecin qui l'avaient conduite à renoncer à son emploi d'assistante de Baum. Elle n'avait pas jugé bon de s'expliquer. Elle avait seulement dit que la charge de travail était trop importante pour elle, et Baum la connaissait suffisamment pour accepter sa démission et présumer qu'elle devait avoir des ennuis personnels assez graves pour motiver sa décision.

Bowman, lui, n'en savait rien. Il se sentait seulement étrangement lié à elle, sans doute à cause du sentimentalisme de cette soirée, ou de la grâce naturelle qu'il n'avait pas su percevoir en elle auparavant. Il se félicitait de ne pas l'avoir raccompagnée et même de ne pas l'avoir vue quitter l'immeuble. La neige continuait à tomber dru, on l'appelait…

30

Un mariage

Au cours de l'été 1984, un dimanche après-midi, Anet épousa Evan Anders, fils d'un avocat new-yorkais et de sa femme vénézuélienne. De quatre ans l'aîné de la mariée, les cheveux noirs et le sourire étincelant de sa mère, il avait une licence de mathématiques, mais avait décidé de se consacrer à une passion longtemps contenue et de devenir écrivain. Pour le moment, il travaillait comme barman, et ce fut durant cette période aventureuse de son existence qu'Anet et lui décidèrent de se marier. Ils sortaient ensemble depuis plus d'un an.

Le mariage se tint à Brooklyn, dans le jardin d'un couple d'amis. Anet n'était pas religieuse, et en aucun cas orthodoxe, mais en hommage à son père quelques éléments d'une cérémonie grecque furent inclus au mariage. Ils allaient porter la petite couronne des époux grecs, et leurs alliances à la main droite plutôt qu'à la gauche. Il y avait quinze ou seize invités sans compter les parents des mariés, le garçon d'honneur qui n'était autre que le frère cadet d'Evan, Tommy, et Sophie, la demoiselle d'honneur. Le reste de l'assistance était composée de jeunes couples et de quelques jeunes femmes célibataires. Il faisait très chaud cet après-midi-là. On avait installé d'un côté de la pelouse une table avec des pichets de thé glacé et de limonade. On servirait des boissons alcoolisées par la suite, lors de la réception. Plusieurs femmes agitaient des éventails en attendant.

William Anders et Flore, son épouse, aimaient beaucoup Anet. Elle était un peu réservée, pensait-il, mais peut-être seulement avec lui. C'était un avocat de la plus grande intégrité. Il gérait de larges portefeuilles, et les clients qu'il représentait depuis des années étaient tous des amis. Il n'était pas homme à s'emballer facilement, cependant avec la fiancée de son fils quelque chose s'était passé dès le premier regard échangé. Il aurait pu la choisir lui-même : ce fut sans doute ce qu'elle ressentit et elle se montra prudente, mais ce jour-là, lors du mariage, il lui sembla qu'elle le fixait en retour sans la moindre timidité.

Plusieurs invités avaient déjà pris place sur les rangées de chaises, y compris Christine et son mari. Elle portait une capeline qui lui ombrageait le visage et une robe avec des motifs qui rappelaient des fleurs bleues. Elle attirait tous les regards. Sur la photographie officielle du mariage, on aurait dit une femme de trente ans : un pied élégamment posé devant l'autre, elle ressemblait à un mannequin. Elle en avait en fait quarante-deux et n'était pas du tout prête à laisser la jeunesse occuper le devant de la scène.

On passait des cassettes sur un magnétophone, en l'occurrence un quatuor à cordes. Trouvant d'ordinaire ce genre de morceaux ennuyeux, Anet s'était dit que cela convenait à l'occasion, et que de toute façon, depuis la maison, elle ne l'entendrait pas. Tommy l'avait aperçue dans une des pièces tandis qu'il empruntait un couloir pour gagner le jardin. Elle se tenait immobile dans sa robe de mariée blanche, et on y piquait par endroits quelques épingles. Elle était trop concentrée pour remarquer sa présence ou lui sourire, trop nerveuse aussi, mais fière de se marier en présence de ses parents, surtout sa mère avec laquelle elle avait été en mauvais termes pendant un certain temps, même si tout cela était aujourd'hui oublié ou, du moins, si on n'en parlait plus.

C'était Christine qui était venue la chercher à Kennedy Airport à son retour de Paris. Dans le taxi, un silence tendu s'était installé. Christine écumait de rage. Elle ne pensait certes pas que sa fille soit encore une enfant innocente, même si, à certains égards, elle le croyait encore, mais jamais elle n'avait imaginé une chose aussi sordide que cette liaison entre Anet et son ancien amant. Elle finit par dire :

« Eh bien, raconte-moi ce qui s'est passé. Je le sais parfaitement, mais je veux que tu me le racontes.

– Aucune envie, là tout de suite, répondit Anet, la voix éteinte.

– Qui a eu l'idée d'aller à Paris ? Toi ? »

Anet ne répondit pas.

« Et ça durait depuis combien de temps ? exigea de savoir Christine.

– Il ne s'était rien passé avant.

– Rien ? Et tu t'imagines que je vais te croire ?

– Oui.

– Alors comment se fait-il qu'il t'ait abandonnée de cette façon ? Pour quelle raison a-t-il disparu ?

– Je n'en sais rien.

– Tu n'en sais rien ? Eh bien moi, j'ai ma petite idée. »

Anet gardait le silence.

« Il voulait te montrer que tu n'étais qu'une petite garce. Il n'a d'ailleurs pas eu beaucoup d'efforts à faire pour ça. Tu te rends compte qu'il a trente ans de plus que toi ? Comment s'y est-il pris ? Il t'a juré qu'il t'aimait ?

– Non.

– Non. Quelqu'un d'autre est-il au courant ? »

Anet secoua la tête et fondit en larmes.

« Tu n'es qu'une imbécile. Une pauvre petite idiote ! »

Six ans s'étaient écoulés. Son père vint frapper à la porte pour demander si elle était prête. C'était à son bras qu'elle allait traverser le jardin pour marcher vers son futur époux. Tandis qu'ils se tenaient tous les deux sur le seuil de la maison, le quatuor fut remplacé par les accords familiers de la *Marche nuptiale*. Toutes les têtes se tournèrent vers Anet, presque féerique dans sa robe blanche, s'avançant avec son père. Elle paraissait sereine et même heureuse, bien que sa lèvre inférieure tremble un peu. Elle baissa un instant la tête pour se maîtriser. Le futur marié lui souriait tandis qu'elle marchait vers lui, Sophie aussi souriait, presque tous les convives souriaient.

Durant la cérémonie, au moment de l'échange des couronnes en tissu tressé ornées de rubans, le pasteur déclara :

« Ô Seigneur, couronnez leurs fronts de gloire et d'honneur. »

Ils se les posèrent sur la tête, puis les échangèrent, et firent de même avec les alliances, trois fois, de la mariée au marié et du marié à la mariée, pour symboliser l'union de leurs deux vies, tandis que toute l'assistance contemplait la scène dans une sorte d'extase silencieuse. À la fin, mari et femme burent ensemble à la même coupe de vin. Applaudissements, félicitations et embrassades, puis tous se dirigèrent vers l'intérieur de la maison où les attendaient le champagne et le buffet.

31

Sans fin

Il lui avait demandé, presque sur un coup de tête, si elle accepterait de dîner avec Kenneth Wells et sa femme, qu'elle ne connaissait pas, et qui étaient venus pour quelques jours à New York afin de parler du livre qu'il était en train d'écrire et d'échapper à l'ennui de la campagne. Cela semblait une occasion parfaite.

« Vous les avez rencontrés ? demanda Bowman. Je pense que vous vous entendrez à merveille. »

Il avait été incapable de dissimuler qu'Ann lui plaisait depuis un certain temps, même s'il avait du mal à mesurer si c'était sérieux. Il savait qu'il ne voulait pas entamer une histoire d'amour, une véritable liaison. Ils travaillaient déjà ensemble, cela semblerait trop facile. Pourtant, il se rendait compte qu'avec son air tranquille, juchée sur ses hauts talons, elle ne lui interdisait pas de songer à elle. Loin de là.

Elle arriva au restaurant ce soir-là vêtue d'un pantalon noir et d'un chemisier blanc à jabot, et Wells se leva comme un écolier discipliné quand elle les rejoignit.

« J'adore vos livres », lui confia-t-elle.

Michele Wells avait commandé un verre de vin ; Wells, un bourbon old fashioned.

« Qu'est-ce que vous buvez ? » demanda Ann.

Il lui décrivit brièvement la composition de son cocktail.

« C'était la boisson favorite de mon père, expliqua-t-il.

– Je vais me laisser tenter.

– Vous en avez déjà bu ? demanda-t-il, visiblement ravi.

– Non, ce sera mon premier.

– Voilà bien longtemps que je n'avais pas entendu cette phrase, dit Wells. En fait, quand il est mort, mon père était en train de boire un scotch. Il avait eu une crise cardiaque, et un soir, il a demandé à prendre un verre. Il voulait un scotch avec un peu d'eau, et il a proposé à l'infirmière de l'accompagner. Ils ont siroté lentement leurs verres, ont bavardé un peu, et ensuite, mon père a dit : "Un autre, pour la route ?" Elle le lui a servi, et tandis qu'il buvait, il a rendu l'âme. »

Wells était tout émoustillé par la présence d'une autre femme. Ses cheveux gris coiffés en arrière et ses lunettes lui donnaient un air germanique. À Chatham, il n'y avait aucune distraction le soir, en dehors de la télévision.

Ils suivaient avec assiduité la série *Retour au château*, et Michele déclara : « L'acteur qui joue Sebastian est merveilleux. »

Wells dit une grossièreté.

« Tu t'étais engagé à surveiller ton vocabulaire et ton taux d'alcoolémie ce soir.

– Ah oui, je me souviens », reconnut-il.

En fait, elle n'avait rien contre son langage cru, mais uniquement en privé, surtout si le propos s'enrichissait de références littéraires ou historiques. Il appelait parfois son sexe « la Concession française », et ainsi de suite. Il était tombé amoureux de sa femme avant même de la connaître, disait-il souvent. Il avait aperçu une paire de jambes sous des draps qu'on était en train d'étendre dans le jardin voisin.

« C'est étonnant ce qui peut attirer les hommes parfois, déclara Michele. En moins de temps qu'il n'en faut pour dire ouf, on était dans un avion en partance pour le Mexique. »

Quand le serveur leur apporta la carte, Wells retira ses lunettes pour étudier le menu de plus près. Ensuite, il posa toute une série de questions sur les plats et leurs différentes préparations, bien décidé à prendre son temps. Quelque chose dans sa simplicité et sa bonhomie le lui permettait.

« Et qu'est-ce que vous voulez boire, du rouge ou du blanc ? » demanda Bowman à la cantonade.

On se décida pour du rouge.

« Quel est votre meilleur rouge ?

– L'amarone, répondit le garçon.

– Alors nous en prendrons une bouteille.

– Un très bon vin, commenta Wells. Il vient de Vénétie, sans doute la province la plus civilisée d'Italie. Venise a été le centre du monde pendant plusieurs siècles. Du temps où Londres était encore un capharnaüm, Venise était déjà une reine. Shakespeare y a situé quatre de ses intrigues, *Othello*, *Le Marchand de Venise*, *Roméo et Juliette*...

– *Roméo et Juliette* ? s'étonna Ann. Ce n'était pas plutôt Vérone ?

– C'est juste à côté », répondit Wells.

Quand on apporta leurs plats, il se concentra sur le contenu de son assiette. Il mangeait comme un prêtre trop gâté et répondait la bouche pleine.

« Je ne suis jamais allée à Venise, dit Ann.

– Vraiment ?

– Non, jamais.

– Je vous conseille le mois de janvier. Pas trop de monde. Et puis, apportez une lampe électrique pour voir les tableaux. Ils sont tous dans des églises où l'éclairage laisse franchement à désirer. On peut glisser une pièce dans une fente et bénéficier d'une lumière supplémentaire, mais ça ne dure que quinze secondes. Il faut vraiment que vous ayez votre propre lampe. Je vous conseille également d'éviter la Giudecca. C'est trop loin de tout. Si vous y allez, prévenez-moi, je vous dirai ce qu'il faut voir. Le plus beau, c'est le cimetière. La tombe de Diaghilev. »

Ann semblait fascinée par chaque parole qu'il prononçait.

« Je ne suis pas d'accord, la tombe de Diaghilev n'est pas ce qu'il y a de plus beau, dit Bowman.

– Presque en tout cas. Je vous propose un jeu. La plus belle chose à voir à Paris, à Rome et à Amsterdam. Le gagnant recevra une récompense.

– Quelle est la récompense ? »

Le gros lot, ce serait Ann Hennessy, songea Wells, mais il était loin d'être suffisamment ivre pour oser en souffler mot.

Ce fut un dîner très agréable. L'amarone avait du corps et ils en commandèrent une deuxième bouteille. Le visage d'Ann rayonnait. Tout tournait autour d'elle ce soir-là. Bowman n'avait jusqu'ici jamais remarqué combien ses mains étaient gracieuses. Il se dit qu'elle avait sans doute été la maîtresse de Baum, même si elle avait su éluder les soupçons. Rien qu'à la regarder, il en était convaincu. Plus tard, il se rendit compte qu'il se trompait alors qu'ils se tenaient tous les quatre dans la rue sombre et se disaient longuement au revoir. Elle gardait les mains croisées devant elle comme une écolière, et quelque chose – l'excitation de la soirée, sans doute – était retombé. Il héla un taxi et elle s'y engouffra avant lui sans un mot.

« J'ai passé une excellente soirée », dit-il pendant le trajet.

Elle ne répondit rien.

« Vous avez été merveilleuse, insista-t-il.

– Vraiment ?

– Oui. »

Après quelques minutes, elle se mit à fouiller son sac à main à la recherche de ses clés.

Elle vivait dans Jane Street. L'immeuble n'avait pas de portier, rien que deux séries de portes vitrées.

« Vous voudriez monter ? proposa-t-elle soudainement.

– Oui, répondit-il. Quelques minutes. »

Elle habitait au quatrième étage, et ils prirent l'escalier. L'ascenseur était en panne. Elle alluma quand ils pénétrèrent dans l'appartement, puis retira son manteau.

« Vous voulez boire un verre ? Je n'ai malheureusement pas grand-chose à vous proposer. Il doit me rester un peu de scotch.

– Parfait. Mais rien qu'une goutte. »

Elle trouva la bouteille et un verre, décida qu'elle ne boirait rien. Elle le servit et prit place presque à l'autre extrémité du canapé. Elle était un peu ivre, il le voyait maintenant, mais elle avait retrouvé son élégance naturelle dans ce pantalon noir et ce chemisier à jabot. Elle le fixait des yeux. Elle voulait parler. Il y avait des choses qu'elle voulait dire, sans qu'elle puisse toutefois se lancer. Elle gardait le silence. Bowman se sentait mal à l'aise, et parce qu'il ne savait que faire, il se rapprocha d'elle sur le canapé, et l'embrassa posément. Elle parut y réfléchir.

« Je ferais peut-être mieux de rentrer, dit-il.

– Non, je vous en prie, s'écria-t-elle. Vous pouvez… » Elle ne finit pas sa phrase. « Ne partez pas. »

Elle tendit la main pour se débarrasser de ses chaussures. Son instinct lui dictait de ne pas se blottir dans ses bras. Elle ne se serait pas sentie à l'aise dans cette situation. Elle se leva et marcha sans hâte vers sa chambre. Il eut l'impression qu'elle allait s'allonger et s'endormir aussitôt. Au bout de quelques minutes, il s'approcha du seuil de la chambre.

« Voulez-vous venir vous coucher ? » suggéra-t-elle.

Sur le quai à Hunters Point, là où il prenait le premier train du soir presque tous les vendredis au printemps et à l'automne, il marcha jusqu'à l'endroit où se trouveraient les voitures de queue quand le train entrerait en gare. Il était quinze heures quarante-cinq et il n'y avait encore que quelques autres passagers. Il aperçut un vieil homme en costume de lin décoré d'une pochette, avec une chemise bleue et une cravate, qui lisait la page pliée d'un journal quelconque à l'aide d'une loupe, un veuf qui vivait seul ou bien peut-être un célibataire endurci. Mais à pareil âge, qui ne s'était jamais marié ? Il allait sans doute descendre à Southampton comme il le faisait depuis des années. Et il s'éloignerait dans le soir tombant.

Le train s'était arrêté. Les passagers dévalaient l'escalier qui descendait de la rue. Bowman monta dans sa voiture et choisit un siège près de la fenêtre. C'était réconfortant de partir à la campagne. Le week-end entier l'attendait. Les contrôleurs affublés de leurs rigides casquettes bleues regardaient leurs montres. Finalement, dans une brusque secousse, le train s'ébranla.

Il lut pendant quelque temps, puis referma son livre. Les banlieues industrielles et les entrepôts disparurent. Aux passages à niveau, des files de voiture attendaient, tous phares allumés. Les boulevards étaient congestionnés. Des maisons, des arbres, des lieux inconnus défilaient, des berges, de mystérieux étangs. Bien qu'il ait souvent traversé ce paysage, il ne le connaissait pas.

Il avait quitté Tivoli l'année précédente – le professeur était revenu d'Europe –, cela n'avait en tout cas été qu'un interlude. Il promit à Katherine qu'ils se reverraient à New York, mais il savait que leurs chemins se séparaient. Il louait désormais une maison non loin de celle qu'il avait autrefois dénichée à Wainscott. Il avait l'impression de retrouver sa vie antérieure. Ann Hennessy vint lui rendre visite un week-end. Il y eut d'abord une certaine gêne, mais elle se dissipa au cours du dîner.

« J'ai une bouteille d'amarone en réserve, dit-il.

– Oui, je l'ai remarquée.

– Et quoi d'autre ?

– Rien. J'étais trop nerveuse.

– Espérons que l'amarone t'apaisera.

– Je n'y crois pas. »

Cela les ramena tout du moins à Venise.

« J'aimerais tellement y aller, dit-elle.

– Il existe un superbe guide de Venise – je crains qu'il ne soit épuisé pour l'instant –, écrit par un certain Hugh Honour. Un historien. C'est un des meilleurs guides que j'aie jamais lus. Il est possible que j'en aie un exemplaire. Il a un compagnon, nommé John Fleming. On les surnomme communément l'Honneur et la Gloire, tu devines pourquoi. Ils sont anglais, évidemment. Je déteste le mot "gay", poursuivit-il. Ce sont des personnalités trop éminentes pour qu'on les affuble de ce vocable. En privé, peut-être se désignent-ils eux-mêmes de cette façon. Les empereurs romains n'étaient pas "gays". Ils se baignaient nus dans des bassins avec de jeunes garçons éduqués pour donner du plaisir, mais il semble inapproprié de les appeler "gays". Dépravés, sybarites, pédérastes, mais pas "gays". Ça porte atteinte à la dignité de la perversion.

– Je n'avais pas pensé aux empereurs romains.

– Parlons de Cavafy, alors. Cela ne semble pas très juste de le qualifier de "gay" lui non plus. Ni même John Maynard Keynes. C'est franchement trop familier. Cavafy était un déviant. Je crois qu'il utilise le mot lui-même. "Gay" sonne faux. Mais il existe certaines pratiques que l'on peut qualifier ainsi. Tu en es familière? demanda-t-il, l'air de rien.

– Je suppose que oui, dit-elle. Je ne suis pas sûre.

– Je ne parlais de rien en particulier.

– Pas de problème. »

Elle attendit, mais il n'alla pas plus loin.

Ce fut le premier de nombreux week-ends. Ils devinrent une sorte de couple non officiel. Ils choisirent de rester discrets au travail : ils ne s'affichaient ensemble que le soir ou à la campagne. Ils profitaient alors de leur temps libre, sans le moindre embarras. Elle dormait dans une chemise de nuit blanche toute simple qu'il soulevait doucement jusqu'à ses hanches et qui restait ainsi à demi remontée quand elle ne choisissait pas de la faire glisser par-dessus sa tête pour la retirer. Sa peau nue était fraîche. Son bras reposait le long de son corps, paume ouverte. Et il venait s'y lover.

En juin, l'eau était encore trop froide pour nager. Si, au bout d'une minute, il avait le courage de s'y jeter, l'instant d'après, il le regrettait. Mais les jours étaient longs et magnifiques. Les plages, encore vides. Il arrivait que le soleil, à cause des nuages, n'illumine qu'une section de la mer, la rendant presque blanche alors que le reste demeurait bleu marine ou gris-vert.

En juillet, l'océan se réchauffa. Ils allaient nager de bonne heure. Sur le parking, une camionnette blanche s'ouvrant sur le côté proposait du café, des croque-madame, et un peu plus tard, des boissons fraîches. Quelques enfants flânaient dans les parages et marchaient pieds nus sur l'asphalte. Il n'y avait pas encore beaucoup de monde sur la plage qui s'étendait à perte de vue dans les deux directions. Le maillot de bain d'Ann était rouge carmin. Ses bras et ses jambes avaient déjà perdu leur pâleur citadine.

La température de l'eau était idéale. Ils nageaient côte à côte pendant quinze à vingt minutes, puis ils allaient s'allonger au soleil. Il soufflait une légère brise, la journée promettait d'être chaude. Leurs têtes se touchaient presque. Un jour, elle ouvrit les yeux pendant quelques secondes, le regarda, puis elle les referma. Ils finirent par s'asseoir de concert. Le soleil leur brûlait les épaules. Il y avait davantage de gens à cette heure, certains avec des parasols et des pliants.

« Tu veux retourner te baigner ? demanda Bowman en se levant.

– D'accord. »

Ils marchèrent droit devant eux, et quand l'eau leur atteignit la taille, il plongea, la nuque allongée entre ses bras tendus. La mer d'un vert pastel, pure et soyeuse, était soulevée par une légère houle. Cette fois, ils ne nagèrent pas ensemble, mais partirent dans deux directions différentes. Il mit cap vers l'est, se laissant peu à peu porter par le rythme régulier des vagues. La mer l'entourait, lui battait les flancs, et passait sous son corps en une caresse inimitable. Il y avait quelques autres nageurs, il apercevait leurs têtes solitaires un peu plus au large. Il sentait qu'il aurait pu nager très loin, que ses forces étaient vives. En baissant la tête, il voyait le fond, lisse et ondulé. Il nagea encore longtemps, et enfin, il se retourna et entreprit de revenir vers le rivage. Il sentait qu'il commençait à se fatiguer, mais ce jour-là, il avait envie de continuer, de rester encore, porté par l'océan. Finalement, il sortit de l'eau, épuisé mais heureux. À quelques pas de lui, un groupe d'enfants, de dix ou douze ans, couraient vers la mer, en une longue file irrégulière, une fille avec une fille, un garçon suivant un garçon, leurs visages et leurs cris témoignant de leur joie. Il marcha vers Ann, qui était sortie de l'eau plus tôt et qu'il allait pouvoir repérer facilement de loin, assise sur le sable dans son maillot rouge brillant.

Animé par un inexplicable sentiment de triomphe, il se campa devant elle le temps de se sécher. Il était presque onze heures. La chaleur du soleil cognait avec une force terrible, on aurait dit une forge. Ils retournèrent ensemble vers la voiture, en retrait de la route. Quand elle prit place sur le siège à côté de lui, il se dit que ses jambes avaient encore bronzé. Elle avait même un coup de soleil sur les pommettes. Quant à lui, il se sentait heureux, et comblé. Sa présence était un vrai miracle. Elle était la femme d'une trentaine d'années qu'on rencontre dans les romans et les pièces de théâtre, et qui, pour une raison ou une autre, le hasard, les circonstances, n'avait pas trouvé d'homme. Désirable, pleine de vie, elle était passée à travers les mailles du filet, et le fruit était tombé par terre. Elle n'avait jamais évoqué leur avenir. Jamais prononcé le mot « amour », sauf dans les moments d'extase. Pourtant, campé devant elle, sortant à peine de la mer, il l'avait presque dit ; il s'était agenouillé et il avait presque réussi à l'exprimer, cet amour qu'il ressentait pour elle. Il avait même failli la demander en mariage ; le moment était parfait, il le savait.

Il n'était sûr ni d'elle ni de lui-même. Il se savait trop vieux pour se marier et ne voulait pas de ces compromis sentimentaux de l'âge mûr. Il avait trop d'expérience pour cela. Il s'était marié une fois, en y mettant tout son cœur, et il s'était trompé. Ensuite, il était tombé fou amoureux d'une femme à Londres, et peu à peu, ses sentiments avaient pour ainsi dire décliné. Puis, le destin avait voulu que par une nuit des plus romantiques, il rencontre une femme qui l'avait trahi par la suite. Il croyait à l'amour – il y avait cru sa vie durant –, mais aujourd'hui, il était sans doute trop tard. Ils pourraient certainement continuer ainsi pour toujours, comme les amants de la littérature et des beaux-arts. *Anna*, comme il s'était mis à l'appeler, *Anna, approche s'il te plaît. Viens t'asseoir à côté de moi.*

Wells s'était remarié avec encore moins de certitude que lui.

Il avait entrevu les jambes d'une femme et lui avait parlé dans le jardin voisin. Puis ils s'étaient enfuis ensemble, et son épouse avait reconstruit sa vie autour de la sienne. Peut-être était-ce ce dont il s'agissait au fond : reconstruire une vie. Ils allaient sans doute voyager. Il avait toujours eu envie de visiter le Brésil, là où Elizabeth Bishop avait vécu avec sa compagne brésilienne, Lota Soares, au confluent des deux rivières, l'une bleue et l'autre brune, sur lesquelles elle avait écrit. Il voulait aussi revoir le Pacifique, là où il avait connu l'aventure pour la seule fois de sa vie, et le visiter d'un bout à l'autre, tous ces endroits aux noms oubliés, Ulithi, Majuro, Palau, et peut-être aller se recueillir sur quelques tombes, celle de Stevenson ou de Gauguin, à dix jours de bateau de Tahiti. Et puis continuer jusqu'au Japon. Ils feraient leurs plans de voyage ensemble, et ils dénicheraient de petits hôtels.

Elle était partie rendre visite à ses parents. C'était le mois d'octobre, il se retrouvait seul. Cette nuit-là, les nuages étaient bleu marine, un bleu tel qu'on en voit rarement recouvrir la lune tapie, et il songea, comme souvent, aux nuits passées en mer ou au port en attendant d'appareiller.

La solitude ne le dérangeait pas. Il s'était improvisé un dîner et maintenant il lisait, un verre près de son coude, tout comme il le faisait autrefois dans le petit appartement de la 10e Rue, alors que Vivian dormait déjà et qu'il restait assis à finir un roman. Le temps était sans limites, tous ces matins, ces nuits, la vie qui l'attendait encore.

Il pensait souvent à la mort mais la plupart du temps, pour plaindre un animal, un poisson, l'herbe jaunissante à l'automne, et les monarques qui s'accrochaient aux hautes herbes et prenaient des forces avant leur ultime ballet funèbre. Ces papillons avaient-ils deviné d'une façon ou d'une autre l'énergie qu'il allait leur falloir, toute cette force héroïque ? Il songeait à la mort, mais il n'avait jamais pu l'imaginer, ce non-être alors que tout continuait à vivre alentour. L'idée de passer de ce monde à un autre était trop fantasque pour qu'on y accorde croyance. De même, comment imaginer que l'âme, de façon mystérieuse, allait s'élever pour rejoindre le royaume de Dieu ? Là-haut, vous étiez censés retrouver tous ceux que vous aviez autrefois connus ou que vous n'aviez jamais rencontrés, les cohortes de morts, toujours plus nombreux mais jamais au point d'atteindre l'infini. Seuls manqueraient au tableau ceux qui croyaient qu'il n'y avait rien au-delà, lui avait expliqué sa mère. Le temps serait alors aboli – l'éternité passerait en une heure, comme les heures défilent lorsque l'on dort. Tout ne serait plus que bonheur.

Il arrivait exactement ce en quoi on croyait, disait Beatrice. Elle partirait pour un très bel endroit. Rochester, avait-elle ajouté, en manière de plaisanterie. Lui s'était toujours imaginé un fleuve sombre et les longues files de ceux qui attendaient le passeur, avec la patience et la résignation qu'exige l'éternité, dépouillés de biens matériels, à l'exception d'un seul, une bague, une photo, une lettre, autant d'objets qui représentaient ce qu'ils avaient de plus cher et qu'ils laissaient derrière eux, et dont ils espéraient, parce qu'ils étaient si insignifiants, qu'ils pourraient les emporter. Il avait conservé une lettre de ce genre, écrite par Enid : *Les jours passés avec toi ont été les plus beaux jours de ma vie…*

Et s'il n'y avait pas de fleuve, mais rien que l'interminable file des inconnus, des gens absolument désespérés, comme on en avait vu pendant la guerre ? On le forcerait à rejoindre leurs rangs et à attendre pour l'éternité. Il se demanda alors, comme il se le demandait souvent, combien de temps il lui restait à vivre. Il n'était sûr que d'une chose : quel que soit le destin qui l'attende, c'était le même que celui de tous ceux qui avaient jamais vécu. Il irait là où ils étaient tous allés et – c'était le plus difficile à admettre – tout ce qu'il avait connu serait englouti avec lui : la guerre, Mr Kindrigen et le domestique servant le café, le premier séjour à Londres, le déjeuner avec Christine, son corps superbe comme une entité distincte, tous ces noms, ces maisons, la mer, tous ceux qu'il avait connus, et les choses qu'il ne connaissait pas mais qui existaient néanmoins, les choses de son temps, toutes ces années, les grands paquebots avec leur majestueuse élégance prêts à lever l'ancre, l'orchestre qui jouait pendant qu'ils faisaient marche arrière dans le port, l'immensité verte de la mer qui allait s'élargissant, le *Matsonia* quittant Honolulu, le *Bremen* qui appareillait, l'*Aquitania*, l'*Île-de-France*… et tous les petits bateaux qui les suivaient en chapelets… La première voix qu'il eût jamais entendue, celle de sa mère, était au-delà de la mémoire, mais il se rappelait le bonheur de se blottir contre elle quand il était enfant. Il se souvenait de ses premiers camarades, le nom de chacun d'eux, les salles de classe, les instituteurs, les détails de sa chambre – la vie en marge de tous les calculs, la vie qui s'était offerte à lui et qu'il avait faite sienne.

Il avait passé du temps à désherber cet après-midi-là, et il se pencha pour regarder, sous son short de tennis, des jambes qui semblaient être celles d'un vieillard. Il lui faudrait penser à ne pas se promener en short quand Ann serait dans les parages, et probablement même pas dans le kimono qui descendait jusqu'aux genoux, ou en maillot de corps. Il devait se montrer attentif à ces détails. Il sortait et rentrait toujours à la maison en costume. Cette fois, il choisit celui qu'il avait acheté chez Tripler & Co, bleu nuit à rayures très fines.

C'était le costume qu'il portait à l'enterrement de sa tante à Summit. Il s'y rendit avec Ann – il lui avait demandé de l'accompagner. La cérémonie était à dix heures. Ce fut bref, et ils repartirent juste après. Ils étaient venus par le premier train. Traversant les marais dans la lumière bleue du petit matin, New York dans le lointain comme une ville inconnue, un endroit où on pourrait vivre et être heureux. Durant le trajet, il lui parla de sa tante, Dorothy, la sœur de sa mère, et de son merveilleux oncle, Frank. Il décrivit leur restaurant, le Fiori, avec ses fauteuils de feutre rouge et ces couples qui s'arrêtaient après le travail pour dîner puis rentraient chez eux, et d'autres qui arrivaient plus tard, soucieux de ne pas être vus. Des années s'étaient écoulées, mais tout cela lui semblait presque tangible ce matin-là, comme s'ils projetaient d'y dîner, siroter un cocktail en écoutant *Rigoletto*, tandis que la serveuse leur apporterait des steaks légèrement brûlés avec une petite noix de beurre déjà en train de fondre. Il avait envie de l'y amener pour la première fois.

Son esprit s'envola alors, vers la grande cité funéraire, avec ses *palazzi* et ses paisibles canaux, ces lions qui constituaient son emblème redouté.

« Tu sais, dit-il. J'ai un peu repensé à Venise. Je ne suis pas sûr que Wells avait raison au sujet du meilleur moment où y aller. Il y fait un froid de canard en janvier. J'ai l'impression qu'il vaudrait mieux essayer avant. Quelle importance qu'il y ait du monde ? Je peux me renseigner sur les hôtels.

– Tu es sérieux ?

– Oui. Allons-y en novembre. Offrons-nous un moment extraordinaire. »

Réalisation : PAO Éditions du Seuil
Achevé d'imprimer par CPI Firmin-Didot
à Mesnil-sur-L'Estrée
Dépôt légal : août 2014. N° 0290 (122888)
Imprimé en France